D1144505

SAOITHIÚLACHT NA SEAN-GHAEILGE

A

Saoithiúlacht
na
Sean-Ghaeilge

Bunú an Traidisiúin

P. L. HENRY
D. Phil. (Zürich), D. Litt. (N.U.I.), M.R.I.A.

OIFIG AN tSOLÁTHAIR
BAILE ÁTHA CLIATH

Duais an Oireachtais 1976

Le ceannach díreach ón
Oifig Dhíolta Foilseachán Rialtais
An Stuara, Ard-Oifig an Phoist
Baile Átha Cliath 1
nó ó dhíoltóirí leabhar

DO SHIOBHÁN

Clóchuallacht Chathail (1976) Teoranta a rinne agus a chlóbhuail.

CLÁR

LÉARÁIDÍ

Tá an t-údar agus na foilsitheoirí i gcomaoin na bpictiúirí ag Cambridge University Collection (reserved copyright I-II), Coimisinéirí na nOibreacha Poiblí (III, VIII), Antikvarisk-Topografiska Arkivet (ATA), Stockholm (IV), Bord Choláiste na Tríonóide, Baile Átha Cliath (V), Gloucester City Museum (VI), agus Músaem Náisiúnta na hÉireann (VII).

BROLLACH

Cuireadh a fuair mé ó Roinn an Oideachais leabhar a scríobh ar Litríocht na Gaeilge a d'fhéadfadh a bheith fóinteach don lucht léinn. Mheas mé go mba í an bhrí is leithne is fearr a d'oirfeadh do *litríocht* i gcás na Sean-Ghaeilge: córas urlabhra bunaithe ar theanga; córas ealaíonta bunaithe ar theicníocht; agus córas saoithiúlachta bunaithe ar choincheapa. Tá trácht dá réir ar na trí ghné sin sa saothar seo. Ar an taobh eile de, chloígh mé leis an sciar is ársa de thraidisiún na Gaeilge.

An té a bhfuil spéis i litríocht aige, ní mór dó thar gach rud eile í a léamh. I gcás na seanlitríochta, áfach, níl sin ar chumas mórán den lucht spéise mar nach bhfuil léamh na Luath-Ghaeilge (i.e. go dtí A.D. 1200) acu. Cad tá le déanamh acu, mar sin? Dul i muinín an aistriúcháin Bhéarla, má tá a leithéid ann? Istigh sa teanga atá an t-anam nó an bhrí bhunúsach agus teipfidh ar gach iarracht teacht air trí fhocail dheoranta. Gheofaí snáithe scéil, gan amhras, as an aistriúchán próis. Maidir le filíocht na Gaeilge de, ní gnách anois aon chruinnaistriú le dealramh uirthi; dúiche sheilge fhaiseanta chun nuavéarsaíocht Bhéarla í den chuid is mó.

Ach seans go bhfanfadh spiorad na luathlitríochta in aistriúchán Nua-Ghaeilge, go háirithe dá bhféadfaí a cheart a thabhairt don scéalaí is don téacs bunaidh, dhá rud nach éasca. Sin é an dóchas a bhí agam nuair a thug mé faoi riar de na scéalta aithnidiúla a eachtraí i gCaibidlí V–IX: an léitheoir a chur in aithne do scéalaí gairmiúil i mbun a cheirde. Leis sin bheadh iarracht tugtha ar an gcéad ghad a scaoileadh. Iarracht eile cabhrach sea an t-aistriúchán leis na seandánta tríd síos le hintinn an fhile a léiriú, agus ina theannta sin an cur síos ar chúlra an taighde is na luathlitríochta i gCaibidlí I-III.

Ina dhiaidh sin is uile, níl sa chéad chuid den leabhar (I-IX) ach mar a bheadh deoch roimh bhia; an scrúdú ar bhunús na filíochta i X-XVI an *pièce de résistance*. Más do lucht na spéise sa litríocht I-IX is do lucht taighde X-XVI. Braitheann an taighde sin go bunúsach ar ghné na teangeolaíochta de. Níl aon dul as sin nuair is luathlitríocht í: caitear an ceann is fearr a fháil ar na fadhbanna teanga le téacs iontaofa a roghnú mar bhunús do phlé

na litríochta is na saoithiúlachta. Is intuigthe nach bhfuil aon
bhallaí timpeall ar an tSean-Ghaeilge; tá a timpeallacht féin aici
(féach Caib. XIV) agus, ar ndóigh, tá a stair féin aici leis (Caib.
XVII); mar sin, oireann trealamh ilghnéitheach don scoláire.

I bprionsabal is í an chuid is ársa den litríocht atá á plé sa leabhar
seo. Mír thábhachtach di na *Dlíthe,* ach ón uair nach bhfuil an
Corpus Iuris Hibernici ar fáil fós táimid ag braith cuid mhaith ar
Ancient Laws of Ireland I-VI (A.L.), eagrán *passé* den obair iontach
a rinne Ó Donnabháin agus Ó Comhraí sa chéad seo caite. I lámh-
scríbhinní chomh déanach leis an 14ú-16ú céad atá na *Dlíthe* seo
ar fáil againn agus sraitheanna éagsúla teanga os cionn a chéile
iontu: sraith ársa ó bhéalaithris an 6ú-7ú céad; sraith Sean-Ghaeilge
ón 8ú-9ú céad, ansin tráchtaireacht is gluaiseanna ón 9ú-16ú céad.
I gcás luathdhánta, leis, tharlódh nach mbeadh ach leagan déanach
ar fáil 700 bliain níos óige ná na dánta féin. Nílimid go holc as i
gcás *Amra Choluim Chille* le bearna de c. 500 bliain. Fágann an méid
sin go léir fadhb ag an eagarthóir: cé acu leagan a roghnóidh sé,
leagan na lámhscríbhinne nó leagan caighdeánaithe Sean-Ghaeilge
– má mheasann sé gur dán Sean-Ghaeilge go bunúsach é?

Cúram ar leith sea eagráin bhreithiúnacha nó *critical editions* a
sholáthar, agus ní hé ár gcúram sa leabhar seo é. Téacs beacht
iontaofa a bheadh dílis don lámhscríbhinn is fearr a d'oirfeadh do
chúlra na lámhscríbhinní agus do phlé na litríochta. Lorg mé sna
heagráin mhóra chlóbhuailte ar an gcéad ásc é, mar LU (Best-
Bergin), LL (Best-Bergin-O'Brien), *Corp. Gen.* (O'Brien), agus in
eagráin Institiúid an Ard-Léinn (Medieval and Modern Series),
inter alia. Bainim leas chomh maith as foinsí caighdeánaithe ar nós
C. Watkins, *Celtica* VI 221 ff., go háirithe i dtaca le véarsaí atá sách
sothuigthe, saor ó fhadhbanna. Tá mionathruithe déanta agam féin
ar véarsaí den sórt seo, ó uair go huair, lena dtabhairt beagán níos
cóngaraí do chruth na Sean-Ghaeilge. I gcás téacs chomh hachrann-
ach, doiléir le cuid mhór de na *Bretha Nemed* (*Ériu* XIII) is fearr
liom cloí leis an lámhscríbhinn, dá dhéanaí í (17ú céad). Mar sin,
ní hé an cineál céanna eagarthóireachta a rinneadh ar na foinsí ar
fad. Ní cuid iontais é seo, dáiríre, mar luíonn sé le réasún go mbeadh
an chuid is so-ionramhála den litríocht á tabhairt chun tíreachais
is á cur faoi chaighdeán nuair a oireann sin di.

I bprionsabal ní leasaím féin aon téacs ar mhaithe le haontacht
na foirme ná leis an gciall, ach tógaim *varia lectio* nuair a oireann sé,

gan foláireamh (e.g. ACC §142 *menda* in áit *menna*). Mar chabhair
don léitheoir bainim leas as na mionathruithe eagarthóireachta a
leanas: an macran (⁻) le fad gutaí a chur in iúl ach amháin i gcás
ia, ua, ae, oe; litreacha atá ar iarraidh sa lámhscríbhinn cuirtear
taobh istigh de lúibíní cearnógacha [ ] iad; cuirtear gnáthlúibíní
cruinne ( ) timpeall ar litreacha iomarcacha sa téacs; ponc ardaithe
le hionad an aicinn a léiriú i bhfoirmeacha briathartha (e.g. ACC
§21 *At·ruic*); fleiscín uaireanta idir foirmeacha a bhfuil ceangal
comhréire nó deilbhíochta eatarthu (e.g. ACC §18 *Ar-nin-forcet-
laid* . . .).

Táim faoi chomaoin ag na scoláirí a leanas as ucht an léirmheasa
a rinne siad ar an Ls: I dtús báire E. G. Quin a léigh go mion, a
cheistigh is a cheartaigh; Seán de Búrca, a rinne moltaí is a thug
riar tagairtí inspéise uaidh; agus Heinrich Wagner, as na tuairimí
a nocht sé ina leith. Má tá míchruinneas nó déchiall ag roinnt leis
an téacs fós in áiteanna, ní orthusan aon chuid dá locht.

Táim an-bhuíoch de mo bhean, Siobhán, as an Ls a léamh ar
mhaithe le ceart na Gaeilge inti. Ba mhaith liom mo bhuíochas a
chur in iúl do Choláiste Iolscoile na Gaillimhe, freisin, as an tsaoire
thaighde a tugadh dom le tabhairt faoin obair.

P. L. HENRY

NODA

Leantar gnás na *Contributions to a Dictionary of the Irish Language* (RIA 1913–76) i dtaca le gearrtheidil. Tá eolas cruinn ar theidil áirithe i gcorp an leabhair seo e.g. ar lgh *117, 142, 169, 191, 213* agus déantar tagairt thíos do na lgh sin nuair is gá é.

ACC=Amra Choluim Chille (W. Stokes, RC xx, xxi etc.): *191.*
ÄID=Über die älteste irische Dichtung (K. Meyer 1913–14): *142.*
A.L.=Ancient Laws of Ireland I-VI. Dublin 1865–1901.
Anecd.=Anecdota from Irish Manuscripts I-V. Halle 1907–1913.
Ann. Conn.=Annals of Connacht (Freeman, 1944).
Ann. L. Cé=Annals of Loch Cé (Hennessy, 1871).
Arch.=Archiv für celtische Lexikographie (Stokes-Meyer, 1898–1907).
BB=Book of Ballymote: Facsimile (Atkinson, 1887).
BDD=Togail Bruidne Da Derga (Stokes, 1901; Knott, 1936): *117.*
Br. F. F.=Briathra Flaind Fína: *98.*
C.A.=Canu Aneirin (I. Williams, 1938): *169.*
CIIP=Corpus Inscriptionum Insularum Celticarum (R.A.S. Macalister, 1945): *229.*
CLH=Canu Llywarch Hen (eag. I. Williams, 1953): *169.*
Cóic Con. F.=Cóic Conara Fugill (eag. Thurneysen, Berlin 1926).
Contrib.=RIA Contrib. q.v.
Corm. Y=Sanas Cormaic (YBL, eag. Meyer, Anecd. iv, 1912): *68.*
Corp. Gen.=Corpus Genealogiarum Hiberniae (O'Brien, 1962).
D'Arbois, *Cours*=Cours de littérature celtique I-XII (H. d'Arbois de Jubainville, Paris, 1883–1902).
Din.=Foclóir Gaedhilge agus Béarla (P. Dinneen, 1927).
Dinds.=Rennes Dindsenchas (Stokes, RC xv, xvi, 1894–5).
E.3.5=Ls de chuid TCD.
EECL=The Early English and Celtic Lyric (P. L. Henry, London 1966).
Eg. 88=Ls den sraith Egerton, British Museum.
EIHM=Early Irish History and Mythology (O'Rahilly, 1957): *4.*
EIL=Early Irish Lyrics (G. Murphy, Oxford 1956).
FB=Fled Bricrend (eag. G. Henderson, 1899): *117.*
Fél.=Félire Oengusso (Stokes, Henry Bradshaw Soc., xxix, 1905).
H. 3. 18.=Ls de chuid TCD.
Harl. 5280=Ls de chuid an British Museum.
Gawain=Sir Gawain & The Green Knight.
GTIP=A Golden Treasury of Irish Poetry (Greene & O'Connor 1967): *117.*
Háv.=Hávamál.
Heldensage=Die irische Helden- und Königsage (R. Thurneysen, Halle 1921).
IEW=Indogermanisches Etymologisches Wörterbuch (Pokorny, 1959).

IT=Irische Texte (Windisch-Stokes, 1880–1909).

LB—Leabhar Breac (facsimile, 1876).

Leb. Gab.=Leabhar Gabhála (M. Ó Cléirigh: Macalister-MacNeill, 1916).

LH=Liber Hymnorum (TCD).

LL=Leabhar Laighneach (eag. Best, Bergin, O'Brien, 1954–67).

LU=Lebor na h-Uidre (eag. Best, Bergin, 1929).

Mart. Don.=Martyrology of Donegal (Todd, Reeves 1864).

Met. Dinds.=Metrical Dindsenchas (eag. Gwynn, Todd Lect. viii-xii, 1903–1935).

Meyer, Contribb.=Contributions to Irish Lexicography I: 1 (1906).

Meyer, Selections=Selections from Ancient Irish Poetry (London, 1959).

Misc. Hib.=Miscellanea Hibernica (Meyer, 1917).

O'Dav.=O'Davoren's Glossary (eag. Stokes, Arch. ii, 1904).

Ped.=Vergleichende Grammatik der keltischen Sprachen (Pedersen 1909–13).

PKM=Pedeir Keinc y Mabinogi (I. Williams, Caerdydd, 1951).

PRIA=Proceedings of the Royal Irish Academy, 1836–

Rawl. B 502=Ls de chuid an Bodleian (facsimile, Meyer, 1909).

RC=Revue Celtique 1870–1964.

RIA=Royal Irish Academy.

RIA Contrib.=RIA Dict.=Dictionary of the Irish Language (RIA 1913–76).

SC=Serglige Con Culainn (Windisch, IT i; Dillon, 1935): 117.

Sc. M=Sc. MMD=Scéla Mucce meic Dathó (Thurneysen, 1935): 117.

Senbr. F.=Senbriathra Fíthail: 98.

SG=Silva Gadelica (O'Grady, 1892).

Táin=TBC.

Taliesin=Canu Taliesin (I. Williams, Caerdydd, 1960).

TBC=Die altirische Heldensage Táin Bó Cúalnge nach dem Buch von Leinster (Windisch, 1905).

TBC²=Táin Bó Cúailnge de réir YBL (Strachan, O'Keefe, 1904–12).

TBC St.=Táin Bó Cúailnge de réir Stowe (eag. C. O'Rahilly, 1961).

Tec. Corm.=Tecosca Cormaic (Meyer, Todd Lect. xv, 1909).

Tec. Mor.=Tecosca Moraind (eag. Thurneysen, ZCP XI 56–106).

Thes.=Thesaurus Palaeohibernicus (Stokes-Strachan 1901–1903).

Thur. Gramm.=A Grammar of Old Irish (Thurneysen, 1946).

TTebe=Togail na Tebe (Calder, 1922).

Top. Hib.=Topographia Hiberniae (G. Cambrensis).

Trip.=Tripartite Life of Patrick (Stokes, 1887).

V. SS. Hib.=Vitae Sanctorum Hiberniae (eag. Plummer, 1910).

YBL=Yellow Book of Lecan (Facsimile: Atkinson, 1896).

ZCP=Zeitschrift für celtische Philologie, 1897–.

Zu. ir. Hdschr.=Zu irischen Handschriften und Litteraturdenkmälern (Thurneysen, Göttingen, 1912–13).

Réamhrá

An Traidisiún agus na Léirmheastóirí; Léirmheas agus Aos Ceirde

Ba é ár leas dá mbeadh téarmaí mar *Dichter, Dichtung* na Gearmáinise againn a thugann aithint don saothrú cruthaitheach ann féin gan lipéad, gan réamhbhreith. Ní fheileann téarmaí a bhfuil boladh an dúigh go láidir uathu, gan trácht ar bholadh na Laidine, do phlé litríochta a fáisceadh as an traidisiún béil.[1] Má chliseann orainn 'prós' a aithint ó 'fhilíocht' go minic sa saothar is ársa, seans nach bhfuilimid ag tabhairt faoin bhfadhb i gceart. Nó cá bhfaighfear téarmaí a bhaineann le hábhar, mura bhfaightear san ábhar féin iad? Ina theannta sin ní hí an aicme a bhunaigh is a chaomhnaigh an traidisiún béil a chéadchuir ar phár é, má bhí cuid acu rann-pháirteach féin san obair.

Ní foláir a chuimhneamh, dá bhrí sin, má ba 'litríocht' an saothar seo, go mba litríocht ó bhéal go cluas is ó bhéal go béal í agus go ngabhann ciall is meabhair, modh is réim dá cuid féin leis an sórt sin litríochta. Sa mhéid go bhfuil bunús an taighde is an scagtha ar shaoithiúlacht na Gaeilge déanta trí mheán teanga eile ar nós an Bhéarla agus na Gearmáinise, is deacair a shamhlú go bhfuil an tuiscint is dual don ábhar féin á baint amach di. Ní aistriú ar théacs atá i gceist leis seo ach aistriú is cur as riocht na saoithiúlachta. Go deimhin is minic go ndéanfadh aistriú ón tSean-Ghaeilge go teanga eile seachas an Nua-Ghaeilge leas: tharlódh sé sa chás go mbeadh focail is leaganacha Sean-Ghaeilge an téacs fanta sa Nua-Ghaeilge ach brí eile leo, rud nach annamh. Ach ní aon chabhair an bhreis tuisceana seo a fhaightear ar phíosa litríochta trí bhíthin aistriú-cháin, mura gcuirtear an píosa sin ar ais ina ionad is ina thimpeall-

---

1. Easpa tuisceana faoi deara an chonspóid *traidisiún béil* v. *traidisiún scríofa* an chéad lá. Cf. *Heldensage* 59; ZCP XIV 299 ff.; J. Carney, *Studies in Irish Literature & History,* B.Á.C. 1955, 280 ff.; P. MacCana: *Ériu* XXIII 102–142, *Études Celtiques* XIII 61–119. Féach, leis, D. A. Binchy, Varia Hibernica (*Indo-Celtica* 29–38, München 1972) agus H. P. A. Oskamp, *Études Celtiques* XIV 219.

acht féin arís. Go rómhinic ní chuirtear. Fágann sin nach ina cáilíocht féin mar theanga is mar shaoithiúlacht iomlán atá an scagadh
seo á dhéanamh uirthi ach mar bhlúirí coimhthíocha a shuitear
taobh istigh de bhéascnaíocht 'chaighdeánach' éigin eile. Ach an
féidir litríocht na Sean-Ghaeilge a mheá is a mheas de réir aigne
'chaighdeánach' an 19ú is an 20ú haois dáiríre? An bhfuil aon
bhunús ceart le cáineadh saobhstaraithe nó 'pseudo-historians' na
seanré nuair nach raibh aon staraithe, saobh ná fíor, ar fáil fós, ach
senchaide 'seanchaithe' agus *senchas* 'seanchas'?[2] Má ba láthair
chreidimh is chultais *par excellence* Temair, an aon tairbhe an síoráiteamh nach raibh ardríocht pholaitiúil suite ann go dtí deireadh
na seanré? Nár thairbhí cúram a dhéanamh dá raibh ann?

Sa mhéid go bhfuil snáithe an traidisiúin gan bhriseadh (má tá
sé brúite féin), is inmheasta gur ag lucht na Gaeilge is fearr atá deis
léargas a fháil ar luathfhoirmeacha a saoithiúlachta féin. Is iomaí
duine deoranta a bhainfeadh na clocha le meabhair is le díograis,
ach tá scil faoi leith ag baint le tógáil an tí. Rachaidh an dúchasach
saor ón gcontúirt a bhaineann le béascnaíocht a scoilt ón teanga is
treoir di. Ní ar mhaithe le tuairimíocht fhaiseanta a dhéanfaidh sé
aon chuardach. Ar thóir a oidhreachta atá sé. Fiafróidh sé de féin
cá bhfuil na fíorfhadhbanna, agus feicfidh sé gur istigh san ábhar
féin atá siad, agus nach istigh i ndearcadh is i ngothaí an 20ú haois é.

Sa mhéid go bhfuil an dearcadh sin á léiriú i saothair léirmheasa
is taighde trí mheán an Bhéarla tá an t-eimpíreachas is an scepteachas, *inter alia*, is dual don Bhéarla le sonrú go láidir ar chuid
mhór de. Fágann sin blas searbh ar dheoch an léinn. B'fhearrde í a
blas féin a bheith uirthi! 'Conas a thaitin bia na Fraince leat?' arsa an
iníon lena máthair tar éis di seo filleadh ó thuras go Lourdes. 'A!
Priseam, Praiseam! Ní raibh a bhlas féin ar aon ní,' an freagra a
fuair sí. Is é an dála céanna i ngach cineál tráchtaireachta é: más í
saoithiúlacht na hIndia trí Bhéarla nó trí Ghearmáinis nó trí
Ghaeilge é, déanfaidh an meán cumarsáide féin iarracht an t-ábhar
a shú. Cuirfidh sé a chruth féin ar an ábhar ansin sa tslí nach
n-aithneoidh fia ná fiolar an t-ábhar ón teanga ar deireadh. Beidh
rogha idir trí leagan den ábhar ag an léitheoir ansin, de réir mar a
theastóidh Béarla, Gearmáinis, nó Gaeilge uaidh. Ar an gcuma
chéanna is minic leathdhosaen leagan Béarla ar fáil ar an aon dán

---

2. Tá sainmhíniú ar *shenchas* ag E. mac Néill in ZCP VIII 412 n.1.

amháin Gaeilge. Ní aon drochtheist ar litríocht na Gaeilge a liachtaí rannaire a bheith ar lorg ábhar aistriúcháin inti, ach is comhartha é go bhfuil a gceird imithe chun fáin ar na rannairí. Bíonn éigean á imirt ar théacs acu: *traduttore, traditore* 'translator, traitor' a deir an nath Iodáilise.

Nach minic a shamhlaítear dúinn nach é an t-ábhar ach é féin atá á léiriú ag tráchtaire staire nó litríochta. Más é, tá éagóir á dhéanamh aige orainn, mar táimid i dteideal a oiread dá bheathaisnéis a fháil uaidh is a léireoidh a sheasamh i leith an ábhair mar aon lena réamhbhreitheanna is a chlaonbhreitheanna. Mar sin glactar leis gur féidir an tráchtaire a dheighilt óna ábhar, i bprionsabal, ar a laghad. Rud eile an tráchtaire *a dheighilt óna theanga*. Ach mura bhfuil an dara teanga i gceist, níl an fhadhb seo ann.

Drong oirirc ardléannta ba ea lucht léinn na Sean-Ghaeilge riamh. Ní thabharfadh a malairt dúshlán ábhair a bhí chomh crua casta sin. Bhí an corrdhuine acu, go fiú, nach nglacfadh d'éascaíocht orthu féin an Nua-Ghaeilge a fhoghlaim, ar mhéid a laochais. Ní iontach gur fhás miotais timpeall ar chuid acu faoi mar a d'fhás timpeall ar na seanlaochra. Duine díobh seo ba ea an tAimhirgíneach (O. Bergin). Tá sé ráite gur i nathanna amháin a labhraíodh sé le muintir na Gaeltacha faoin tuath—ar nós na seanbhreithiúna, is dócha. Cé a déarfadh nárbh é siúd a n-oidhre! Deirtear leis go mbíodh dearmaid a chomhleacaithe breactha ar imill na leabhar aige, pé brí a bhí aige leis; le go mbeadh tuairisc ar chéim is ar ord na héigse, b'fhéidir, is srian le mustar éigsíní? Níor chuaigh na dearmaid Ghaeilge a bhí ar chónra an Athar Uí Ghramhna gan fhios dó, ach chomh beag.

Comhartha measa is ceana na scéalta samplacha seo, mar bhí a mhic léinn dílis dó is ghlac siad a theagasc le dúthracht is go fiú le *pietas*. Ba mhór an leas a tháinig dá bharr gan aon amhras. Ag an am céanna bhí míbhuntáistí leis. Tharlódh go ndéanfadh éigsíní deimhin de dhóigh an mháistir is go ndéanfaidís cloch bhoinn den leac bhreá a bhain sé sula mbeadh an tástáil chuí déanta uirthi.[3]

Malairt scéil é i gcás an dara laoch, an Raithilleach béimeannach

---

3. Féach O. Bergin, On the Syntax of the Verb in Old Irish (*Ériu* XII 197–214) agus H. Wagner, Zur unregelmässigen Wortstellung in der altirischen Alliterationsdichtung, Festschrift Pokorny, *Innsbrucker Beiträge* 13, 289–314; ZCP 33: 306, 305.

(T. F. O'Rahilly). Go deimhin ní léir mórán *pietas* ar a shliocht sin, ach ciantafann na conairte. Saoi lánléanta Gaeilge ba ea é agus dá mhéad locht ar a leabhar[4] níl a shárú ann fós. Fear mór aoir agus cáinte ar chlann an dearmaid ba ea é, is é sin an dream nach raibh ar aon intinn leis. Ar uaire níor thug sé iomlán an chirt don fhianaise mura mbeadh sí de réir a thola féin. Níl saoi gan locht.

Fear cothrom réchúiseach ba ea Eoin Mac Néill nach gcuirfeadh scéin ar éigsíní is nach mbainfeadh siar astu. Más é príomhchuspóir an taighde léiramharc cruinn fírinneach a thabhairt ar shaoithiúlacht na ré ina iomláine is inmheasta gurbh eisean ba ghrinne is ab fhearr soláthar i measc Éireannach, ach go háirithe. Ní mór is fiú na 'dearmaid' a dhein sé i ngréasáin a shaothair trí chéile; gan trácht ar na 'dearmaid' eile a cuireadh ina leith. Bhí Mac Néill saor ó eagla na ndearmad agus bhí toradh fónta ar a shaothar. Ba chríonna an té a dúirt gur inspéise daoine áirithe san earráid ná daoine eile san fhírinne.

Mar sin féin is mó an tionchar a bhí ag leabhar an Raithilligh (EIHM) ar scoláirí ina dhiaidh ná mar a bhí ag aon saothar ar leith de chuid Eoin Mhic Néill. Léirshaothar úrthaighde é a bhfuil loinnir na mífhoighne ag spréacharnach ann. Chuaigh sé i bhfeidhm ar dhaoine lena chuid eolais, lena chuid fionnachtainí, agus leis an seasamh teann a bhí aige as a léargas féin fiú nuair a bhíodh an fhianaise easnamhach. Bhí an dúshlán ann. Má tá riar dár scríobh sé nach nglactar anois leis, ní foláir a admháil gur thug sé féin, agus Eoin Mac Néill chomh maith leis, lón don slua nach bhfuil ídithe fós. Bhí Coire Féile dá chuid féin ag gach duine den bheirt; agus is iomaí greim sobhlasta á mbaint astu faoi choim fós.

Ní raibh aon bheann ag an Raithilleach ar dhéanamh nó ar dheilbh an leabhair:[5] nótaí breise 40% de, agus pointí áirithe á láimhseáil faoi dhó iontu. Milleann an leagan amach seo pearsantacht is aontacht na hoibre agus bánn sé an tsintéis. In ionad cur le chéile is comhtháthú, tá machaire an léinn roinnte ina pháirceanna; agus is minic gur páirceanna catha iad. Meon an taifigh *par excellence* é seo: an fhadhb á briseadh ina bloghanna agus an t-údar ina mbun ceann ar cheann. Cúram na mbloghanna sin a bhíonn idir camáin

---

4. T. F. O'Rahilly, *Early Irish History and Mythology* (EIHM), Dublin 1957.
5. Easpa eagair ceann de na lochtanna a fhaigheann M. L. Sjoestedt ar leabhar eile leis an Raithilleach, *Irish Dialects* (RC 49: 265–6).

agus ní cúram sintéise. Braitheann toradh na spairne ar ghaisce, ar eolas aonfhir. Rug an Raithilleach an churadhmhír leis lena linn; bhí idir ghaisce agus aoir ann.

Cad é céad chuspóir an taighde i leith litríocht na Sean-Ghaeilge? – An tsaoithiúlacht sin a léiriú i gcruth go dtuigfear inti féin í, is é sin ar an gcéad dul síos na téacsanna féin a phoibliú agus na deacrachtaí a dhíbirt, rud nach furasta. Sa dara áit na téacsanna a shuíomh sa chúlra staire is cultúir as ar fáisceadh iad. In ionad a bheith ag brath ar sheaneolas ní mór tabhairt faoi rudaí as an nua. Na súile a leathadh, bheith san airdeall ar airíona is ar shaintréithe na litríochta. Tástáil a bhaint as an nod, as an leathfhocal, as an amhras; féachaint an mbréagnóidh an córas iad, féachaint an bhfíorfaidh an córas iad.

Oibriú taobh istigh den chóras, sin é atá riachtanach. Mar, córas is ea an litríocht sin agus istigh atá an eochair. Is í an chiall atá le córas ná aontacht iomlán, a beatha féin inti agus na baill bheatha ag feidhmiú ar scáth a chéile: faoi mar atá sa duine.

An chéad uair a bhuaileann tú le duine, faigheann tú tuairim áirithe láithreach bonn de. Níos déanaí, de réir mar a chuireann tú breis aithne air, is minic go dtagann tú ar a mhalairt de thuairim faoi: tá an acmhainn réasúnaíochta agus an breithiúnas anois ag obair agat. Níos déanaí fós, áfach, tharlódh go dtiocfá ar ais go dtí an chéad tuairim a bhí agat faoi.

Samhail an duine bheo, sin í a fhónfhaidh don taighde seo. Mar más córas beo beathach a shamhlófar leis an litríocht, ní mionghearradh ná bloghadh a oirfidh mar mhodh oibre di. Iad sin faoi deara an chuma mheicniúil, cruth an ilchnuasaigh a bheith ar an taighde, sa tslí gur geall le díoghlaim na míreanna is na bhfuíoll é is é ar deighilt ón gcomhthéacs beo. An lá a choilltear an comhthéacs, coilltear an bhrí.

An fhadhb atá anseo againn, léiriú na cianlitríochta, tá samhlaoid sa Luath-Ghaeilge féin air. Meath agus athaimsiú traidisiúin is ábhar don chnuasach scéal dar teideal *Faillsigud* (Foilsiú) *Tána Bó Cuailnge*.[6] Dá réir seo bhí an *Táin* ligthe i ndearmad ag na filí. Ar an móitíf shimplí seo atá an lomleagan in LL 245b bunaithe. Ba é caomhnú is cothú traidisiúin toisc is *raison d'être* na bhfilí, rud a

---

6. Féach *Heldensage* XII 251–267; tá faisnéis ar na lsí agus éirim na scéalta le fáil ansin.

d'fhág go mba chol geise don ollamh, i.e. d'údar na heagna, a bheith dall ar aon chuid dá chúram nuair a rachadh an scéal go cnámh na huillinne. Tá seo san áireamh i leagan D iv 2 den scéal (c. 1300). Bhí a mhacasamhail de cheangal ar fhlaith i leith féile is a bhí ar fhile i leith féineachais is seanchais: ba chol einigh dó an t-aoi a eiteach i nguí nó in éileamh dá míchuimsí is dá ainrianta ar bith. As an léargas seo a d'eascair *Imthecht na Tromdáime* 'Imeacht na Tromdháimhe', an leagan is inspéise den scéal. Móitíf chuardach na *Tána* a bhrostaíonn gníomh trí bhíthin na gcolanna: suíonn na filí i mbun an fhlatha go dtugann seisean cor in aghaidh an chaim dóibh agus go gcuireann orthu dul sa tóir ar an *Táin*. Sin é dlúth agus inneach an leagain seo, ach braithfidh fí an scéil féin ar fhear a chumtha nó a aithrise, ar an ré, agus ar imthosca an tsaoil máguaird.

Thráchtamar thuas ar chóras is ar an ngrinnbhreithniú a léiríonn é. Téama seo athaimsithe na *Tána* tá sé suite ar bhun saoithiúlachta atá ar tinneall le comhfhreagracht is le teannas córais:—an dá aicme faoi chuing dhiamhair a ngairme i gcomhghleic ag breith greama ar a chéile is á scaoileadh faoi mar a bheadh beirt iomrascálaí ann. An-tuar dea-scéalaíochta: cé a gheobhaidh lámh in uachtar, cé a ghéillfidh? Anois, téama dúchasach mar é nuair a ghreamóidh sé d'aigne an chine sa tslí go leanann nuachruthaitheacht é, ní miste fiafraí ina thaobh: cad é an t-athrú a tháinig ar mheon, ar chrot, is ar inne na cumadóireachta sin ó aois go chéile? Cad é an t-athrú a tháinig ar an tsaoithiúlacht féin san aimsir chéanna? Is ionann tosach agus deireadh cúrsa san fhiosrú seo, mar anois a nochtann na ceisteanna bunúsacha: cad is brí le cuing ghairmiúil na n-aicmí sa sága seo? agus cad é an léargas a thugann sí ar shaintréithíocht na litríochta is na saoithiúlachta féin?

Cruinnchuardach é seo, dá bhrí sin, agus deismireacht ar an modh a mholamar thuas; d'fhéadfaí é a choimriú mar a leanas don mhac léinn: scar le do néal, dírigh d'aire ar an téacs, mar ní mór focal a mheá, eochair a fháil, brí chun léirithe a aithint san fheiniméan, sa tréith, sa teagmhas. Ní mór tuairim, machnamh is tátal a thabhairt chun trialach go ceartlár an chórais, áit a bhfuil ilfhianaise a fhíoróidh nó a bhréagnóidh é. Más slán ansin dó, i.e. don sonrú nua, mairfidh sé folláin ar a bhun féin feasta. Ag an am céanna cuirfidh sé le tuiscint an chórais ina iomláine.

Fanann an téacs féin i lár an chuardaigh. Seo a leanas go hachomair leagan D iv 2 d'*Fhaillsigud na Tána*[7] a luamar thuas. Eachtra é a bhain le pearsana den chéad leath den seachtú céad: *Foilsiú Tána Bó Cúailnge* is ábhar don scéal seo mar go raibh briseadh i ndúchas uaisle Éireann agus níor mhair den *Táin* ach smut i mbéal an phobail. D'iarr Guaire Aidne rí Chonnacht ar Shenchán Torpéist ardfhile Éireann an *Táin* a aithris. B'éigean do Shenchán cairde a iarraidh ar Ghuaire leis an scéal a lorg, mar nach raibh sé aige. Á thriail a bhí Guaire, mar ba gheis don fhile san am sin a bheith dall ar a chúram. Chuir Senchán toghairm ar fhilí na hÉireann féachaint ar chuimhin le haon duine acu an scéal ina iomláine; ach níor chuimhin.

Ansin chuir Guaire díon ar an mbealach ó Dhurlas Guaire go Cluain Ferta Bhrénainn agus Senchán i lár an bhealaigh sa dóigh nach ráineodh splanc ná gaoth ná báisteach é. Aon bhraon báistí a theagmhaíodh leis thógadh sé clog corcra ar a aghaidh. Nuair a shroich sé Cluain Ferta chrom sé ar throscadh ar Bhrénainn agus ar a aoradh. Ba é toradh a bhí air seo gur nocht Brénainn do chéile Dé a bhí ar an mbaile is dúirt: 'Abair le Senchán éirí as an aoradh. Ní anseo atá a ghuí le fáil ach ó Chluain Mhic Nóis, agus tugadh sé é féin agus a chlann is a chineál go brách do Chiarán.' Chuaigh Senchán roimhe go Cluain agus chrom ar throscadh ar Chiarán mar a dhein cheana ar Bhrénainn. Nocht Ciarán do shagart ar an mbaile agus dúirt: 'Téadh Senchán go feart Fhergusa mhic Róig i bhFindloch Connacht agus gabhadh sé laoi leis amhail is dá mbeadh sé ina bheatha roimhe, sa chaoi go n-inseoidh Fergus an *Táin* dó mar a tharla ó thús deireadh. Mar bhí sé féin ann agus tá an cuntas ar fad aige. Ach ní cóir do Shenchán scáth ná gráin a ghlacadh leis, ach mar a bheadh sé ar a thuras chun dála nó aonaigh.'

Dhein Senchán amhlaidh. Ar ghabháil a laoi dó d'éirigh ceo (draíochta) timpeall air ar feadh trí lá agus trí oíche. Tháinig Fergus chuige agus cuma álainn lonrach air agus d'inis an *Táin* ó thús deireadh dó.

Ach cén bhaint a d'fhéadfadh a bheith ag Ciarán le Fergus mac Róig? Is amhlaidh a tuigeadh do na scéalaithe gur d'aon sliocht amháin iad, mar is léir ón tagairt do throscadh ar naoimh de shíol Fhergusa i leagan LL den scéal seo (245 b 25). Sin tuiscint a réitíonn thar barr le brí traidisiúin ann féin.

---

7. Féach *Arch.* III 4–6.

As cuimhne na sean atá fíorchuntas le fáisceadh. Rachaidh promhadh is faghairt air sin is cumfar seanfhocal is leathfhocal is nathán dlí leis. Beidh sé ina dhlísheanchas, ina dhinnseanchas, ina laochshean-chas. Rachaidh scagadh is comhuaim is comhardadh air is cumfar dán. Tá síol na litríochta sa mhéid sin féin. Ach cé a chaomhnóidh is cé a chuirfidh chun cinn é? Cé eile ach an file, an té a bhfuil sé de dhualgas air cuimhní cinn a chomóradh, ginealaigh a ríomh, eachtraí rí is rídhamhna a cheiliúradh – mar a dhéantar san fhilíocht is ársa againn ó Chúige Laighean! Baineann eachtra le háit chomh maith is a bhaineann sé le duine, rud a fhágann dinnseanchas is laochsheanchas lámh ar láimh is an dán molta ar láimh acu araon.

Meafar gan amhras is ea é sistéam Seanlitríocht na Gaeilge a shamhlú leis an duine beo faoi mar a dheineamar ar lch 5 thuas. Féach anois áfach chomh doshéanta, chomh dosheachanta, chomh pras is tá an meafar sin: Ní túisce a rachaidh tú sa tóir ar bhrí is ar chomhdhéanamh na litríochta ná mar a nochtfaidh an duine ina steillebheatha os do chomhair is buailfidh umat ar gach cúinne: an file féin, samhailt éachtach. Eisean a fhíonn gréas na litríochta, is seasann sé ina cheartlár ar nós an damháin alla – an uair is mioscaisí é. Thóg sé air féin é. B'in é a chúram.

Fágann sin go mbeidh meon is dearcadh is teicníocht an fhile ina ghlóshnáithe sa litríocht tríd síos. Braithfidh comhdhéanamh na litríochta agus comheagrú a príomhearnálacha, agus a forás chomh maith, a bheag nó a mhór ar shaol is ar chinniúint na bhfilí – go háirithe ón uair ba cheardchumann de shórt iad. Dá bhrí sin ní mór mionfhiosrú orthu féin, cérbh iad, cad ba chúram dóibh, cad ba chor dóibh, cén réimse a bhí fúthu. Féach Caibidlí V–IX.

Béarfaimid sa chuardach linn go raibh méar acu ar chuisle an dúlra agus comhthuiscint acu leis na dúile féin. Bhain sé lena gcúram cur amach a bheith acu ar chionsiocair is ar dhiamhair na beatha, agus feachtas a thabhairt ar a riachtanas sa chlapsholas idir dhá shaol. Mhair siad i gcuideachta na míorúiltí faoi mar a mhair na naoimh, dhein siad talamh slán díobh agus thuig siad conas leas a bhaint astu; – murab ionann is sinne, go bhfuil an saol cúngaithe laghdaithe orainn ag an eagna eolaíoch, atá ag brath ar chórais eacnamaíochta, is ag tnúth le córais socheolaíochta is polaitíochta a thabharfaidh sinn go flaithis an éabhlóidí.

Traidisiúin na nUltach cúlra agus dúshraith an fhiosraithe seo, is ní mór dúinn aghaidh a thabhairt orthu sin ar dtús.

II

Táin Bó Cúalnge, Medb, agus an Flaithiúnas

Sa chaibidil seo beidh trácht ar na príomhchiníocha, i dtaca le forlámhas Gael, go háirithe, is níor mhiste míniú beag éigin anseo ar bhunadh na gciníocha sin is ar bhunadh na nGael. Ó lucht léinn an 7ú–10ú céad na traidisiúin a bhí go forleathan i mbéal an phobail faoi bhunadh Gael go dtí le gairid. Dá réir seo ba iad Cessair, Partholón, Nemed, na Fir Bolg, na Tuatha Dé Danann agus ar deireadh Clanna Míl/Milesians (=Clanna Gael) san ord sin na daoine is na díormaí a ghabh Éire. Bhí na saoithe ábalta cinneadh ar bhliain na n-ionraí sin (scil atá caillte ag lucht léinn an lae inniu!): tháinig díorma Chessair 40 lá roimh an Díle! tháinig díorma Phartholóin 2,608 blian i ndiaidh Ádhaimh agus 300 bliain i ndiaidh na Díleann, agus mar sin de. Ní ghlacann lucht léinn an lae inniu leis an leagan amach seo, ach baineann siad leas as smuit de. Is é an cur amach atá ag T. F. Ó Raithille (EIHM 15–16) air ná gurbh iad

1) *Na Cruthin/Priteni* an chéad dream de bhunadh Ceilteach a tháinig go hÉirinn. Thug lucht Laidine *Picti* ar an gcuid acu a raibh cónaí i dtuaisceart na Breataine orthu níos déanaí. *Cruthin* 'Cruithnigh' is dócha ba ea na *Loígis* is na *Fothairt,* cleithiúnaithe na *Lagen* (3).

2) *Na Builg/Fir Bolg/na hÉrainn* a lean iad. Dream amháin iad, ach go raibh na hainmneacha difriúla seo orthu. Ba de Belgae na Mór-roinne is na Breataine iad; ón mBreatain a tháinig siad go hÉirinn.

3) Tháinig ciníocha na Laighneach ansin. Is iad na hainmneacha atá orthu, na *Lagin,* na *Domnainn* is na *Galioin.* Ó Gallia nó ón mBreatain a tháinig siad, is chuir siad fúthu i gCúige Laighean is i gCúige Chonnacht. Cf., leis, ZCP 32: 87 ff.

4) Na *Gaeil* (nó na *Goídil*) is deireanaí a tháinig. *Féni* a thug siad orthu féin. Q-Cheiltigh ba ea iad sin amháin; P-Cheiltigh ba ea gach dream Ceilteach luaite in 1–3 thuas a tháinig rompu. Tá na téarmaí seo mínithe i gCaib XVII, §3, lch 227. Bíonn *c* sa Q-Cheiltis nó sa Ghaeilge, áit a mbíonn *p* sa P-Cheiltis nó sa Bhreatnais, m.sh. *ce(a)nn/penn*=head; *ce(a)thair/pedwar*=4.

Bhí leas polaitiúil le baint ag Gaeil as an leagan amach gur de bhunadh Gael na dreamanna 1–4 thuas; spreagadh chun comhaontaithe faoina gceannas féin ba ea é. Ní mór, áfach, aire faoi leith a thabhairt do phointe áirithe amháin i dtaca leis an dá chaibidil seo ar an *Táin*. *Níor Ghaeil iad na hUlaid ('Ultaigh'), ach Érainn*. Fágann sin gur P-Cheiltigh ar nós mhuintir na Breataine iad. Leasainm nó comhainm ar phríomhlaoch na nUlad ba ea *Cú Chulainn,* mar is eol dúinn: *Sétanta* a bhí roimh an eachtra áirithe sin air. Gabhann an t-ainm seo le treabhchas na *Setantii* lastall de Mhuir Éireann; P-Cheiltigh ba ea iad sin. Tá sé ráite, leis, nár de bhunadh Uladh ar aon chor Cú Chulainn (cf. *Heldensage* 363: *Ces Ulad*).

Mórbhrí stairiúil a phríomhimeachtaí, gan dabht, faoi deara borradh is at scéil *Táin Bó Cúalnge* i measc Gael. Bhí na Gaeil i ngleic leis na hUlaid ar feadh breis is leathmhíle bliain roimh argain Emain Macha (c. AD 450?), agus níor chuir an míchonách sin na hUlaid dá dtreoir ar fad ach chomh beag. Brúdh soir go Co. an Dúin iad, áfach. Ghlac na Gaeil príomhlaoch a seannaimhde, Cú Chulainn, chucu féin, rud atá coitianta go maith i stair na gciníocha.

Ceann de phríomhhearnálacha scéalaíocht na nGael ba ea an 'táin',[1] rud nach iontach i dtréadsaoithiúlacht cine comhraic mar na Gaeil. Le cogaíocht a bhaineann táin bó – is fuadach ban – i saoithiúlacht dá leithéid. Nach orthu seo a bhí an córas airgeadais bunaithe?[2] An *Táin* áirithe seo, chuaigh sí i bhfeidhm chomh mór sin ar shamhlaíocht na tíre gur tharraing sí chuici féin iomad scéal is foscéal a d'eascair i gcéin uaithi gur dhein réaltbhuíon seanchaíochta ar deireadh den iomlán. Ag an am céanna fanann comharthaíocht an neamhspleáchais ar chuid díobh agus rian an éigin nárbh fholáir a imirt orthu chun iad a cheangal don *Táin Bó Cúalnge* (TBC). Sampla de sin is ea *Táin Bó Fraích*.

Nuair a luaimid TBC, is ar *Lebor Laigen* (LL), an leagan is críochnúla di, a chuimhnímid, agus cé go bhfuil cuma an nuadhéantúis ar chodanna de sin, tá dlúthchuislí miotaseolaíochta, reitrice is dinnseanchais leis tríd, agus cuma ársa dhoiléir ar roinnt de na teagmhais, rud a fhágann gur fás ó aois go haois i mbéal an phobail a thug a bhunús le chéile is nach feidhm údair ach ceird eagarthóra a chuaigh ar deireadh air.

---

1. Féach *Heldensage* 21, Windisch, TBC: Einleitung und Vorrede. D'eagrán C. O'Rahilly den TBC (LL: *Táin*) a thagraíonn na línte.

2. B'fhiú 3 bhó banchumhal. Féach *Táin* 1423 'Leath a chuid bó is a chuid ban dó. . . .'

Baineann an *Táin* leis na traidisiúin is ársa dá bhfuil againn: is é sin, le foras is le béas, mar is tábhachtaí iad sin ná scéal, agus is inchreidte, leis. Cé a déarfadh anois gur mhair Fergus, Conchobor is Cú Chulainn na *Tána* dáiríre thart faoi bhreith Chríost faoi mar a thugann *Annála Tigernaig*, mar shampla, le tuiscint? Ní hé sin le rá nach dtarlódh rí is ruire sainiúil ina mbeatha, uair éigin sa ré La Tène a dhéanfadh bunchló dá leithéidí: mar is gnáth bunús réadúil le gréasán na miotaseolaíochta nuair a bhaineann sí sin le corraíl na polaitíochta is le cinniúint an chine. Tá an *Táin* ina dúshraith i dtionscnamh na ndlíthe is na héigse chomh maith, sa mhéid gurb aisti go minic a tharraingíonn siad seo idir údar bunaidh, mar Sencha, Conchobor, Fergus, Athairne; agus chás treorach nó *fásach/precedent*, mar shampla, moill chúig lá san athghabháil, A.L. i 252.

Ré laochais, córas uaslathach tréadach bunaithe ar stoc is eagraithe chun cogaidh; ré an chathcharbaid dérothaigh, déchapaill; ré na curadhmhíre, ré na gcúig cúigí is an fheachtais mhíleata thar teorainn – go háirithe i leith teacht in inmhe na n-óglaoch; ré na ndraoithe is céadbhogadh na tríonóide Ceiltí *bardos* (bard), *vātis* (fáidh) is *druvids* (draoi): as cúram an fhile mar sheanchaí d'eascair feidhm an urlabhraí, an fhir réitigh, an bhreithimh, mar is léir ó ainm is ó chleachtadh Shencha mhic Ailella *so-irlabraid Ulad 7 fer sídaigthe slóig fer nHérend* 'Fear labhartha is ceann réitigh idir sluaite na hÉireann' sa *Táin* (4356); ar an taobh eile arís feicimid fáidhmheas is leigheas i gcleachtadh fáidh ar bun ag Fíngin Fáthliaig (3665 ff.).

Na comharthaí sóirt atá luaite againn, tá a mbunús le haithint in Gallia i dtuairisc na n-údar gclasaiceach agus i séadchomharthaí na linne. Léiríonn siad seo go raibh coilíneacht Cheilteach gona gcathcharbaid in Yorkshire sa 3ú nó sa 2ú céad R.Ch., rud a spreagann an cheist: ar ghabh siad seo siar go tuaisceart Éireann?[3] Is fíor go mba dheacair ionradh ar oirthuaisceart Éireann a shamhlú nach dtiocfadh anoir ón mBreatain. Ach i dtaca le hinimirce de, an bhfuil aon slí le hionradh cruinn díreach ón Mór-roinn a aithint ó ionradh tríd an mBreatain?

---

3. Féach K. Jackson, *The Oldest Irish Tradition: A Window on the Iron Age*, C.U.P. 1964, lch 51.

Bhí triail ag lucht seandálaíochta air seo ar bhonn séadchomhar-thaí.[4] Cuireadh san áireamh earraí La Tène na hÉireann ón gcoig-ríoch ar measadh gaol cinnte a bheith acu le réigiúin áirithe sa choigrích. Dá bharr seo chonacthas go raibh (a) glac bheag earraí ag teacht lena macasamhla ar an Mór-roinn agus (b) ábhar maith acu ag teacht lena bhfuarthas sa Bhreatain. De réir slat tomhais na healaíne bhain aicme (a) le tréimhse níos luaithe de chéad éigin bliain ná aicme (b): leis an tréimhse R.Ch. 250–100, abair (níl aon chruinneas dátaí i gceist, ar ndóigh), agus aicme (b) leis an tréimhse 100 R.Ch. – AD 100. Nuair a breacadh na hearraí seo síos ar léarscáil na hÉireann don áit a bhfuarthas iad, ba léir aicme (a) suite go háirithe san Iarthar agus aicme (b) san Oirthuaisceart. Ciall a d'fhéadfaí a bhaint as seo gan amhras, gur tharla inimirce nó ionradh – ceann acu nó breis – cruinn díreach ón Mór-roinn go hIarthar na hÉireann thart faoin 3ú céad roimh Chríost, abair, agus a leithéid eile ón mBreatain ar oirthear Uladh dhá chéad éigin bliain níos déanaí: ach gur toirtiúla go mór an fhianaise don teag-mháil leis an mBreatain. Sa mhéid go gcuirfeadh an teoiric seo teacht na nGael go hIarthar na hÉireann siar dhá chéad éigin bliain roimh theacht na nUlad go Tuaisceart Éireann, tá sé bun-oscionn le príomhthraidisiún an tseanchais. Is fiú an scéal a lua, áfach, ar an ábhar go réitíonn sé le tuairisc na *Tána* faoin dá threibh, Connachta is Ulaid, a bheith i ngleic le chéile sa tréimhse La Tène (ón 5ú céad R.Ch. go dtí an 5ú céad AD, in Éirinn). Cuireann sé le tuairisc na *Tána* faoi ríocht Gael i gConnachta, agus neartaíonn sé leis an tuairim gur aniar a leathnaigh siad (Cf. Mac Neill, *Phases* Ch. IV, v.T.F. O'Rahilly EIHM 173). Ní gá tagairt anseo do mháchailí na seandálaíochta mar threoir don staraí, mar go bhfuil sin ríofa cheana.[5] Tá máchailí ar an triail seo féin, áfach, sa mhéid a bhaineann le laghad is le beagthábhacht na samplaí, agus le bealaí a seolta.

Fochraobh de na hÉrainn ba ea na hUlaid, de réir dealraimh. Bhí siad i seilbh na Temra nuair a bhí na hUlaid i réim in Emain Macha roimh theacht na nGael. Dá bhrí sin ní aon iontas gur tugadh Temair Érann ar Themair na Mide is gur mhair an t-ainm ina dhiaidh sin. Cuireann cuid de na scéalta is ársa síos ar an naimhdeas a bhí idir an dá chine ghaolmhara seo. Tá sé le léamh

4. Féach E. Rynne, The Introduction of La Tène into Ireland (Bericht über den V. Internationalen Kongress für Vor- und Frühgeschichte, Berlin 1961, 705 ff.).

5. Féach EIHM Index sub *archaeologists*.

as an scéal *Mesca Ulad,* mar a bhfuil crot nua ar sheantraidisiúin. Tá trácht anseo ar gheábh aon oíche a thug na hUlaid ó dheas go Temair Luachra i gCiarraí Thuaidh, trí dhearmad. Tá dealramh le míniú an Raithilligh air seo (MU² xxxvi ff.) gur ionsaí Ulad ar na hÉrainn i dTemair (na Mide) a bhí i gceist leis: mar nach bhfuil aon bhunús le haon Temair Érann nó Temair Luachra sa Mhumhain, ná le haon turas aon oíche den sórt go Ciarraí.

Tugann saga Cú Roí faisnéis ar chaidreamh is ar chogaíocht Érann is Ulad, is é sin, ar theagmháil Chú Roí is Cú Chulainn. Do Chú Roí amháin a chaitheann Cú Chulainn an fear is fearr a thabhairt, rud a réitíonn an-mhaith le dámh shinsearachta. Ní beag de theist ar thábhacht na nÉrann go raibh a n-ainm ar Themair (Érann) agus go bhfuil saga suntasach ag baint le rí dá síol, Conaire Mór, 'rí Éireann'. Teagmhas cinniúnach i saol na tíre, de réir cosúlachta, a mharú sin, mar go leanann bearna cúig bliana sa chomharbas sna hAnnála é. Go deimhin tá blas deireadh ré ar an scéal éachtach úd a eachtraíonn a bhás, *Togail Bruidne Da Derga,* sa tslí nach díol iontais iarracht á dhéanamh ar é a chur chun leasa na staire: más é seo scéal threascairt na nÉrann agus gabháil na Temrach ag na Lagin, ionróirí ón mBreatain, tá cuimhneamh is traidisiún míle bliain, ní foláir, istigh ann. Ar ndóigh, ní tréimhse an-fhada míle bliain féin sa bhéaloideas nuair is caomhnóirí gairmiúla a bhíonn ina bhun.

Níl aon trácht ar Ghaeil i saga Chú Roí ná i g*Cath Étair,* mar a bhfuil Ulaid i ngleic le hÉrainn is le Lagin faoi seach. Pearsana osnádúrtha is mó a chastar orainn iontu seo, ní amháin Cú Roí is Cú Chulainn ach Eochaid mac Luchta – agus Athirne. An réamh-scéal *Cath Leitreach Ruide* (cf. *Heldensage* 527) a chuireann síos ar chéad teagmháil Ulad is Gael sa traidisiún: mar a bhuaigh Eochaid Feidlech ar athair Chonchobair, i.e. ar Fhachtna Fáthach, rí Ulad agus Ard-Rí Éireann. Tá seo ag teacht leis an tuarascáil ar bhás Fhachtna i *Ríg Érenn* agus i *Senchas Síl Ír.* Mac d'Fhachtna is ea Conchobor in TBC tríd síos chomh maith, ach mac do Chathbad draoi in Rawl. B 502 agus i g*Compert Conchobuir.* Miotais is finscéal-aíocht bhunaidh is mó tá sa bhéaloideas againn ón ré roimh Chonchobor, agus liostaí rí ó lucht ginealaigh, ar ndóigh. Mar sin, Conchobor an chloch chríche is sia siar i raon amhairc an tseanchaí Ghaelaigh; siar thairis sin níl ach amharcaíl sa dorchacht.

De réir thuarascáil *Chath Boinne* thug Eochaid Feidlech triúr dá iníonacha do Chonchobor in éiric bhás a athar (bhí Medb ar

dhuine acu) agus ina theannta sin ríocht Ulad a bhí sé tar éis a
sciobadh le héigean ó Chlanna Rudraige, i.e. ó Fhergus mac Róig
(*Ériu* II 174 ff., *Anecd.* V 17 ff., *Heldensage* 531 ff.): 'Conchobor
céadfhear Mheidbe, gur thréig sí é trí uabhar meanman is chuaigh
go rí Éireann i dTeamhair . . . agus is é céad-ábhar múscailt na
Tána gur thréig Medb i gcoinne a thola é.'

Is mó de thráchtas léirithe seanchais ná de scéal *Cath Boinne*. Ón
tagairt ann do *aroile slicht* 'leagan eile' (*Ériu* II 180.3) is inmheasta
go bhfuil bunús maith sa traidisiún leis, cé nach bhfuil an leagan
atá againn an-sean. Féach mar a deir sé gurbh é Conchobor 'céad-
fhear Mheidbe'. Tá tábhacht ar leith leis seo, mar is í Medb pear-
santú flaithis rí, sa chás seo rí Éireann.

Tá samhaltas ar leith ag baint le flaitheas rí, ar a thábhachtaí a
bhí sé don phobal. Measadh gurbh é príomhfhoinse agus ceannúdar
ar rath is leas an phobail é. Dá bhrí sin gabhann deasghnátha thar
meán le hoirniú rí. Níorbh fholáir don rí an talamh torthúil,
máthair na hilmhaitheasa, a phósadh le go mbeadh bláth ar an
ríocht agus rath is meas ag an bpobal. Oirníodh Fedlimid Ó Con-
chobair ina rí ar Chonnachta ag Carn Fraoich i gCo. Ros Comáin
sa bhliain 1310. Bhí bainis ríghe aige agus friotháileamh air 'de
réir cuimhne na seandaoine agus na seanleabhar; agus ba í an
bhainis ríogha ab uaisle agus ba bhreátha í dá raibh riamh ag rí
Chonnacht.' *Iar feis d'Fedlimid* . . . *re cóiced Connacht* 'tar éis
d'Fhedlimid codladh le Cúige Chonnacht' agus *banais ríge* 'bainis
ríochta' na leaganacha cainte atá ag na hannálaithe faoin gcúram.
Is ionann *bainis* agus *ban-fheis* 'an oíche a chaitheamh le bean'.
Oirniú rí ar an múnla céanna ba ea Feis Eamhna, Feis Temra
agus Feis Chruachna.[6]

Ainmhí a sheasann uaireanta do chumhacht is do ghus na talún
agus tarlaíonn deasghnáth comhriachtana – nó ba chirte a rá
samhailt ar a leithéid – idir an flaith nó an bhanfhlaith is ainmhí
den ghnéas eile. Tá cuntas iomráiteach ó Giraldus Cambrensis
(*Top. Hib.* iii 25) ar dheasghnáth dá leithéid i dTír Chonaill lena
linn, a raibh láir bhán i gceist ann. Pé fíor bréag a chuntas tá sé
dealraitheach le *asvamedha* na hIndia, ach do mhalairt ghnéis.
Bruitear is itear feoil na lárach ansin, folcann an flaith san anraith
agus tumann a bhéal ann le deoch a ól as (ZCP 16:310; 31:43).

<hr />

6. Cf. Ann. Conn.=RC 51,107f., Ann. L. Cé i 554; *Ériu* XIV 18, XVIII 134; J.
   Carney, *Studies in Irish Lit. & History* 334 ff.

Lánúin phósta is ea an rí agus talamh a thuaithe sa Ghaeilge féin: *flaith* is ea 'ríocht, tiarnas' agus *flaith* is ea an té atá ina sheilbh. Ach is túisce ríocht ná rí, mar tá *flaith* 'rí, prionsa' baininscneach sa tSean-Ghaeilge agus dé-inscneach ina dhiaidh sin.

Sa saga *Baile in Scáil*[7] léiríonn an scál Lug mac Ethlend a réim ríoga agus réim a chomharbaí do Chonn Cétchathach síos go dtí Mael Sechlainn (+ 1022). Thug Lug Conn isteach sa teach mar a raibh an ainnir ina suí ar chathaoir chriostail, coróin órga uirthi, agus dabhach de bheoir dhearg os a comhair. Doirteann sí deoch isteach i gcupa óir as agus dáileann ar ríthe Éireann, duine ar dhuine, é. 'Flaitheas Éireann' ise. Fiafraíonn sí go foirmiúil i ngach cás cé dó is ceart di an t-árthach a líonadh le *derglaith* 'beoir dhearg'. Imeartas focal é seo: *flaith* 'ríocht'/*laith* 'deoch'. Féach *Cáin Adamnáin* 18: guíonn Adamnán nach leanfaidh Doelgus a athair Oengus sa ríocht:

'Buailim-se an cloigín seo ar thaobh Letreg d'aon turas
Nach n-ólfaidh Doelgus grod an deoch a bhí ag Oengus;
Gabhfadsa mo shailm inniu san uaimh chloch: (go n-éistear liom!)
I dtreo nach n-ólfaidh Doelgus grod an bheoir a óltar leis an moirt.
Mallacht Dé ar Élōdach, ar fhlaith Femin na nDéise,
Ná raibh rí ná rídhamhna dá shíol ann ina dhiaidh.'

Laith atá ar 'deoch' (líne 2) is ar 'beoir' (líne 4). Téann an dá fhocal *flaith*/*laith* trína chéile uaireanta sa tslí go seasann *flaith* don deoch agus *laith* don ríocht. I g*Críth Gablach* 41 tá tagairt do chóras seachtainiúil rí: 'An Domhnach d'ól na beorach mar ní cóir flatha gan beoir a sholáthar an lá sin'. Tá an deoch ina shamhailt ar fhlaitheas an rí, faoi mar atá go minic i m*Baile Chuind* Chétchathaig.

Féach go raibh a leithéid i gceist san Eoraip sa 12ú céad: lena mac Richard a oirniú ina Dhiúc ar Aquitaine, réitigh Eleanor deasghnáth samhaltach pósta idir é agus Naomh Valéry, mairtíreach is éarlamh Limoges. Cuireadh fáinne an naoimh ar mhéar an fhir óig i gcomhartha an cheangail doscaoilte idir an rí sacrach agus críocha is cleithiúnaithe Aquitaine. Ar feadh na gcéadta bliain bhí deasghnáth samhaltach pósta idir Doge nó príomhbhreitheamh na Veinéise agus an fharraige: i.e. idir pearsantú chumhacht osnádúrtha an stáit agus máthair na maitheasa is an oilc.[8]

---

7. Féach Thurneysen, *Heldensage* 27, *Zu ir. Hdschr.* 48.
8. Féach F. Heer, *The Medieval World*, N.Y. 1961, lch 170.

An té a raibh rath an phobail ag brath air, an rí, bhí rudaí áirithe coiscthe air agus rudaí eile arbh é a bhuaic iad a dhéanamh. Baineann sin le réasún, is le dearcadh an duine go forleitheadúil: tá a iarsma le haireachtáil ar fud an domhain i dtaca leis an rí sacrach. Tá liostaí de na baic (geasa) is de na treoracha (buanna) a bhí leagtha ar ríthe na hÉireann. Caithfidh gur as taithí is tuaiplis a fáisceadh iad seo a bheag nó a mhór, ach tá scrupall thar meán is mionchúis is dul thar riocht iontu, leis. Is iad seo a leanas na cúig ní a bhí seansúil do rí Laighean: meas Almhaine, fia Ghleann Serraich, ól le céir i nDinn Rí, coirm Chualann (an réigiún idir an Life agus an tInbhear Mór), cluiche Charmain. Mar a deirtear san fhilíocht[9] faoi thrí cinn acu:

'Ól le coinnle céireach
I nDinn Rí don rí án,
'Sé slánú triath na n-ard
Coirm Chualann, cluichí i gCarmain'.

Tá dán sainiúil ar an ábhar seo i ndeireadh *Scéla Cano Meic Gartnáin* (Binchy, §20) nach mbaineann leis an scéal sin ó bhunús de réir dealraimh. Cur síos ar *lenna flatha* 'leanna flaithiúnais' Éireann agus na Breataine is ea é; is é sin, ar chuid acu; 'd'ól mé'i mbéal pearsan an dáin i gcomhartha a fhlaithiúnais féin ar chríocha áirithe acu. Táimid ag brath ar dhá leagan truaillithe: seo é a thús de réir *Lebair Buí Lecain* (L), leasaithe de réir RIA B IV 2 (B):

Cid dech do lindaib flatha?	Cé acu is fearr de na leanna flaithiúnais?
Ebthair (f)laith lenno fúalang:	Beoir á hól: mearbhall dí.
Niba rí aran Érind	Ní bheidh sé ina rí ar Éirinn
Mani·toro coirm Chúaland.	An té nach mbainfidh coirm Chualann amach.

'Tá an bheoir seo meisciúil' brí líne 2, mar a bhfuil *laith* i B ag freagairt do *flaith* i L. Féach go bhfuil coirm Chualann tar éis ardú céime a bhaint amach sa leathrann eile, rud a thugann chun cuimhne gurb iad *cuirn Chualann* atá ina samhailt ar fhlaithiúnas in *Bruchstücke der älteren Lyrik Irlands* §30.

---

9. Féach M. Dillon, PRIA liv. C. lch 12.

Tá tagairt sa dara rann do dheoch is fearr fós i ndúiche Chearnai i gContae na Mí:

Nicon·eisbius súg tairis	Níor ól mé (riamh) deoch ar bith eile
Berta do chormuim Cearnai.	A rug barr ó leanna Chearnai.

Leg. *bertae* (*do* . . .) 'which excelled . . .' A. Chaite, foirm choibhneasta uath. de *berid*.

Is dócha gur flaitheas Éireann atá i gceist leis seo mar go dtugtar 'rí Chearnai' ar rí Teamhrach corruair.

An leathrann a leanann sin tugann sé go Tír nÉle i dTuamhain sinn:

Cormand Cell Tíre Éle	Leanna séipéal Thír Éile
It é la Mumain merda;	Sin iad a mhearaíonn Muimhnigh.

Deoch shollúnta fhlaithis atá i gceist in ainneoin gach tr-áchta ar mhearú is meascadh. Dá bhrí sin níorbh aon iontas í a bheith faoi chúram cléireach ar nós fhíon an Aifrinn. I líne 6d tá tagairt do *cormann Murthemne mesca* 'leanna meisciúla Mhuirtheimhne'.

Cad is brí leis an meisce seo? Ó thaobh bhunús an fhocail, staid is ea í a leanann *ól meá:* Ind-Eorpach **medhu-* 'mil, meá', Sean-Ghaeilge *mid,* Breatnais *medd,* Sean-Bhéarla *meodo* 'meá', Sanscrait *mádhu-* 'mil, meá', Gréigis μέθυ 'fíon'. Ó **medhu-* a eascraíonn an dá aidiacht Sean-Ghaeilge *mesc* (**med-sko-*) 'meisciúil, ar meisce', agus *medb* (**medhu̯o-*) 'meisciúil': féach *tilach i dtoimled mid medb* 'tulach a n-óladh sé meá mheisciúil ann.' (*SG* i 361.35).

I mbeagán focal sin é anois an t-ainm dílis, ainm na banríona Medb agus a bhrí, agus tá fianaise láidir sa litríocht ag seasamh leis seo. Ise go bunúsach an bhandia a dháileann deoch fhlaithiúnais ar an té a bheidh ina rí, is a phósann é. Tá greadadh fianaise (le lua thíos) faoin bpósadh, ach céard faoin deoch? Tá, iarsma inspéise de: ní deoch fhlaithiúnais ach deoch dhífhlaithis atá i gceist, agus ní hí Medb Chruachna a dháileann ach a scáil, leagan na Temra di, is é sin, Medb Lethderg. Comhartha é seo ar fhorleathadh is ar chríochnúlacht an tsamhlachais ríochta. Is éard tá i gceist sa téacs (LL 380 a) ná scaipeadh an dá threibh réamh-Ghaelacha, na Loígis is na Fothairt, cleithiúnaithe na Laigen, sa tslí nach mbeidís contúirteach do na Gaeil: (imríonn Medb Chruachna a mhacasamhail de scaipeadh ar thríocha céad na nGálion sa *Táin* 317 ff. mar gur léir di iad a bheith chomh mór sin chun cinn ar fhearaibh Éireann): 'Ba mhór é neart agus cumhacht na Meidbe sin ar fhearaibh Éireann, mar is ise nach ligeadh rí i dTeamhair gan í féin a bheith ina mnaoi aige . . . agus is í Medb Lethderg a thug deoch nimhe i

c

dTeamhair do Lugaid Laīsi, mac Chonaill Cernaig. Agus roinn sí na Loígis is na Fothairt i seacht gcodanna. Deir leabhair eile gach aon áit a bhfuil Loígis ar fud na tíre go bhfuil Fothairt in aice leo. Is chuige sin a roinn sí iad, sa tslí nach mbeidís aontaithe ná i ngar dá chéile, bíodh is go ndéarfaí a mhalairt, chun go mba lúide a neart in aghaidh a clainne, mar ba bhean chríonna ghlic í agus ba gharg, éadrócar.' (LL 380 a). Ba é sinsear na Loíges an Lugaid seo ar tugadh an deoch nimhe dó. Taobh leis an deoch insealbhaithe tá an deoch dhíshealbhaithe: rud an-nádúrtha, go háirithe nuair a thugtar chun cuimhne gur don pholaitíocht atá an deasghnás seo ag fónamh, gur do na Gaeil atá an córas ceaptha, agus nach mbeidh breith acu seo ar dhul chun cinn gan teaghlaigh ríoga eile a dhíshealbhú.

Cad í an fhianaise atá ann gurbh í pearsa an fhlaithiúnais í Medb nó conas a iompraíonn Medb na scéalaíochta í féin? Tá an t-ábhar seo pléite cheana in áit eile[10] agus ní gá ach gearrchoimriú anseo air. Ar an gcéad dul síos is geis di aon duine a phósadh ach an té a bheidh *cen neóit cen ét cen omon* 'gan sprionlaitheacht, gan éad, gan eagla' (*Táin* 27–28, *Ériu* II 182.4). Comharthaíocht rí é sin, mar a dúirt Cacher le Néde mac Adnai i dtaca le suí carbaid (féach lch 54). Pointe is tathagaí fós: a liacht céile a bhí ag Meidb, rud nach dtagann leis an gcóras, is é sin le *Cáin Lánamna* 'Reacht na Lánúin-eacha', dá mhéad cúiseanna colscartha a bhí lomhálta ansin. Deir Medb 'Dá mba dhuine éadmhar mo chéile ní oirfeadh sé, mar ní raibh mé riamh gan fear ar scáth a chéile agam' (*Táin* 36–37). Ar dtús bhí Conchobor aici, faoi mar a chonaiceamar thuas. Ansin bhí Tinde mac Conrach de na Fir Domnann ina rí ar Chonnachta le freasúra ó Eochaid Dála de na Fir Chraíbe agus Fidech mac Féicc de na Gamanraid. Is dealraitheach go raibh Eochaid Feidlech fabhrach d'Fhidech, ach dhein Tinde luíochán roimhe ar a shlí abhaile ó Theamhair is mharaigh. Chuir Eochaid an ruaig ar Thinde as a thiarnas, ach má chuir, 'chas Medb agus Tinde ar a chéile is bhí siad cairdiúil, tamall fada ina dhiaidh sin, sa tslí gur i gCruachain a thionóltaí aontaí Éireann, agus bhíodh mic ríthe na hÉireann i gCruachain ag Meidb an t-am sin dá mbeadh sé d'acmhainn iontu cogaíocht in aghaidh Cúige Chonchobair.'

Teagmhas inspéise ansin (*Ériu* II 178): thionól Eochaid Feis Temra agus tháinig flatha Éireann ann, iad uile ach Tindi agus Medb. Cuireadh fios ar Mheidb agus tháinig sí. Bhí Conchobor ann

---

10. Féach T. Ó Máille, ZCP XVII 129–146, T. F. O'Rahilly, *Ériu* XIV 15.

agus bhí sé ag faire ar Mheidb. Nuair a chuaigh sí don Bhóinn á fothragadh féin i ndiaidh an aonaigh, lean sé í agus d'éignigh. Ar chlos sin do ríthe Éireann d'éirigh siad amach in aghaidh Chonchobair, ach má dhein siad, bhris Conchobor cath ag an mBóinn orthu is lean go Sionainn siar iad.

Is í an chiall atá leis seo gur ceiliúradh feis mhór fhlaithiúnas Éireann i dTeamhair; agus ar eagla nach dtuigfí sin deirtear go neamhbhalbh gur cuireadh fios ar phearsa an fhlaithiúnais (Medb) agus go raibh sí ina díol spéise ann, go háirithe do Chonchobor: is é sin, go raibh sé ag santú ardfhlaithis. Éigniú Mheidbe, sin éigniú ardfhlaithis: féach gur troideadh cath na Bóinne is gur buadh ar Eochaid. Réitíonn an cuntas seo lena bhfuil ar eolas againn faoi Fheis Temra. B'in pósadh deasghnách rí Gael lár na hÉireann le bandia na ríochta, féach lch 14 thuas. Móradh flatha agus comóradh cumhachta ba ea Feis Temra, leis, agus dá réir sin ní iontach í á reachtáil ag uasphointe gníomhréime in ionad ag a tús.

Ansin chinn na Connachtaigh ar an ríocht a thabhairt d'Eochaid Dála. Bhí Medb sásta ar choinníoll go bpósfadh sé í is go raibh na trí cháilíocht aige. 'Ríodh Eochaid Dála dá bhíthin sin' (*Ériu* II 182) is bhí sé tamall i gCruachain ina chéile di – go dtí gur éirigh a dalta is a fear muinteartha Ailill Érann chuici agus gur ghlac sí ina leannán is ina chéile in ionad Eochaid é. Throid an bheirt ar son na mná is na ríochta is thit Eochaid le hAilill 'trí bheartaíocht Mheidbe'.

Cér díobh Ailill? De na hÉrainn, de réir Lecan agus Rawl. B 512; de na Lagin de réir Rawl. B 502 agus LL. Leanann an dá shean-leagan den *Táin* an sliocht deireanach seo, ach má leanann féin, ní dhéanann scéal dealraitheach de: léimid in Rawl. B 502 gurbh é Ailill mac Rossa de na Lagin, céile Mheidbe, a chuir an *Táin* i gcrích (118 b 13). Tá fuinneamh is críochnúlacht na Lagen ag cur scéine ar chroí Mheidbe, áfach, is í ar a tiomchuairt léirbhreathnaithe i dtús na *Tána*, sa tslí gur mian léi a ndíothú. Fergus – agus ní Ailill – a dhéanann iad a chosaint ansin uirthi go dtí go gcinntear ar iad a scaipeadh ar fud an airm uile. Ní léir aon dlúthbhaint anseo ag Ailill leis na Gálioin ná aon chorraí air thar mar a bheadh ar fhear pósta ag cáineadh comhairle mná. 'Nach amhlaidh is fearr é (má tá siad ag cruthú go maith),' arsa Ailill, 'nach dúinne a throidfidh siad!' Ní hé a dtaoiseach é dá bhrí sin. Tá sé le léamh as seo gur mó dámh Ailill leis na hÉrainn ná leis na Gálioin. Tá na hÉrainn i bpáirt le Meidb sa mhéid go bhfuil siad ag troid ar a son.

is é sin, ar son na nGael. Tá drochmhuinín aici as na Lagin fós: is eagal léi go bhfuil siad ag faire na faille leis an tír a athghabháil (LU 4634). Más ea, is dealraithí go mór gur ar Themair agus nach ar Chruachain atá a bhfaire. Ní mhúchann scaipeadh na Lagen a n-inniúlacht áfach (LU 4659) agus is léir ó na tagairtí molta dóibh in LL leis nach foláir nó bhí lámh Laighnigh in ionramháil scéal na *Tána*.

De réir na fianaise is fearr atá le fáil b'Éirinn iad na Luaigni go raibh cosaint na Temrach orthu ar feadh achair fhada. Na Luaigni agus na Gálioin a bhí i gcoinne Chonchobair ag an mBóinn ar a bhealach ó dheas leis an Táin a agairt ar a naimhde (cf. *Cath Ruis na Ríg*). Agus pé caint a bhí ag Conchobor faoi dhíoltas a lorg i bhfad ó bhaile (ibid. §5) níor ghabh sé thar Themair. Ar an taobh eile den scéal nach aisteach an turas a thugann arm Mheidbe sa *Táin* ó Chruachain soir go dtagann siad chomh fada leis an mbóthar ó thuaidh ó Themair go Muirthemne? Ní ar thábhacht na n-eachtraí a cuireadh ann é; an liosta logainmneacha an chuid is suntasaí de agus níl aon ní is fusa a chur le bunscéal ná é sin.

Is inmheasta dá réir sin gur le Gaeil na Temrach agus leis na ciníocha atá faoina smacht acu, go háirithe na hÉrainn agus na Lagin, atá Ulaid na *Tána* i ngleic. Níl de mhalairt ar an seanphort ach go bhfuil forlámhas ag na Gaeil. Dá bhrí sin ní iontach seanfhíoch Ulad is Érann á mhúscailt ag an Morrígain (bandia chogaidh ise) sa dá sheanleagan den saga. Cuimhnítear leis ar fhocal úd *Cath Boinne* 'Conchobor céad fhear Mheidbe gur thréig sí trí uabhar meanman é is go ndeachaigh go Teamhair, áit a raibh rí Éireann.' (*Ériu* II 176).

Nuair bhreithnítear an cheist, is léir go raibh foinsí na dtraidisiún seo *Chath Boinne* (=*Ferchuitred Medba*) ar fáil ag eagarthóir úrleagain LL na *Tána*: fíonn sé na snáitheanna le chéile chun brollach a sholáthar, i.e. an comhrá adhairte agus a iarmairt i dteach Dháire i gCúalnge. Tá de dheifir ann nach mór dó nádúr na mná a dhearadh sa bhansamhail tiarnais go grinn anois ar mhaithe leis an scéalaíocht. Níor ghá sin cheana, mar comharthaíocht pholaitiúil a bhí i gceist.

Caithimis súil ar an Meidb nua seo féachaint cén dealramh atá uirthi. 'Is fearr an chaoi atá anois ort ná mar a bhí an lá a phós mé thú', arsa Ailill léi, faoi mar a déarfadh a leithéid eile lena bhean. Níl aon rian den samhlachas ansin ach gnáthchaidreamh lánúine: eisean a chuir caoi is bail uirthise!

– 'Bhí mé go maith romhat,' ar sise. (Mura mbeadh inti ach siombail níor mhiste di a chur leis 'agus beidh mé go maith i do dhiaidh'.)

– 'Maith é siúd nár chualamar aon trácht riamh air,' ar seisean á freagairt, 'ach go raibh oidhreacht agat, agus creach is foghail á mbreith thar teorainn ag do namhaid uait.'

Tagairt do Chúige Chonnacht é seo, mar is léir ó fhreagra Mheidbe. Ach, más ea, níl aon bhunús sa traidisiún leis an gcaint, mar chonaiceamar go raibh fear a diongbhála ag Meidb roimh Ailill: Eochaid Dála, a thug í féin agus na Connachtaigh slán thar Shionainn siar ó Chonchobor tar éis Cath Bóinne (*Ériu* II 180). Ó thaobh an scéil is na litríochta de glacaimis le focal Ailill mar bhuille buailte i gconspóid na lánúine. Ó thaobh traidisiúin, is urchar iomraill é. Ráineodh do phearsa an fhlaithiúnais ina cáilíocht mar bhean go sárófaí í, nuair a bheadh na hairm i leataobh uaithi, ach ní gnách di a bheith ina spreas faoi chosa a namhad. 'Brisimse cathanna agus comhlainn agus comhraic i m'aonar,' a deir sí (33–4) agus téann sí i ngleic comhraic le Cethern (LL 89 b – 90 a). Tá an deismireacht is fearr ar an ngaisce impiriúil seo, áfach, le fáil in *Echtra Macha,* féach Caib. III.

Ní rí go féile, mar a léiríonn an focal *flaithiúil*. Bhí Medb fial, ríoga, cogúil; sháraigh sí a driféaracha in uaisleacht is i bhfiúntas is tharla na mílte óglach ó chéin is ó chóngar ina gnáth-theaghlach timpeall uirthi dá bharr sin, de réir a scéil féin (15–25). Uime sin, thug a hathair Cúige Chonnacht di. Tá an snáithe réasúnaíochta sa chuntas seo lag, ach má tá féin, nach amhlaidh is fearr a oireann sé do *ratio* an tsaoil mhóir, mar a bhfeicimid chomh minic sin comh-theagmhas is iartheagmhas réitithe go pras ina gcúis-slabhra ag daoine!

Tugtar le tuiscint anseo go raibh arm seasta láidir timpeall ar Mheidb, i dTemhair gan amhras, rud a d'oirfeadh go maith do phearsa an fhlaithiúnais ar an gcéad amharc; agus gur thug a hathair Cúige Chonnacht di dá bharr sin, nó i bhfocail eile, gur bhain sí amach le barr nirt é. Tá cuntas *Cath Boinne* (thuas) á thrasnú sin: i gConnachta a bhí suí Mheidbe agus suí ardfhlaithis Éireann lena linn, agus fir chogaidh bailithe timpeall uirthi a raibh flosc orthu tabhairt faoi Chúige Chonchobair. Tá an tríú cuntas in LU 4078 ff. ach ní insítear ansin, ach oiread, aon ní cóir faoi ghabháil Chonnacht: 'Ba iad an dá chúige a bhí i seilbh chlann Éremóin (.i. Gaeil Leth Cuinn) cúige Gálion (Laigen) agus cúige

Ól nÉcmacht (Connachta). Cúige Gálion is túisce a ghabh síol
Labrada Loingsigh. Clann Chobthaig Coíl Breg, (i.e. Gaeil lár na
hÉireann) áfach, ba é cúige Chonnacht a bhfearann boird. Sin í
an chúis ar tugadh do Mheidb roimh gach cúige eile é (. . . mar
nach raibh aon duine eile de shíol Eochaid ábalta é a ghabháil . . .).
Nuair nach mbíodh ríocht Éireann faoi chlann Chobthaig Choíl
bhíodh Connachta mar fhearann boird acu. Sin é an fáth go gcuirtí
in Óenach na Cruachna iad.' Deirtear roimhe sin (4071) gur in
Óenach Cruachan a chuirtí clanna Éremóin (i.e. ríora na Teamh-
rach) ar dtús, rud a thabharfadh le tuiscint gur aniar a tháinig na
Gaeil go Teamhair.

'Gnáth-theaghlach' a bhfuil na mílte fear cogaidh ann, sin arm
seasta, agus ní raibh a leithéid ag na Gaeil. Slógadh chun cogaidh
a bhíodh acu, agus scaipeadh ina dhiaidh. Tá neamhchruinneas ag
roinnt le bunteideal Mheidbe ar Chonnachta i d*Táin* LL mar a
chonaiceamar; ach tríd is tríd tá le tuiscint as traidisiúin áirithe
(thuasluaite) gur ghabh Medb Connachta le lámh láidir, is go raibh
sí ag socrú chun feachtais in aghaidh Ulad ina dhiaidh sin: 'gnáth-
theaghlach cogaidh' a bheadh i gceist sa dá chás, faoi mar a chas-
aimid leo araon i d*Táin* LL. Uime sin, dá mhéad beocht is daonnacht
dá bhfuil cothaithe i ndeilbh bhandia an tiarnais ag an eagarthóir,
tá a feidhm bhunaidh le haithint fós uirthi: *pearsantú ar fhorlámhas
Gael*.

Tá deismireacht oilte air seo sa *rapprochement* ag Meidb idir a
tréithre féin agus tréithre fear a diongbhála i.e. rí cúige, (24–37):
'Thángthas ó Fhinn mac Rosa Ruaid rí Laigen do m'iarraidh agus
ó Chairbre Nia Fer mac Rosa rí Temrach agus thángthas ó
Chonchobor mac Fachtna rí Ulad agus ó Eochaid Beg. Ach níor
dheonaigh mise, mar bhí coibhche neamhchoitianta á iarraidh agam
nár iarr bean riamh romham ar fhear d'fhearaibh Éireann, i.e. fear
gan sprionlaitheacht, gan éad, gan eagla. Ní oirfeadh dúinn a bheith
in aontíos dá mbeadh sé sprionlaithe, mar táimse fial, agus b'ábhar
náire dó mise a bheith níos féile ná é: ach níorbh aon aithis é sinn
a bheith comhfhial, ach féile a bheith ag roinnt linn araon. Ní mó
ná sin ba chuí dúinn a bheith in aontíos dá mb'eaglach an fear, mar
brisimse cathanna agus comhlainn agus comhraic i m'aonar, agus
ba chúis náire dó a bhean a bheith níos beoga ná é, ach níorbh aon
aithis é sinn a bheith ar comhtharraingt, dá mbeimis beoga beirt.
Dá mb'éadmhar an fear a raibh mé aige ní oirfeadh sé ach chomh
beag, mar ní raibh mise riamh gan fear ar scáth a chéile agam'.

Féach go dtugann sí a cheart d'Ailill ar an bpointe: 'Fuair mé an fear sin, i.e. tusa, Ailill mac Rosa Ruaid de Laignib: ní raibh tú sprionlaithe ná éadmhar ná spadánta.' Is baineann sí uaidh arís é: casann sí leis gur fear *ar bantinchur* é, (ó tharla ag argóint iad) i.e. fear gan bun struis ach é ag brath ar chuid na mná; rud nach bhfíoraíonn an t-áireamh a dhéanann siad ina dhiaidh sin.

Is léir go bhfuil dealbhaíocht na mná, i.e. cuid an scéalaí, nó cuid an drámaí, ba chirte a rá, ag éirí go seoigh anseo leis.[11] Tá cuma na fírinne uirthi, a bhuíochas sin cuid mhaith don timpeallacht nádúrtha ina gcuirtear an bheirt. Tá siad mar a bheadh aon ghnáthlánúin ag caint is ag caibidil. Tá an t-agallamh beo, gonta, inspéise.

Ní hin é ár gcúram leis an sliocht thuas, áfach, ach é seo: ní raibh aon toradh ag Meidb ar iarratais phósta mura mbeadh an fear inchurtha léi féin: go háirithe chaithfeadh sé a bheith dífhormaid, comhfhial, comhmhisniúil. An bhfuil aon bhaint ar aon chor aige seo le gnáthchleamhnais bhanphrionsaí? Má tá, níor airíomar riamh é (mar a déarfadh Ailill). Admhaíonn sí féin gur éileamh thar cuimse aici é, agus tá a fhios againn cad ina thaobh go ndéanann sí é: ina cháilíocht mar rí amháin a bheadh call ag céile Mheidbe leis na tréithre seo i gcomhroinn léi féin: misneach le ríocht a ghabháil is a chosaint; féile le ríocht a rialú mar is dual do fhlaith Gaelach, is d'eagla *anfír flatha* 'éagóir rí'; agus aigne dífhormaid ar mhaithe le comharba, mar is buaine ríocht ná rí. Ar an gcuma seo tá an rí inchurtha lena ríocht, Ailill le Meidb, iad araon ar chomhthréithíocht is ar chomhtharraingt. Mar sin, is do riachtanais fhlaithiúnais amháin a fhreagraíonn trí cháilíocht céile Mheidbe agus is as na riachtanais sin amháin a eascraíonn siad.

An rí a mbeidh a fhlaitheas mar chéile pósta aige caithfidh seasamh a chirt a bheith ann. Bhí Medb ag cur i gcéill gur uaithi féin a fuair seisean gach a raibh aige, agus sa chás gurbh ise an flaithiúnas d'fhéadfadh an ceart a bheith aici. Sa chiall chéanna is fear *ar bantinchur* é, agus ise a thugann *cor agus coibhche* dósan i malairt gnáthbhéasa. Ise ceannaire an airm agus príomhúdar catha is cogaidh, rud a thaispeánann gur treise flaithiúnas ná flaith nuair a théann sé go cnámh na huillinne.

---

11. Meabhraíonn Seán de Búrca dom go bhfuil an comhrá agus an tréithíocht sa *Mabinogi* molta mar an gcéanna ag T. Parry, *Llenyddiaeth Gymraeg,* Caerdydd 1944, 59–60.

Samhlachas sa Litríocht: Beart dodhéanta é i gcás Mhedb na *Tána* an bhean a scaradh glan ón tsamhail ríochta, agus níl aon chall leis. Go deimhin tá daoine ann atá chomh gafa sin ag ábharachas is ag sceipteachas an lae inniu go bhfaigheann siad deacair géilleadh don samhlachas atá faoi chaibidil anseo againn. Más ea, níl beann acu ar ghnás na Meánaoise ná ar litríocht Eorpach an lae inniu. Tá sé ráite gur tháinig an Mheánaois chun aibiúlachta is chun foirfeachta in Dante, gur bhuaic de bhuaiceanna na ré sin é. Ón léiriú a thugann sé ar an samhlachas ina chuid filíochta is léirmheasa, ba dhóigh le duine gur bhain sé le modh aireachtála na haoise sin an saol a theilgean faoi mar a dhéanann priosma solas na gréine ar scannán: ar ndóigh, ní seacht ach ceithre chéim tuisceana,[12] ar a mhéad, a d'aithin sé sa téacs litríochta: (a) de réir chiall na bhfocal gan chur leo (*litterale*); (b) go fáthchiallach (*allegorico*); (c) de réir moráltachta (*morale*); (d) oschéadfaíoch, spioradálta (*anagogico*). Féach lch 203.

Ní ionann téacs a scríobh agus é a léamh, ná an bhrí atá ann agus an bhrí a bhainfear as. Nuair a tháinig Dante ar ais ar an gceist seo (*Epistola a Can Grande* X.7)[12] shimpligh sé cúrsaí de bheagán. Deir sé go bhfuil an Commedia 'ilchiallach' *(polysemos)*: dhá bhrí ag baint léi, an chiall liteartha agus fáthchiall. Fáthchiall is ea an chiall neamhliteartha anois aige, bíodh sí de réir (b), (c) nó (d) thuas. Cad ina thaobh nach ndeir sé 'déchiallach' anseo in ionad 'ilchiallach'? Mar go measann sé a shaothar a bheith déchiallach ó thaobh údair de agus ilchiallach ó thaobh léitheora; úsáidfidh sé téarma nó téarma eile acu de réir mar a oirfidh.

Deismireacht anois ar an samhaltas, ó litríocht Eorpach an lae inniu: Ceann de shaintréithe an úrscéil Rúisigh *Dr. Zhivago*[13] a shamhlachas. Den chéad dul síos tá an scéal follasach ann a eachtraíonn imeachtaí daoine sa teaghlach, sa chomhthionól, is a rianaíonn a mbeatha is a mbás. Faoi dhromchla an scéil sin tá sruthchogar dian a léiríonn páis is claochlú na Rúise féin trí bhíthin na bpearsan céanna ach go bhfuil formhéadú is imchianú dulta orthu. Foirm den aidiacht *zhivói* 'beo' is ea *Zhivago*, an file a chruthaíonn beatha nua as an mbás timpeall air. Bás is aiséirí príomhthéama an leabhair mar is léir go háirithe óna thús is a dheireadh. Tá stair is deasghnáth an chreidimh ina dhúshraith ann: Féilire na Naomh príomhfhoinse na n-ainmneacha baiste,

---

12. E. Moore, P. Toynbee, *Le Opere di Dante Alighieri*[5], Oxford 1963: lgh 251–2 (*Il Convivio* II. 1); lgh 415–6 (*Epistola* X. 7).

13. B. Pasternak, *Doctor Zhivago*, arna aistriú ag M. Hayward, M. Harari, Fontana 1966. Cf. E. Wilson, *The Bit Between my Teeth*, N.Y. 1965: lgh 420–446; 447–472.

agus na finscéalta a ghabhann le cuid acu ina nglóshnáithe ar uaire i rianadh na gcarachtar: is ionann an t-ainm *Yury* (Zhivago) agus *George/Seoirse*: 'saothraí' a chiall i bhFéilire na hEaglaise, féach γεωργός 'feirmeoir' na Gréigise. Tréithíocht í seo a bhaineann le Zhivago sa scéal. Tá leasdeartháir ag Yury dárb ainm Evgraf (féach Gréigis εὔγραφος 'dea-scríobhaí'). Sprid chruthaitheach Yury é: nochtann sé 'as an spéir (as na scamaill) anuas' i gcabhair air nuair is crua a bheireann an saol air, is cuireann i mbun pinn arís é. Trí huaire a tharla sin: trí huaire leis a bhásaigh is a d'aiséirigh N. Seoirse, de réir an scéil. Tá dán le Zhivago, agus cur síos air sa leabhar, a léiríonn a spéis sa naomh: bhí an dán ag dul sa mhuileann air gur chuimhnigh sé ar théama an dragúin, le comhcheangal a chur ar na véarsaí fánacha, is iad a chomhtháthú: é féin atá in áit an naoimh ann. Is í Larissa an cailín atá á tarrtháil aige ón dragún, bíodh is nach bhfuil sí ainmnithe. 'Faoileán, éan mara' ciall a hainm i bhFéilire na hEaglaise; tionlacan gaoithe is uisce go minic léi, dá chomhartha sin. Leis an bhfarraige a shamhlaíonn Zhivago í sa dán 'Céad Slán' mar a bhfuil a ainnise is a uaigneas ina diaidh léirithe. Spiorad na saoirse gan amhras í agus spiorad na Rúise leis, b'fhéidir. Komarovsky (*komár* 'corrmhíol') an dragún, is dócha, *roué* a chuir ó chrích ina cailín óg í is a bheireann anois arís uirthi, mar nach leanfaidh Yury soir go hiargúil na sábháilteachta iad, faoi mar a gheall sé di go ndéanfadh. Caithfimid iad a fhágáil ansin. Dá laghad dá bhfuil ráite (ní maith a d'oirfeadh a thuilleadh anseo) tabharfaidh sé le tuiscint cé chomh casta, cé chomh saibhir is tá samhaltas an scéil seo. Filí, leis, a bhí i mbun litríocht na Sean-Ghaeilge.

Tá trí ainm ar chúige Chonnacht i scéalta na *Tána*: Cóiced Ól nÉcmacht, Cóiced Meidbe, agus Connachta. Clanna Chuinn Cétchathaig agus a ngabháltas atá i gceist le *Conn-achta*. Ní i dtaobh le neart amháin a bhí Conn. Bhí an ceart ina theannta aige, mar is léir óna ainm (*conn*=ceann, ciall, cúis). Is iad Clanna Chuinn atá i gceist le *Cóiced Meidbe* chomh maith, 'i.e. an cúige ar ghlac Medb (=na Gaeil) forlámhas air'. Giorrú ar *é-cumacht* 'gan chumhacht' is ea *écmacht*. Is é an t*Ól nÉcmacht* an deoch dhíshealbhaithe a raibh seanchleacht ag Meidb uirthi: tugann sé le tuiscint gur bhain na Gaeil an mháistreacht amach ó na ciníocha a bhí i dtreis ansin rompu, is é sin, na Lagin is na hÉrainn. 'Cúige na nDeoch Lag' sea Connachta, dá réir. Díchur Réamh-Ghael atá á léiriú ag ainm ársa an chúige, dá bhrí sin, agus gabháltas Gael ag an dá ainm eile.

Ní cháileodh cuireadh is deoch na bandia nó na banimpire amháin duine do shuí rí na Temrach. Bhí triail charbaid i gceist, rud a chuirfeadh i gcuimhne duit an sliocht gonta éifeachtúil i scéal Chaier (54 thíos) mar a bhfuil Néde sa siúl go Dún Cermna 'carbad Chaier faoi, bean Chaier leis, agus a mhíolchú. "Nach aoibhinn an cairpeach atá ag gabháil chun an Dúna. Léiríonn a chuma a chaithréim. Cé hé féin?" arsa cách. "Sinne a ghabhadh suí cairpigh," arsa Caier. "Briathar rí é sin," arsa Cacher. Ní fheadair sé go dtí an nóiméad sin é (i.e. go mba rí Caier roimhe sin).' Samhail ar réim rí is ea réim charbaid, rud nach iontach linne mar go bhfónann an focal céanna don dá chás sa Ghaeilge. Ón bhfréamh *reidh- 'gluaiseacht' is ea réim. Sna Tecosca a léann Morand don rí óg Feradach Finn Fechtnach chun comhairle a leasa a chur air de réir nós an Speculum Principis, carbad is ara is ea flaithiúnas is flaith aige (ZCP XI 93, §22: Ériu XX 227–8): 'Abair leis go bhfuil a ríocht óg mar é féin. Breathnaíodh sé ara seancharbaid: ní sámh-chodladh a bhíonn aige: féachann sé roimhe is ina dhiaidh, féachann sé soir, ar dheis is ar chlé . . .' Cf. lgh 105 ff. thíos.

Baineann an sliocht seo a leanas le ríú Chonaire Mhóir (De Shíl Chonairi Móir, Ériu VI 134): 'Bhí carbad rí i dTemair agus dhá chapall aon datha ar a gcéad uair faoi. An té nach raibh flaithiúnas na Temrach i ndán dó, d'éiríodh an carbad roimhe, sa tslí nach bhféadadh sé aon cheart a bhaint de, agus thugadh na capaill gach léim air. Bhí fallaing rí sa charbad, agus an té nach raibh flaithiúnas na Temrach i ndán dó bhíodh sí rómhór dó. Bhí dhá chloch ann darbh ainm Blocc agus Bluicne, agus an té go nglacaidís leis, d'osclaídís roimhe chun an carbad a ligean isteach eatarthu. Agus bhí Fál ann, bod cloiche, ar cheann fhaiche an charbaid. An té go nglacadh flaithiúnas na Temrach leis, screadadh Fál in aghaidh bhun an charbaid i gclos do chách. An té nach raibh flaithiúnas na Temrach i ndán dó ní osclaíodh an dá chloch roimhe – is é an chaoi a mbídís, eochair láimhe eatarthu – agus ní screadadh Fál in aghaidh bhun a charbaid; níor ghlac siad le Lugaid Riab nDerg tar éis marú Etersceoil.' [Féach Léaráid I, os comhair lch. 32]

Samhail na ríochta is ea bun an charbaid (fonnad) faoi chosa an chairpigh. An gléas fearga atá i gceist le Fál, Blocc agus Bluicne agus samhlú na comhriachtana an teagmháil le fonnad an charbaid. Ní bhíonn sin i gceist mura mbíonn idir chapaill is fhallaing oiriúnach. Sa chás go bhfuil, tá ríocht aige le tabhairt chun toircheasa is chun torthúlachta, agus is chuige sin an réim charbaid. Aithnítear leis sin go bhfuil a shainréimeas féin ag gach ábhar rí. Comhartha is ea scread na cloiche go mbeidh an réimeas torthúil.[14]

Éiríonn an cúrsa le Conaire (*Ériu* VI 135). Más ea tá bunús maith leis: oidhreacht a athar de shliocht Érann atá sa treis; tá a mháthair á threorú, agus tá arm forránta timpeall air chun an ríocht a bhaint amach. Arm 'den slua sí' is ea é agus gan dabht sin slí amháin le 'réamh-Ghaelach' a chur in iúl. Chúlaigh slua na Temrach rompu is d'fhág carbad an fhlaithiúnais faoi Chonaire. Is ansin a sheas sé a thriail go dtí gur ghéis an chloch faoi. 'Tá glactha ag Fál leis,' arsa an slua.

'Is iad na Tuatha Dé Danann a thug leo an Fál Mór, i.e. an chloch fheasa a bhí i dTeamair a bhfuil an t-ainm Magh Fáil ar Éirinn uaithi. An té go ngéiseadh sé faoi ba rí Éireann é. Thriail Cú Chulainn é is níor ghéis, ná faoina dhalta Lugaid. Is níor ghéis an chloch ó shin i leith ach faoi Chonn amháin.' (LL 1060 ff.).

Conn Cétchathach ba shinsear do Ghaeil lár na hÉireann. Tá a dhintiúirí ar fad aige le ceart Gael chun ríocht na Temrach a sheasamh. Tá an t-ainm *conn* 'ciall; ceann; taoiseach' air. Dá réir, tugann sé faisnéis is fáistine ar a chomharbaí i m*Baile Chuind Chétchathaig* dála Lug *Bhaile in Scáil*. Tá na cathanna buaite aige; is géiseann an Lia Fáil faoi. Duine dá chomharbaí is ea Cormac ua Cuinn, alias mac Airt (féach Caib. VIII) eiseamláir eile do Ghaeil i leith ceart flaithis is dul chun cinn, má lagaigh féin air ó am go chéile i ngné amháin nó i ngné eile. 'Mór-rí mórbhreitheach' ba ea é, duine den triúr a chreid i nDia roimh theacht Phádraig (LU 4041 ff.). Is geall le clár oifigiúil bolscaireachta leasainmneacha ríthe Gael i ré seo na ngabháltas is bunú na gclann. Tabhair faoi deara na hainmneacha Feradach Finn Fechtnach, Tuathal Techtmar, Fedlimmid Rechtaid (Rechtach), gan trácht ar chuid eile acu le *Finn* ('beannaithe' a chiall go minic); *Fechtnach* 'seansúil, fíoraon'; *Techtmar* 'sealbhach, dlisteanach' (*pace* O'Rahilly EIHM 170); *Rechtaid* 'breitheach'. Beirt atá ar chomhchéim le Tuathal Techtmar féin is ea Eógan Mór nó E. Taídlech = 'lonrach', sinsearach Eóganachta, agus Eochaid Feidlech = 'buanseasmhach', ainm anoiriúnach do 'athair' an fhlaithiúnais i dTemair.

---

14. Cf., leis, H. Wagner, ZCP 31: 15.

III

Saga Mhacha, Ces Ulad, agus *Pectore Nudo*

Chun an scóip chuí a sholáthar le scéal a dhiongbhála a chumadh faoi laoch an chúige, Cú Chulainn, cinneadh ar é a fhágáil ina aonar os coinne líon a namhad: léas a ghreamódh gach uile shúil, i ndorchacht an stáitse. Tá an fhrámaíocht pholaitiúil le sonrú i dtús is i ndeireadh an scéil, ach baineann an scéal féin leis an laoch is leis an gcaoi ar sheas sé an fód do na hUlaid a fhad is bhí siad in anbhainne de bharr mhallacht na Bandé. Téama bunúsach an lagar seo, *Ces Ulad/ Noínden Ulad/ Ces noínden/ Ces oíted* mar a tugadh sna cáipéisí éagsúla air. Thit a mhacasamhail de lagar bliana ar Chú Chulainn féin uair eile i ndíol ar ionsaí a dhein sé ar bhanríon na sí is a deirfiúr nuair a ghabh siad an treo i riocht dhá éan. Níor fhan aon urlabhra aige sa seirglí dó, rud a thugann cosc cainte Ulad sa *ches* chun cuimhne.

Seo a leanas na traidisiúin atá ar fáil faoi Mhacha:

A) Met. Dinds. IV 124; *Leb. Gab.* 74: D'éag Macha, bean Nemid meic Agnomain, agus cuireadh í i Mag Macha, an dara magh déag a réitíodh ag Nemed.

B) Harl. 5280, fó. 44b[1]/ ZCP 8,120/ *Heldensage* 359: Chuaigh Cú Chulainn feadh na Bóinne ar lorg imfheasa, agus a ara Laog ina theannta. Bhí ficheall is táiplis aige agus riar mhaith cloch nirt sa charbad agus ga ina lámh is téad as chun breith ar éisc. . . . Tháinig Fedelm Foltchaín agus a fear Elcmaire go dtí bruach na Bóinne lastall. Ba mhian le Fedelm an fear a fhaire féachaint cad a dhéanfadh sé. Tharraing sé bradán breac as an mBóinn. Chuaigh Elcmaire san áth, thóg carraig cheathairchúinneach agus bhris (?) an carbad léi. Ghreamaigh Cú Chulainn é is bhain ordóga na lámh is na gcos de agus thóg sé Fedelm chuige féin go ceann bliana. Fedelm á nochtadh féin os comhair Ulad lá cinn bhliana a thug an ches orthu.

C) LL 20 a 47: Bhí trí rí ar Éirinn i gcomhfhlaitheas, Díthorba, Aed agus Cimbaeth. Dhein siad conradh go mbeadh an ríghe in

---

1. In eagar ag V. Hull, ZCP 29, 305 ff.

uainíocht acu, seacht mbliana an duine, agus thug rátha dá chéile. Bhí sé sa choinníoll nach sárófaí *fír flatha,* nó ceartchóras flatha. Ar na rudaí a choillfeadh sin, luadh bás na máthar ar a leaba luí seoil, mar nach dtarlódh aon mheath den sórt faoin gceartphrionsa. Trí sheal a bhí ag gach aon duine air nuair a bhásaigh Aed, agus ansin d'iarr a iníon Macha Mongrua seal a hathar den ríocht. Eitíodh ann í, d'fhógair sí cath orthu is bhris, is bhí seacht mbliana sa rígne aici. Ar bhás Dhíthorba d'iarr a chúigear mac, Baeth, Bras, Bétach, Uallach agus Borbchas a seal. D'eitigh sí ann iad ar an ábhar nach le rátha ach le neart is ceart claímh a bhí sí sa fhlaitheas. Chuir siad cath uirthi, ach más ea thug sise maidhm is ruaig go díthreabha Chonnacht orthu sin. Ghlac sí le Cimbaeth mar fhear céile ansin.

Tar éis a pósta chuaigh sise sa tóir ar chlann mhac Dhíthorba go Connachta. Tháinig sí suas leo i mBairinn Connacht is iad ag fuineadh fia-chollaigh. I riocht claimhsí a bhí Macha, ruide is taos seagail cuimilte dá haghaidh aici. Bhí tamall cuideachtan ag an tine acu le chéile is thug siad bia di.

'Nach álainn é rosc na caillí,' arsa duine acu, 'luímis léi!' Tugann sé leis faoin gcoill í; ach ceanglaíonn Macha as a neart é is fágann sa choill. Ansin tagann sí ar ais chun na tine.

'Cá bhfuil an fear a d'imigh amach leat?' ar siadsan.

'Tá náire air filleadh oraibh tar éis a bheith ag luí le claimhseach.'

'Ní gá dó é, mar dhéanfaimis uile an rud céanna.'

Tugann gach fear acu leis faoin gcoill í, ach ceanglaíonn sise as a neart iad is tugann in aon cheangal go hUltaibh léi iad. 'Maraítear iad!' arsa an slua.

'Ní hea, mar ba choilleadh *fír flatha* domsa é sin,' ar sise, 'ach a ndaoradh chun daoirse; agus tógaidís ráth domsa a bheidh ina phríomhchathair Ulad go brách.' Leag sí amach teorainneacha an dúin lena h*eo* nó a deilg mhuiníl *(eo-muin),* gur de sin a ainm, Emain Macha. [Féach léaráid II, os comhair lch. 33]

Mharaigh Rechtaid Rigderg Macha ar deireadh ach d'imir Úgáine Mór, dalta Mhacha agus Chimbaetha, díoltas ar Rechtaid ina dhiaidh sin (LL 21 b 30, *Corp. Gen.* 135 b 26).

D) Harl. 5280 53b[2]; LL 125b; H 3.18, 46b=ZCP 12, 251–253; *Heldensage* 361: Feirmeoir rathúil de na hUlaid ba ea Crunnchu

---

2. In eagar le 3 ls eile ag V. Hull, *Celtica VIII* 1–42.

mac Agnomain. Bhí clann mhac líonmhar aige is é ina chónaí ar na sléibhte san iargúil. D'éag a bhean is bhí sé i bhfad gan chéile ina diaidh. Lá amháin tháinig bean óg bhreá isteach sa teach chuige (is é a deir na saoithe gurbh í Macha í), thóg cúram an tí uirthi féin agus d'fhan aige mar bhean cian d'aimsir is iad faoi rath is faoi bhláth. Bhí sise torrach trátha Aonach na nUlad. 'Ní inmholta dul ann,' ar sí, 'ar eagla go luafá sinn; óir scarfaimid lena chéile chomh luath is luafaidh tú ar an Aonach mé.' Rug eachra Chonchobair an chraobh sa rás carbad is bhí gach aon duine á moladh. 'Is luaithe mo bheansa,' arsa Crunnchu. Gabhadh láithreach ar ordú an rí é go mbeadh triail acu ar a ndúirt sé. Chaith sise teacht lena fhuascailt má bhí tinneas clainne féin uirthi. Ní bhfuair sí aon chairde uathu ach a cur leis na heachra ag an gceann tosaithe, is í ag bagairt díoltais orthu. Bhain sí ceann scríbe amach roimh na heachra agus ansin láithreach bonn saolaíodh cúpla di, Fír agus Fial, buachaill is cailín. Leis an scréach dhóite a lig sí, tháinig lagbhrí ar a raibh i láthair a mhair ar feadh cúig lá agus ceithre oíche. 'In am an róghéibhinn ní fhanfaidh ag aon duine sa chúige agaibh ach neart mná seolta go ceann naomhaí, i.e. 5 lá (oíche) + 4 oíche (lá), rud a sheasfaidh go dtí an naoú glúin,' a deir sí leo roimh éag. Ní thagadh an *ches* ar mhná, ar pháistí ná ar aon duine lasmuigh den chúige, ná fós ar Chú Chulainn, mar nár d'Ultaibh é.

E) Met. Dinds. IV 126; *Dinds.* (RC 16, 45 §94): Grian gheal agus glan-Mhacha a dhá hainm sa dán dár teideal *Ard Macha*; tugtar *Grian banchuire* 'Grian na bantrachta' leis uirthi. Sa *Dinds.* próis eachtraítear gur lean an *ches* ar Ultaibh go dtí ré Mháil meic Rochridi, agus go meas), tar Grian Banchure (sic) a bheith ina hiníon ag Midir Brí Léith.

Cuireann *A* agus *E* lena chéile: tá ciall bhunúsach na Bandé le sonrú iontu. Bandia na dúiche ise is í pósta le Nemed, Dia na bhFir Bolg, a bhfuil cumas réitigh mórmhachairí ina phríomhcháilíocht aige agus tógáil na ráthanna maíte air. Ní iontach Grian á tabhairt uirthi sin i dtaca lena feidhm sa dúlra. Is léir leis ón bpáirt atá aici i dtraidisiún *D* go seasann sí go háirithe do shaol is do shaothar na bantrachta, don churadóireacht, don talmhaíocht is do chúraimí tí is clainne. Réitíonn an réimse seo le gnáthchiall an fhocail *macha*, i.e. buaile, 7rl.

Tá na traidisiúin *B/D* i gcomhfhreagras lena chéile. Léiríonn siad araon cos ar bolg á imirt ag Ulaid ar na seanfhundúirí. I gcás amháin acu Cú Chulainn ag coilleadh ceart rí Bhruig na Bóinne: tógann sé bradán an fheasa as abhainn an rí, Elcmaire (*Smir Find Feidelme* ainm amháin ar an mBóinn); ansin Elcmaire á mháchailiú aige: ionann sin is é a chur ón ríocht; féach go dtógann Cú Chulainn an ríocht, is é sin Fedelm, céile an rí, chuige féin. Ach *anfír* nó 'éagóir' *flatha* é seo go léir agus ag deireadh na bliana tá an scéal agus a chomhartha lena chois: an ríocht lomnocht agus na hUlaid gan bhrí.

An scéal ceannann céanna atá á léiriú ag *D*. Meafar ar réim rí an rás carbad, ar ndóigh (féach lch 26). Cé go luaitear sa scéal gur de shliocht na nUlad Crunnchu, ceanglaíonn an sloinne Agnoman leis na Fir Bolg é. Amach chuige siúd ar imill churraigh a ghabhann an Bhandia agus ní chuig an rí Conchobor i bhfogas. Iomadúlacht mac agus iargúil, comharthaí na neamhchumhachta i *C*. Is má bhí an Bhandia i láthair ann níor le dea-mhéin ná chun ratha é. Ní amhlaidh anseo é: tá sí féin i láthair san iargúil agus is anseo amháin atá príomhthréith *fír flatha* le sonrú, i.e. an torthúlacht. Grian ar mhachaire is ea an bhean. Tá Conchobor deighilte amach uaithi. Ba é leas Chrunnchon fanacht amach ó Chonchobor dá dtuigeadh sé an chomhairle a thug sí dó. I leaba an chomhaontaithe is dual idir rí agus Bandia tuaithe, coimhlint fhiata atá aige léi. Éigniú pobail agus *anfír flatha* is ea an rás, is é sin réim Chonchobair. Le go mairfeadh *fíre* is *féile* sa ríocht chuaigh an Bhandia i nguais bháis is í i nguais linbh. Saolaíodh an cúpla Fír agus Fial, in ainneoin díchill an tíoránaigh. Níor de dhúchas Chonchobair iad: bhí fíorshamhail na ríochta múchta aige sin.

An t-aon fheidhm nó brí fhollasach is féidir a bhaint as an bhfabhalscéal seo *B/D*, is brí pholaitiúil í. Dhein Conchobor sárú ar Mhacha faoi mar a dhein ar Mheidb (féach lch 19). Go deimhin is deacair an bheirt seo a dheighilt glan ó chéile; mar más duine amháin an tríonóid Eochaid Fedlech/ Eochaid Airem/ Midir Brí Léith (EIHM 132 n[2]) agus más í iníon Mhidir í Macha (*Heldensage* 363: *Dinds*.), aon duine amháin is ea an bheirt bhan. Dá réir sin, is fearr a rachadh an tagairt in *Fert Medba* (*Met. Dinds*. IV 366) do Mhacha ná mar a théann do Mheidb: *Baí lá ni lecfaitis eich/ Ar ingin Echach Feidlig* 'Bhí lá nach scaoilfí capaill os comhair iníon Eochaid Fedlig.'

Féach mar a chuireann traidisiún *C* leis an dearcadh seo. Bandia an fhlaithiúnais Macha anseo, banríon an chogaidh amhail Meidbe.

Glacann sí Cimbaeth, rí na gCruthen, chuici féin – dá deoin. An té nach nglacfaidh sí leis beidh sé *díthairbheach* agus ainm dá réir air, *Díthorba*. Féach tréithe a chlann mhac siúd mar a léirítear ina n-ainmneacha iad: cad eile a bheadh iontu ach colfairtí flatha! Ní hin é le rá nach bhfuil leas le baint astu: ní rí – ná banríon féin – gan ráth, agus fónfaidh a spreacadh siúd chun tógála nuair nach n-oireann a meon chun rialaithe. Más gá cath is cogadh le réimeas a bhunú ní mór tógáil is riarachán lena shlánú. Tá an dá ghné i gceist sa scéal, agus glansamhlachas éifeachtach déanta orthu ann.

Iarracht iomraill é dá bhrí sin ciall *Ces Ulad* a lorg sna fotheidil *Ces Nóinden* 'c. a leanann ar feadh naoi (leath)lá; c. a thionóltar gach naoú bliain', *Ces Nóiden, Ces Oíted* 'c. leaba luí seoil', mar nach léir gur teideal bunaidh aon cheann acu ach iarthuiscintí an aos léinn. In athleagan na *Tána* (LL) a chéadchastar *ces nóinden* orainn; sa chéad leagan (LU/YBL) tá *ces* agus *nóinden* ar fáil, iad comhchiallach, neamhspleách ar a chéile. Ní léir dá bhrí sin gur gá dul ag tóraíocht na gcoincheap seo i gcathair ghríobháin na mioteolaíochta is na heitneolaíochta idirnáisiúnta ón uair go dtugaimid an aithne chuí do na réimsí sin cheana féin is go n-admhaímid nár chás do bhéasa áirithe i measc Gael a bheith ar fáil leis i mball eile den domhan. Ach cathair ghríobháin aon chuardach dá leithéid nach dtreoróidh ar ais ar an *Táin* sinn is a fhágfaidh ar an trá fholamh sa choigrích taobh le lámhleabhar antraipeolaíochta sinn.

Dhá theoiric bunaithe ar thorthúlacht is fásra a bhí sa treis roimhe seo le Ces Ulad a mhíniú. Ba é tuairim Zimmer agus Vendryes gurbh iarsma ar *couvade* na bhfear é; nuair a bheadh an bhean ar a leaba luí seoil rachadh an fear a luí dó féin leis. Ach 'tá de dhifríocht idir an *nóinden* agus an *couvade* nach ina n-aonar a bhíonn na fir nuair a shaolaítear an leanbh ach i dteannta a chéile. Deasghnáth comhphobail gan amhras is ea é, mím shamhaltach in onóir na Bandé Máthar' dar le M. L. Sjoestedt (*Dieux et Héros* 39). In am cogaidh amháin a thionóltar an *nóinden* – ach rud féiltiúil an *couvade*. Feictear do Thomás Ó Broin (*Éigse* X 288) go bhfuil bunús réadúil leis an scéal: laigíocht éigin áirithe a bhain do na hUlaid, mar go bhfuil na cuntais uile ar aon fhocal faoi. Ní hí an bhean thorrach ach a páirtí, an fear óg cumasach, atá i lár an stáitse aige sin. An Suan Geimhridh ainm an dráma anois, foghníomh i gcultas an fhásra. Rí aon bhliana an príomhaisteoir, Cú Chulainn, aige. Is air a bhraitheann toirchiú na bliana agus a torthúlacht. Chuige sin a ghlacann sé Fedelm chuige féin ar dhíchur an tseanrí Elcmaire.

I. TEMAIR

1 Tech Midchuarta. 2 Ráith na Senad agus na clocha Mael, Blocc agus Bluicne lastuaidh (seansuíomh). 3 Ráith na Ríg: (a) In Forad. (b) Tech Cormaic. (c) Duma na nGiall agus an Lia Fáil lastuaidh (seansuíomh).

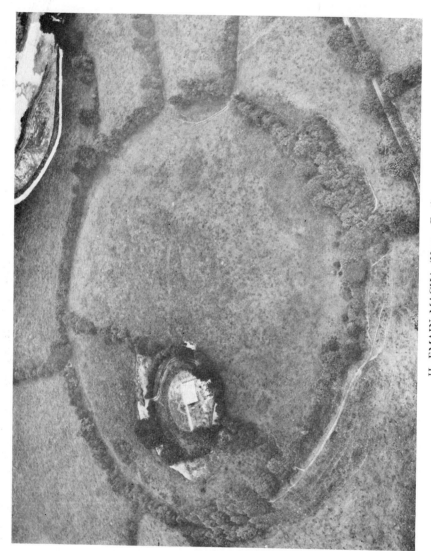

II. EMAIN MACHA (Navan Fort).

Samhail an phósta agus na torthúlachta dáiríre an bhean nocht, dar leis, mar gurb ea i mbéascnaíochtaí eile. Míthuiscint ó thaobh an scéalaí faoi deara an leagan amach gur laigíocht a tharraingíonn sí. 'Is léir faoi seo go bhfuil dráma seo Chonchobair/Chú Chulainn ar aon dul le miotais Osiris, Adonis, Attis agus ildéithe eile an fhásra' (*ibid.* 293).

Cliseann an teoiric seo mar nach bhfuil an scéal féin ag cur leis an samhlachas torthúlachta ar a bhfuil sí bunaithe agus de bhrí nach mór éirim an scéil a athrú le cosa a chur faoin samhlachas sin. Ionann sin agus coigeartú téacs nuair is lánléir cheana é. Tagraíonn T. Ó Broin do mhná nochta ina samhail ar an torthúlacht (*ibid.* 293 n[32]). Ach nuair a théann mná nochta i mbun orthaí báistí san Afraic Theas féin, is geis d'fhear breathnú orthu, agus má chasann siad le fear ar a gcuarta, bascann siad is caitheann siad i leataobh é. (Frazer, *Golden Bough*, Abr. ed., London 1963, lch 88). Cad í an fhrámaíocht chuí le gnéithe cultúrtha den sórt a mheas inti? Domhan an bhéaloidis? Sa domhan sin bíonn nós ag cur le nós is nós ag trasnú ar nós agus na cúlraí éagsúil le chéile. An chéad chéim na rudaí a thuiscint iontu féin – is ní miste leas a bhaint as an gcóimheas chuige sin; an dara céim na feiniméin atá inchurtha a chur le chéile, d'fhonn riaradh na bpatrún a chinneadh.

Taighde tomhaiste den chineál sin a chuireann ar ár súile dúinn go bhfuil meas na cumhachta ar an nochtacht go forleathan ar fud an domhain. Cad ina thaobh go mbaineadh na Gallaigh díobh roimh dul sa chath? (D'Arbois, *Cours* VI, 8,344, 371). Is cad mar gheall ar Chethern mac Fintain sa *Táin* (3622 ff.)? Ach ní miste cruinniú ar an sciar den fhadhb a bhaineann go beacht le hábhar, i.e. nochtacht na mban. Tógann an chéad sampla maith air sin thar theorainn an domhain Cheiltigh amach sinn, i.e. Plutarch, *Mulierum Virtutes* 248 B:

. . . Chuir Bellerophon an ruaig ar na cíochloiscthigh chomh maith, gan aon phioc dá cheart a fháil ar a shon; go deimhin dhein Iobates leatrom air. Thug Bellerophon an fharraige air féin dá dhroim agus d'iarr sé d'achainí ar Phoseidon go mbeadh an talamh aimrid éadairbheach mar dhíoltas ar Iobates. Chas sé ar ais i ndiaidh na guí is d'éirigh tonn ar an tír. B'uafásach an t-amharc í an fharraige á leanúint os cionn an mhachaire in airde. D'impigh fir na háite ar Bhellerophon í a chosc, is nuair nár éirigh leo, tháinig na mná ina choinne is a gcuid éadaigh ardaithe acu; is nuair a

D

chúlaigh seisean le náire rompu siar i dtreo na farraige chúlaigh an tonn leis, de réir an scéil. (Plutarch: *Moralia* III, Loeb 1931, lch 502).

Tá an ceart ag na húdair a thugann an cuntas seo agus eachtra Chú Chulainn ar a chéad ghaisce le chéile. Seo a leanas leagan LU air seo (5190–5204): 'Sroicheann siad Emain ansin. "Cairpeach chugaibh a dhoirtfidh fuil an uile dhuine sa dún!" arsa an faireoir, "mura bhféachtar chuige is mura dtéann mná nochta ina choinne." Chas seisean clár clé a charbaid le hEmain, rud ba gheis di. "Dar Dia na nUlad, mura gcuirtear fear mo chomhraic ar fáil doirtfear fuil gach aon duine sa dún," arsa Cú Chulainn. "Mná nochta ina choinne!" arsa Conchobor. Tagann bantracht na hEmna ansin le Mugain, bean Chonchobair agus nochtann siad a mbrollach os a chomhair. "Seo iad na laochra a sheasfaidh i do choinne inniu!" arsa Mugain. Folaíonn seisean a aghaidh. Leis sin tógann laochra na hEmna é agus caitheann i ndabhach uisce fhuair é. Briseann sé an dabhach sin timpeall air féin. An dara dabhach ar cuireadh ann é, chuir sé an t-uisce ar gearrfhliuchadh timpeall air. An treas dabhach ar cuireadh ann é théigh sé é go raibh sé bogthe . . .'

I leagan LL (1183 ff.) tá an míniú seo ag Conchobor ar chonfadh Chú Chulainn: '. . . mac mo dheirféar a chuaigh go dtí an teorainn is a dheargaigh a lámha: is níl sé dóthanach fós den chomhrac.' *Díscir, derglomnocht* a chuirtear na mná amach chuige 'lena nochtacht is a náire a thaispeáint dó. Folaíonn an macán a ghnúis orthu is thug a aghaidh ar an gcarbad sa tslí nach bhfeicfeadh sé nochtacht nó náire na mban . . .'

Mná fornochta roimhe/rompu! – nuair a théadh an chúis go cnámh na huillinne. Gach uile chosúlacht ar an *Táin* agus ar *Fhled Bricrend* §§53–54 gurbh é an dídean deireanach ag an dream eile é. Dheineadh sé an bheart i gcónaí. Níl aon rian den laige ná den bhoige ann – in ainneoin tráchtairí na litríochta, ach cor in aghaidh an chaim, is geis chun geis a shárú. Níl aon iarracht den chritheagla sna téarmaí *díscir, derglomnocht,* is níl aon amhras ar Mhugain ná go mbrisfidh an cathlán lomnocht an t-áth ar Chú Chulainn.

Cor cogaidh – is ní cor cosanta – nochtacht na bancháintí Riches in *Mesca Ulad* san iarracht a thug sí ar Chú Chulainn a mharú i ndíoghal ar a mac (LU 1527–1543=MU² 1027–1052): 'Rug Crimthann Nia Náir na cosa leis (as an gcath). Bhuail sé leis an mbancháinteach Riches ag an Leamhain thiar. Ba í a mhuime í.

"Ar fágadh mo mhac (ar pháirc an áir)?" ar sise.

"Fágadh", ar seisean.

"Tar liom á dhíoghal", ar sise.

"Cén díoltas?" ar seisean.

"Cú Chulainn a mharú i gcúiteamh air."

"Conas a dhéanfar é?"

"Go furasta. Má tá do dhá lámh agat chuige, ní theastóidh a dhath ar bith eile, mar sáróidh tú gan stró é."

'Lean siad arm na nUlad ansin go bhfaca siad Cú Chulainn rompu ar áth i gCríoch Uaithne. Ardaíonn Riches a cuid éadaigh agus folaíonn Cú Chulainn a ghnúis sa talamh sa tslí nach bhfeicfeadh sé nochtacht na mná.

"Tabhair faoi anois, a Chrimthainn!" arsa Riches.

"Tá sé chugat!" arsa Lóeg.

"Bíodh aige! a fhad a fhanfaidh an bhean ar an gcaoi sin ní éireoidh mise", arsa Cú Chulainn.

'Thóg Lóeg cloch as an gcarbad agus chaith léi í. D'aimsigh sé os cionn na tóna í gur bhris a droim is gur maraíodh í. D'éirigh Cú Chulainn ansin i gcoinne Chrimthainn agus ba é deireadh a bhí air gur rug sé a cheann is a chreach leis.'

De réir an aistriúcháin seo, bhí an bhancháinteach ina seasamh idir Cú Chulainn is Lóeg is a cúl leis-sean, nuair a mharaigh sé í. Dá mba ar a haghaidh amach a bheadh, ní dócha go mbeadh a bhac air breathnú uirthi, mar is dealraitheach nár bhain an gheis leis an ara ar aon chor. Tá sé ráite go soiléir in H 2 17 i dtaca le heachtra Chú Chulainn ar mhachaire na hEmna gur gheis don fhíorlaoch féachaint ar nochtacht ban (. . . 7 *mad fírlaech é, ní ris riblaingesdair do a fhaisgin:* Windisch TBC 167). Cé go raibh sé i mbaol a bháis, níor leomh an laoch féachaint ar Riches. Scata a déarfadh gur náire faoi deara don laoch cúbadh roimh an mbean. Ach cén bhaint go díreach atá aige seo le náire?

Cad is brí lena rá go bhfuair Caier bás den náire? (Féach lch 54). Ar ndóigh ní eisean a dhein aon ní as an tslí, ach mac a dhearthár dár thug sé gean is dídean a d'imir feall air is a bhain an bonn uaidh. Is é Néde a choill na geasa dáiríre, is d'éirigh cinniúint dá réir dó. Ach bhí cumhacht osnádúrtha an fhile aige agus cead a chinn aige, más ag tochras ar a cheirtlín féin é. An náire a chuir ag triall ar a uncail tar éis a bhirt é. As comhrac an dá gheis ar aon láthair a las bladhm a mbáis. Caier amháin a las le náire de réir an scéil.

Coincheap doiléir éiginnte casta is ea an náire. Cé acu saoithiúlacht a bhíonn mar bhonn ag tráchtairí na litríochta, agus an náire faoi chaibidil acu: an nua as ar fáisceadh iad féin, – nó an sean? Ní miste focal a rá anseo faoin sean.

Meafar bunúsach i dtéarmaíocht an dlí is ea *enech* 'eineach, aghaidh, éadan' ar dhea-cháil an duine. Ní sa teanga Ghaeilge amháin a fhréamhaigh, féach an nath Laidine *perfricare os, faciem, frontem* 'éadan/ clár éadain a chuimilt, le lasadh éadain a dhíbirt' > 'náire a chailliúint; dul i gceann cúraim go dána'. Tá an chiall 'náire' le *os* 'aghaidh' agus (san fhilíocht) le *frons* 'clár éadain' chomh maith: *os habet, linguam, perfidiam*=Béarla *cheek* (Plautus); *os durum*= Béarla *brazen face* (P. Terentius Afer; samplaí, Lewis-Short, *Latin Dic.*, s.vv.)

Ar 'luach a einigh' a bhí seasamh an Ghaeil sa chomhthionól ag brath, agus bhí sin á mheas de réir an ghráid ar bhain sé leis. Trí ghrád a aithníodh ar dtús, ansin seacht gcinn, agus a thuilleadh níos déanaí. *Lóg n-enech* 'luach einigh', *eneclann* 'glanadh einigh', *díre* 'íocaíocht', na gnáth-théarmaí ar an 'luach einigh'. Cf. *wynebwerth* na Breatnaise. *Enechrucce/enechgrís* 'deargadh nó lasadh éadain' a tugadh ar an míbheart in aghaidh an tsaoránaigh agus ar an gcúiteamh ann. Is follas gur fo-chuid den choincheap céanna na boilg aithise ar aghaidh an duine de dheasca aoir an fhile.

Cúiteamh sa mhasla d'onóir an duine bunsmaoineamh an chórais dá réir sin agus an náire snaidhmthe isteach ann. Ach is féidir an náire sin a ghlanadh, agus is léir ó bhrí na dtéarmaí thuas gurb é seo taobh an chúraim ba shuim leis an dlí. Glanadh einigh faoi mar a ghlanfaí smúit den aghaidh an meafar coitianta sna cáipéisí dlí. I g*Críth Gablach* 21 deirtear: 'Ceist: cad a níonn d'eineach an duine na seacht (ní a shalaíonn é)? – Ní deacair: smúit ar bith a shalaíonn eineach duine, tá trí shórt lena ní de: sliogart, uisce, agus tuáille: admháil an mhíghnímh os comhair daoine agus gealltanas (uaidh) nach gcasfaidh sé ar ais air, an sliogart; éiric sa duine a éagann de bharr a mhíghníomhartha an t-uisce; pionós sa mhíghníomh de réir na Leabhar (Aithrí) an tuáille.' Agus mar a leanas i m*Bretha Nemed* (*Ériu* XIII 13): *(taisic a) dhat dia aoir antair/ aighidh (gach air)gid, act go nguaire glantair* 'aghaidh gach airgid a mhilltear le haoir, faigheann sí a dath féin ar ais, má ghlantar le guaire í.'

Dá laghad dá bhfuil ráite anseo i dtaca le náire agus pobal, is
léir go mbaineann an náire le bunchomharthaí aigneolaíochta na
nGael a d'fhág a rian ar mhúnlú na saoithiúlachta acu. Tá réimse
leathan éiginnte fúithi sa mhéid gur cuid den mhothálacht nó den
ghoilliúnacht choiteann í. Baineann sí leis an gcomhfhios, faoi mar
a bhaineann geasa leis – na nithe is na gníomhartha tubaisteacha a
choisctear ar dhuine. Más breathnú ar bhean nocht is col geise don
laoch, an bhean os a chomhair, an dráma ar bun is an laoch curtha
ó ghníomh, tuigfear as go minic gurb í an náire is cionsiocair lena
chéim ar gcúl, i ngeall ar mhínáire na mná. Ní cruinntuiscint í sin.

Ón uair a nasc De Jubainville, Windisch agus Vendryes na
samplaí thuasluaite den *pectore nudo* le mná Ghergovium agus
Bhratuspantium na Gaille, is é an t-aon mhíniú amháin a chuaigh
orthu go léir. Ba chuma, dá mba é an míniú ceart é! I gcás
Ghergovium nuair a chonacthas do na mná istigh sa chathair go
raibh na Rómhánaigh chucu isteach agus an lucht cosanta ar a slí
amach 'chaith na máithreacha éadach agus airgead anuas ó na
rampair; bhí an brollach nochta acu *(pectore nudo)* agus an dá lámh
sínte amach acu *(passis manibus)* ag impí ar na Rómhánaigh a mbeo
a ligean leo' is gan iad a mharú mar dhein siad in Avaricum. (Caes.
De Bello Gall. VII 47). Ag Bratuspantium 'nuair a tháinig [Caesar]
i bhfogas chun campa a dhéanamh, bhí na mná is na páistí ar an
mballa is an dá lámh sínte amach acu ar a mbéas féin *(suo more)*
ag iarraidh síochána' *(Ibid.* II 13).

Sa dá chás bhí na lámha sínte amach i gcomhartha achainí acu
suo more. I gcás amháin acu bhí máithreacha *pectore nudo* ina theannta
sin. Cás aonarach é seo. Is inmheasta ó shamplaí na *Tána* thuas go
mba dheis chosanta acu é: leas á bhaint ag na mná as cumhacht na
nochtachta le hiad féin agus a gclann a shábháil ar an nguais a bhí
chucu: saighdiúirí coimhthíocha. Níor den tsaoithiúlacht chéanna
na Rómhánaigh is ní léir go dtuigfidís an scéal. Ní lú ná mar ba ghá
leas a bhaint as an tseift.

Deir Vendryes 'Il est probable que César lui-même s'est mépris
sur le geste des femmes gauloises. Il n'a pas compris, qu'elles accom-
plissaient un geste rituel de caractère propitiatoire' (RC 45, 161).
Agus go grod ina dhiaidh sin 'Dans les sociétés primitives la nudité
a une vertu qui détourne les fléaux' *(Ibid.* 162). Ceart! Ach más é
cumhacht na nochtachta a chuir Cú Chulainn dá threoir, ní féidir
gur *geste propitiatoire* san am céanna é.

Cé go gcuireann F. le Roux in aghaidh Vendryes (*Ogam* XVIII
369–372) tá an chontrárthacht bhunúsach chéanna ina leagan
amach féin. 'Il est évident,' a deir sí, à propos de LL 13764–5, 'que
le geste des femmes est une imploration.' Scéal cinnte gan scagadh
aici é, *une donnée* mar a déarfá, nach miste léi a thabhairt i dteideal
a cur síos: 'Le dénudement de la poitrine des femmes demandant
grâce ou protection' (*Ibid.* 369). Tá M. Guyonvarc'h den tuairim
chéanna (*Ibid.* 353). Ach i gcás Chú Chulainn is Riches, labhraíonn
sí faoi 'pouvoir paralysant de la nudité féminine'. Casann sí láith-
reach bonn ón eachtra seo chuig mná Ghergovium, is deir: 'Si les
Gauloises de Gergovie ne demandent pas protection, elles implorent
la clémence ou la grâce du vainqueur et cela revient au même.'
Ní thógann sí aon cheann den chontrárthacht seo, gan trácht ar í a
réiteach. Tá an t-alt gan éifeacht dá dheasca.

Mar choimriú ar an bhfaisnéis thuas féadfaimid a rá:

1) Bandia ilghnéitheach í Macha.[3] Ar an ngné is bunúsaí aici
tá na cáilíochtaí a bhaineann leis an dúlra is le beatha, fás, is síolrú;
tréithe iad seo a oireann go maith do pháirtí Nemed (traidisiúin
A, D). I dtaca le tíos, imshaol, is stát, tuaisceart na hÉireann a
fearann dílis; is bean tí í *(D)*; is banríon f hlaithiúnais í *(C)*. Fearacht
Mheidbe, tá miotas Mhacha curtha chun leas na polaitíochta, agus
baineann sé le dealramh gur i dteannta a chéile a tugadh an dá
mhiotas chun cinn.

2) Ní bheidh rath ar mheas na heipice mura dtugtar a ceart don
gheis, pé áit a mbíonn sí, mar tá an laoch gafa ina cuing. Dá
dhiamhaire í an gheis bíonn sainmhíniú uirthi, agus is féidir ceart a
bhaint di i bplé na litríochta. Ní mar sin don *náire,* tá sí ró-éiginnte;
ní mór cuardach is cíoradh a dhéanamh uirthi leis an teagmhas
áirithe a thabhairt chun léire. Tá amharc ar dhuibheagán na
fo-intinne as a n-eascraíonn siad araon sa chuntas a leanas ag
Plutarch (*op. cit. Mulierum Virtutes* 246) faoi na Peirsigh mná, mar a
chuireann siad náire ar a bhfir: 'An uair a thug Cyrus ar na Peirsigh
éirí amach in aghaidh an rí Astyages agus na Méadach, briseadh
cath air, is dóbair do na Méadaigh a slí a dhéanamh isteach sa
chathair i dteannta na bPeirseach a bhí ar teitheadh rompu. Rith

---

3. Cf. '. . . the specialization of gods according to function or attribute, as in the case of
Mars and Mercury, or Jupiter, is something Mediterranean and urban, unknown to
the Celts before, or beyond, the Roman conquests." (T. G. E. Powell, *The Celts*,
London 1958, lch 127).

an bhantracht as an gcathair amach chucu, d'ardaigh a gcuid
éadaigh is dúirt: "Cén fuadar sin oraibh, a chladhairí an domhain?
Ar ndóigh ní le héalú isteach ar ais san áit as ar tháinig sibh?" Bhí
na Peirsigh náirithe ag an radharc is ag na focail; chrom siad ar a
meatacht féin a cháineadh; chuaigh siad i ngleic athuair leis an
namhaid agus chuir siad an ruaig orthu.' Tá cuntas dá shórt á lua
le mná Sparta *ibid.* 241 B. Is róléir go bhféadfadh geis den sórt a
phléamar teacht chun cinn an-éasca nuair a bhíonn samhlachas
bunaidh chomh cumasach le samhlachas na máthar i dtreis.

3) Is í an bhrí atá le traidisiúin *B, D* thuas gur tháinig an Ches
ar na hUlaid de bharr *anfír* i.e. éagóir a bhflatha (Cú Chulainn/
Conchobor) faoi mar atá inste i gcorp an dá scéal. Léiriú drámatúil
ar an insint sin nochtadh Fhedelme i ndeireadh *B* agus an rás carbad
i ndeireadh *D.* Faltanas na mná (na Bandé) a thug an Ches orthu
sa dá chás: trína mallacht i gcás acu, trína nochtacht sa chás eile.
Laigíocht ba ea an *Ches.* Tá a macasamhail le fáil go díreach i
seirglí Chú Chulainn. Diomú nó mallacht na bandé faoi deara sin
mar an gcéanna. Níl i scéal na mná ar a leaba luí seoil ach maisiú
ar an sága bunúsach. Níl thar feidhm chomparáide ann,[4] meafar a
mbaineann an file leas go minic as, faoi mar a dhéanann Piaras
Feirtéar sa cheathrú a leanas:

> Do chuala scéal do chéas ar ló mé,
> Is thug san oíche i ndaoirse bhróin mé,
> *D'fhág mo chreat gan neart mná seolta,*
> Gan bhrí gan mheabhair, gan ghreann gan fónamh.

4) Chuathas contráilte i mbun *pectore nudo* na *Tána* a mhíniú
nuair a glacadh le cás Ghergovium na Gaille ina eiseamláir air, is
gan an léamh ceart ar an gcás sin féin. Léiríonn cuntais na *Tána*
gur ag brath ar chumhacht chosanta na nochtachta a bhítí, dáiríre.

---

4. Cf. J. F. Killeen, The Debility of the Ulstermen – A Suggestion, ZCP 33: 81–86.

IV

Draoithe agus Filí

Cérbh iad na filí?

Pé hiad féin, níorbh iad a bhí i réim in úireacht an traidisiúin, ach na draoithe. Faoin am, áfach, gur ceapadh *Suidigud Tigi Midchuarda* (LL 29a *et al.*) mar a léirítear suíú agus biaú na n-aíonna de réir céim oifigiúil sa phroinnteach i dTemair, tá siad tite go mór agus gradam na bhfilí go mór chun cinn orthu. Más linn córas, béas agus cinniúint na bhfilí a thuiscint níor mhór ceist na ndraoithe a phlé ar dtús, d'fhonn críochnúlachta, mar is léir go raibh dlúth-bhaint eatarthu.

Ar dtús, fianaise na *Tána*: Cathbad draoi, 'athair' Chonchobair, bhí céad dalta fairis ag foghlaim draíochta uaidh (LU 5037), rud a thugann le tuiscint go raibh scoileanna is a mbaineann leo idir ord is ábhar ag na draoithe. Ba mhór againn faisnéis ar an ábhar is ar an ord teagaisc a bhí acu, ach is tearc de sin atá le fáil. Sa chás áirithe a luamar (LU 5038, LL 925), d'fhiafraigh duine de na mic léinn de Chathbad cad é an séan is an dea-chomhartha a bhí ar an lá i.e. cad dó is fearr a d'fhónfadh an lá. 'Mac óg a ghabhfadh gaisce an lá seo', d'fhreagair Cathbad, 'ba ghearr a shaol, ach mhairfeadh a cháil go brách'. Dá réir seo, fáistine trí chomhar-thaíocht ceann dá bpríomhchúraimí.

Luann an *Senchas Már* go mbíodh Connla Caínbrethach, suí Chonnacht, ag conspóid le draoithe i ngeall ar an dúlra is ar an gcruthaitheoir (A.L. i 22). Deiridís sin gurbh iad féin a chruthaigh neamh agus talamh agus muir agus grian agus éasca. Luann Pátraic na dúile céanna seo le Dia na Críostaíochta agus é ag casadh iníonacha Loegaire Mhic Néill chun an Chreidimh. Na dúile a bhíodh go minic mar ráth nó mar urra i gcomhréitigh is i gcon-arthaí. Nuair a theip ar Loegaire an Cháin Bhóroimhe a thobhach ar Laighnibh le lámh láidir is nuair a gabhadh sa chath é, thug sé rátha na ndúl nach n-iarrfadh sé arís lena bheo í dá ligtí saor é. Ach d'iarr, agus san fheachtas dó, nuair a shroich sé fód a bháis i Magh Life, is iad na rátha i.e. na dúile, grian, gaoth 7rl a mharaigh é. *Mar níor leomhadh iad a shárú san am sin,* mar a deir an teaglamaí (LU 9806).

Feicimid gradam agus cumhacht Chathbaid draoi i dteagmhas úd Shualtaim, nuair a ráinig sé seo Eamhain ag iarraidh cabhrach dá 'mhac' Cú Chulainn (LL 4009 ff. *et al.*) Isteach leis an bhfear bocht ar a each i láthair Chonchobair mar a dhéanfadh mórlaoch; mar a dhein Culhwch i gcúirt Artúir. 'Tá fir á marú, mná á bhfuadach, beithígh á dtiomáint', a deir sé faoi thrí. Ach is geis d'Ultaibh labhairt roimh an rí agus don rí labhairt roimh an draoi. Deir Cathbad 'ba chuí bás don té atá ag brú ar an rí'. D'imigh Sualtaim leis agus an ghoimh air. Ar a shlí amach d'éirigh a chapall faoi gur bhain faobhar a scéithe a cheann de. Ansin casann an capall ar ais isteach agus an sciath ar a dhroim agus ceann Shualtaim ar an sciath. 'Tá fir á marú, mná á bhfuadach, beithígh á dtiomáint,' a deir an ceann. 'Tá an uaill sin beagán ró-ard,' arsa Conchobor, 'mar tá neamh os ár gcionn, talamh fúinn agus muir timpeall orainn; is mura dtiteann an fhirmimint lena frasa réaltann ar ghnúis na talún, nó mura dtéann an talamh as a riocht ina mhaidhm, nó mura n-éirí an fharraige eitreach ocharghorm isteach thar dhromchla an domhain, tabharfaidh mise gach bó is gach bean ar ais dá mbaile féin de dhroim catha is coimheascair.'

Briathra breátha! – Ach móid iad leis, móid nár fíoraíodh (cf. *Cath Ruis na Ríg* §1).

Bua fáistine is minice á lua leis na draoithe,[1] rud is léir ó na hainmneacha *propheta, magus* orthu. Nuair a chuala Cathbad scréach an linbh i mbroinn bhean Fhedlimid d'aithin sé conas mar a bheadh ag an leanbh, Deirdre, sa saol amach anseo (LL 259b *et al.*: lch 153 thíos). Nuair a bheadh rí le toghadh, mharófaí tarbh fionn agus d'íosfadh fear éigin áirithe a sháith d'fheoil is d'anraith an tairbh is rachadh sé a chodladh. Chanfadh ceathrar draoi *ór fírinne* 'briocht fírinne' os a chionn agus ansin léireofaí dó i dtaibhreamh cruth agus deilbh an rí nua (LU 3450 ff.) *Tarbhfheis* a thugtaí ar an deasghnáth sin.

Bhí Corán draoi in ann fóirithint ar an rí Conn tamall nuair a bhí a mhac, Connla, á mhealladh ag an tsíbhean uaidh (LU 10016): chan sé briocht ar ghuth na mná sa tslí nár chuala is nach bhfaca

---

1. I mbéal Cholum Chille a chuirtear an diúltú piseog a leanas (*Ériu* VIII 120):

Ní adraim do gothaib én,   Ní thugaim ómós do ghlórtha éan,
na sreód na sén for bith chē,   ná do shraothartach ná do thuar ar bith,
ná mac ná mana ná mnaī,   do mhac, do mhana ná do mhnaoi,
Is é mo draí Críst mac Dé.   Is é mo dhraoi Críost mac Dé.

Connla go ceann míosa í. In *Trip.* 54 cuireann Lucat Mael, draoi de dhraoithe Loegaire, sneachta ar fáil. Cuireann cuid eile acu dorchacht ar fáil (*ibid.* 92). Ní aon nath leo brí a bhaint as feiniméin den sórt seo, leis; féach mar a chiallaíonn Ollgaeth draoi an sí gaoithe agus Imrinn an scamall i d*Tochmarc Ferbe* (LL 254). Cuireann an seanchas faoi Mhug Ruith abhaile orainn cé chomh dlúth is a bhí baint an draoi leis an dúlra: a ainm *Roth,* samhail don ghrian is ea é: nuair a bhíonn ráthachas na ndúl i gceist agus na dúile á n-áireamh, is gnách an ghrian sa chéad áit orthu, rud a chuirfeadh i do cheann dearbhú an Chiarraígh sa lá atá inniu ann: *tá san comh fíor le grian an lae inniu.* Tréithíocht na gréine atá i Mug Ruith; baint aige le scaoileadh na n-uiscí agus neart aige anfa nó scamall a dhéanamh lena anáil. Ba chuma lá nó oíche ina ghealcharbad néamhanda is é ag imeacht ar nós an éin tríd an aer. Tugann na tuairiscí seo faoi Mhug Ruith fianaise inspéise ar bhrí is ar réim na ndraoithe (Féach, leis, EIHM 519).

Más é Cathbad draoi an feidhmeannach cúirte is cumhachtaí sa *Táin* tá feidhmeannaigh thábhachtacha eile leis ann, mar tá: Sencha, Ard-Bhreitheamh agus ceann réitigh Uladh, Fíngin Fáthliaig a d'aithneodh ón ngoin conas a tharla agus cé a dhein, agus Ferchertne Ard-Ollamh go dtugtar 'rófhile, fáidh' air in áit eile (RC 26.50). Má ghlactar leis nach raibh ann ar dtús ach an t-aon fheidhmeannach ilghnéitheach, uilechumhachtach i.e. an draoi, agus gur tháinig gabhlú na bhfeidhmeanna agus iolrú na bhfeidhmeannach leis an aimsir, is inmheasta dá réir go bhfreagraíonn saincheardaíocht seo na *Tána* do bheo-thosca na hÉireann le linn don traidisiún sin fréamhú is fás, i.e. ón 4ú go dtí an 6ú céad A.D. Dá réir sin is í an *Táin* an chéad fhoinse thábhachtach ar na draoithe i ndiaidh fhianaise na n-údar gclasaiceach (Féach lch 224),

Is ársaí go mór fada í ná an cur amach atá in *Lebor Gabála Érenn,* mar a bhfaigheann na Gaeil an bua ar Thuatha Dé Danann faoi stiúir file is breithimh, i.e. Amargein Glúngel. Cad ina thaobh nach faoi na draoithe a samhlaíodh Éire a ghabháil? Mar gur eaglaisigh is mó a chuir *Lebor Gabála* i dtoll a chéile: ba iad na draoithe go háirithe a gcéilí comhraic siúd, rud is léir ó *Trip.* is ó fhoinsí nach é. Lean an choimhlint ar feadh i bhfad agus feicimid a thoradh in *Suidigud Tigi Midchuarda,* mar a bhfuil an *suí litre,* i.e. an t-eaglaiseach léannta tar éis an draoi a easáitiú is a bhrú siar.

Maidir leis na Tuatha Dé, i.e. an Dagda, Lug, Dian Cécht, Midir, Mac Cuill agus an chuid eile den chomplacht oirirc, ba iad mórdhéithe na nGael dáiríre iad. Tá leagan amach nua anois ag na cléirigh ar an scéal: seandéithe na págántachta a chur i láthair mar a bheadh gnáth-threabhchas ar baineadh an tír díobh, ach amháin gur ghabh siad ríocht faoi thalamh nuair a baineadh an ríocht ar talamh díobh (LL 245b). Thugtaí ainmneacha difriúla orthu: 'aos sí' i measc Gael (féach MU² 8–9); 'deamhain' i measc eaglaiseach (LL 1581). Thugtaí 'draoithe' agus 'filí' orthu i dtaca le cumhacht is gintlíocht. Bhí a n-áit is a gcumhacht feasta faoi mhinistrí an chreidimh nua agus bhí siad seo comhoilte ar an mbeannacht is ar an mallacht (féach *V.SS.Hib.* I clxxiii, cxxxv.).

Má bhí sé ina chogadh dearg idir cléir is draoithe, tháinig cléir is filí chun comhthuisceana is comhréitigh gan mórán dua. Samhlaoid air seo is ea céad chasadh Phátraic le Dubthach, rí-fhile, de réir an traidisiúin sa Réamhrá déanach de A.L. i 2–18 agus in LU 9775 ff. Fágfaimid i leataobh an t-éileamh anchuimseach a dhéantar in A.L. i faoin gCoimisiún a thionól Pátraic leis an *Senchas Már* a chóiriú. Is chun an t-éileamh sin a threisiú a tharraingíonn an teaglamaí na traidisiúin aithnidiúla chuige. Dubthach amháin a sheas in ómós do Phátraic nuair a tháinig sé i láthair Loegaire, más fíor. (Féach a mhacasamhail de scéal faoi Cholum Cille agus Domnall, RC xx 38). Ní iontach dá réir 'leastar lán de rath an Spioraid Naoimh' á thabhairt ar an bhfile, A.L. i 6. 'Bheannaigh Pátraic a bhéal agus chuaigh rath an Spioraid Naoimh ar a urlabhra' gur chan sé an dán daortha ar an té a mharaigh ara Phátraic, A.L. i 8. 'Na breitheanna bunaithe ar an dlí nádúrtha a labhair an Spiorad Naomh trí bhéal na mbreitheamh is na bhfíorfhilí fíréan in Éirinn ó chéadghabháil an oileáin anall go Creideamh, léirigh Dubthach do Phátraic iad. Aon chuid díobh nach raibh bunoscionn le briathar Dé sa scioptúr ná le coinsias an Chríostaí, ghlac Pátraic is na heaglaisigh is flatha na hÉireann leo agus deimhníodh sa reacht iad'. Cf. A.L. i 16: LU 9767 ff.

Tá sé ráite sa *Senchas Már* (A.L. i 18) agus i nLU (9788) nár tugadh urlabhra poiblí ach do thriúr roimh teacht Phátraic: *fer comcni cumnech* le faisnéis agus scéalaíocht; *fer cerda* le moladh agus aoir; agus *brithem* le breithiúnas ar réamhshamplaí is ar ráitis dlí. Dá éiginnte an téarma *comcne*[1a] is léir gur seanchaí, file agus breitheamh faoi seach atá i gceist anseo. Is léir chomh maith gur mac-

---

1a. Féach Seán Mac Airt, Filidecht and Coimgne, *Ériu XVIII* 139–152.

shaithe iad na breithiúna a d'éirigh ar siabhadh ó na filí, mar fúthu seo a bhí breithiúnas, de réir an scéil, ó thug Amargein Glúngel, file, céad bhreith in Éirinn, gur baineadh díobh é i ngeall ar a dhoirche is a dhothuigthe a bhí a labhra, go háirithe i gcás an imagallaimh idir na filí iomráiteacha Néde Mac Adnai agus Ferchertne, ar a dtráchtfaimid ar ball. Athraíonn tuiscint is ciallú le meon is le ré; dá bhrí sin ní hé an dearcadh seo A.L. a fhónfaidh dúinne. Ní hin é le rá go bhfuil an traidisiún le séanadh má tá dearcadh is stíl dá chuid féin aige. Óir ní ionann an cheist (1) Cad a tharla? agus (2) Cad ba shiocair leis? Baineann (1) le saol na mbeart is na dteagmhas; baineann (2) le hidircheartú na mbeart agus leis an aigne phríobháideach, pé acu cothrom, claon nó saobh dó. Maireann beart, ní mhaireann breith.

Faoi na filí a bhí an seanchas chomh maith, agus dá réir sin lánréimse an traidisiúin. Dá chomhartha sin Dubthach rí-fhile a bhí mar abhcóide ag Pátraic, de réir an tseanchais, nuair ba ghá dó a leithéid; Dubthach leis a léirigh filíocht is breithiúnas is reachta Gael i láthair Phátraic lena gcur in oiriúint don Chríostaíocht, de réir an scéil.

'Cad a chaomhnaigh Seanchas na hÉireann? Comhchuimhne dhá sheanóir, traidisiún cluaise, cantaireacht na bhfilí, tacaíocht ón dlí nádúrtha, breis ó na Scrioptúir.' (A.L. i 30). Is róléir cad é chomh tábhachtach is a bhí na filí i mbuanchoimeád an oidis bhéil. Féach nach bhfuil aon trácht olc ná maith ar dhraoithe i dtaca leis an gcúram seo sna cáipéisí a luamar.

File, leis, a thapaíonn gabháltas Éireann do na Gaeil. 'Ag tabhairt na coise deise ar thalamh na hÉireann dó, dúirt Amargein Glúngel mac Míled an laoi seo:[2]

> Is gaoth i muir mé,
> Is tonn borbfharraigí i dtír,
> Is fuaim mara,
> Is damh seacht mbeann,
> 5   Is seabhac in aill mé,
> Is déar gréine,
> Is álainn.
> Is torc ar ghail mé,
> Is bradán i linn,

---

2. Féach an fonóta ar lch 46.

10 Is loch i magh,
    Is briathar aindéithe,
    Is focal éigse,
    Is ga creiche mé a dhéanann ruathair,
    Is dia mé a dhealbhann tine don cheann.
15 Cé (eile) a fhuasclóidh an clochar sléibhe?
    Cé (eile) a fhógróidh aois éasca?
    Nó an áit a mbíonn fuineadh gréine?
    Cé a thugann eallach ó thigh Tethra?
    Cé a bhaineann sult as eallach Tethra?
20 Cén duine, cén dia a dhealbhann faobhair
    Ar an ard a bhfuilir?
    Álainn an duine atá i mbun géargha an cháintigh.

Briocht gabhála é seo; taibhsítear fear na cumhachta ag déanamh
ar an tír le seilbh a ghlacadh uirthi. Caithfidh sé é féin a chur in iúl:
eisean féin an ghaoth, máistreacht ar an bhfarraige aige go grinneall
síos, is bogann ar a thoil í. Maidhm ar thrá gona gáir éilimh is ea é.
Níl gné aiceanta nach ngrinneoidh sé is nach n-ainmneoidh lena
dílsiú dó féin; mar tá brí dhiamhair san ainm, brí a bhíonn á
síoragairt ag asarlaí is ag file; féach mar a lorg Athirne ainm a chéile
comhraic, lch 55. Tabhair *file* ar Amargein i dtaca le cumhacht a
bhriathar – mar is é an briathar a uirlis; ach g intlíocht draoi é
seo ina theannta sin, mar ceannas ar an dúlra is ar na dúile sa tír
atá á éileamh aige. Tá ionannas idir é agus iad go bunúsach is
dócha sa mhéid go meastar an duine ina cheathairdhúil ar nós an
domhain féin. Ní ionannas go huilíocht; ní uilíocht go cumhacht.
Mar sin tá mianach na mara ann ach is treise é na í, tá mianach
tíre, ainmhithe is éan ann, den chuid is oirirce. Tá an dúlra á agairt
ag an bhfile ina gné is ina gné agus é á chur féin ina láthair. Bogann
sé ó mhuir go trá, ó thrá go haill, ó aill go hintír. Ansin géaraíonn
ar an éileamh aige: is cuid den bhriocht é féin, cuid de dhraíocht
na héigse; is ga créachtach aoire é; is dia é a bhfuil réiteach crua-
bheart is cruafhadhb ann, dia a mhúnlaíonn faobhair chun catha . . .
Dia is ea é mar gurb é an splanc a gha. Ach ga aoire is ea é, rud a
fhágann ina dhia trí bhíthin na filíochta é.

Níl amhras ná go bhfuil cúram an draoi curtha lena chúram féin
ag Amargein. Draoithe atá ina aghaidh agus titfidh Éire leis an té
is treise. Ní mór do Chlann Míled dul i gcomhairle leis na trí
bhanríon Éire, Fótla agus Banba, mar pearsa na tíre féin atá i
gceist leis an tríonóid sin. 'Drochthuar gabhála faoinar tháinig sibh,'

arsa Banba. Uime sin nuair a fhágtar an scéal faoina bhráid níos déanaí, molann Amargein dóibh casadh ar ais ar an gcósta is dul naoi dtonn amach ón tír, sa tslí go bhféadfaidh siad filleadh le séan.

Is ansin a chan sé Laoi Gabhála II[3]:

> Na fir a tháinig is a ghabh seilbh,
> Thar naoi dtonna móra mong-ghlasa
> Ní rachaidh sibh mura gcinneann na holldéithe
> Go bhfillfeam gan mhoill
> Ar shealúchas na tíre a shroicheamar.
> Más é is áil libh, tá sibh ag géilleadh don cheart;
> Murb é, ná géilligí,
> Ní mise a ordóidh díbh (é).

Déantar amhlaidh agus buaileann fogha draíochta na dTuatha Dé láithreach iad is ruaigeann ar fud na mara. 'Mo náire an t-aos dána!' arsa Donn Mac Míled. Bhí bob buailte orthu, dar leis. 'Ná bac sin!' arsa Amargein agus canann sé Laoi Gabhála III: aitheasc ar thalamh na hÉireann gach aon sórt torthúlachta a dheonú dóibh agus rath a chur ar a dtionóil, ón uair go raibh Éire féin anois gafa mar bhean ag Éremón Mac Míled. Mar sin baineann sé seo le torthúlacht, agus le tionscnamh is bunú ríochta: ní foláir ar an gcéad dul síos an nádúr a mhealladh le bheith fabhrach chun go bhfeidhmeoidh sí mar is dual faoin bhfíorfhlaith. An bunús céanna atá le dearcadh Richard II Shakespeare: an rí ag buanaitheasc ar an nádúr agus ar na cumhachtaí osnádúrtha de réir mar tá a ghreim ar a ríocht á bhogadh ag a naimhde.

Coimriú: Is léir ó *Trip.* go raibh na draoithe i réim in Éirinn sa 5ú céad, agus tugann fianaise na *Tána* an scéal céad bliain eile siar ar a laghad. Bhí an chléir Chríostaí i ngleic leis na draoithe ar feadh cúpla céad bliain go dtí gur bhain siad amach a n-áit is a bhfeidhmeannas. Ansin thug na heaglaisigh amach gur chine de chiníocha na hÉireann na Tuatha Dé Danann, déithe págánacha na nGael, agus conas mar a bhain na Gaeil faoi Amargein file an tír amach uathu agus ó na draoithe; agus fós conas mar a bhí rath an Spioraid Naoimh ar na filí seo roimh theacht na Críostaíochta nuair a bhí

2, 3. Tá na haistriúcháin seo bunaithe ar *LL* 12 *b*, 13 *a*, go háirithe. Tá cur síos ar na lsí ag R. A. S. Macalister in *Lebor Gabála Érenn* I xx, ff. agus in LL I xx. Tá liosta de na heagráin in LL xx; féach, leis, Macalister *Leb. Gab. Ér.* V 110–114. Nótaí ar an aistriúchán:

líne 1: LL 1549 *ar domni*. Is inmheasta gur gluais istigh sa téacs *ar domni*.
líne 11: LL 1559 *briandai*: leg. *brí andei*.

siad ag brath ar an dlí aiceanta; agus gur thug siad an traidisiún slán leo go teacht an Chreidimh, agus faoi mar a cuireadh ansin faoi mhám lucht 'an Bhéarla bháin' iad, i.e. faoi chuing na n-eaglaiseach, lucht Laidine; agus mar a chuaigh na Tuatha Dé faoi thalamh ansin mar a dhéanfadh deamhain, rud a d'oirfeadh thar barr do dhéithe bréige is do dhraoithe, is a chaithfeadh an drochmheas ba dhual ar an aos sí.

Dá bhrí sin finscéal an-oiriúnach ba ea an cur amach nua seo faoi na Tuatha Dé. Ar an taobh eile de bhí tábhacht thar na bearta don litríocht sa chomhthuiscint a ráinig idir file agus eaglaiseach.

I dtaca leis an ortha nó an brioct draíochta agus le fáistine nó réadóireacht de, níl aon deighilt ghlan sa traidisiún idir an draoi is an file. Tá an chumhacht seo acu araon; is, go deimhin, cuirtear cumhacht den sórt céanna i leith naomh is eaglaiseach. Dá bhrí sin ní iontach na téarmaí 'file', nó 'éigeas', agus 'draoi' a dhul trína chéile i gcáipéisí áirithe (Cf. *V. SS. Hib.* I clx ff.). Creill bháis do na draoithe ba ea cloig na Críostaíochta, áfach, má mhair siad leo in ísle brí ar feadh tamaill; ach ghlac na cléirigh go fonnmhar leis na filí agus bhí tuiscint dá réir acu don seanchas is don litríocht. Duine acu ba ea Aed mac Crimthainn, ab Thír Dá Ghlas i dTiobraid Árann, a scríobh an mhír thosaigh de LL mar aon le *Lebor Gabála.* *Fer léiginn* den déanamh céanna, gan dabht, ba ea 'T' a chuir an *Táin* leis sin is a chuir caoi is oiriúint is céad eagar ar LL.[4] Is é a deir sé seo ag deireadh na *Tána:* Beannacht ar gach aon a mheabhróidh an *Táin* go hionraic mar seo agus nach gcuirfidh malairt chrutha uirthi. Sed ego qui scripsi hanc historiam aut uerius fabulam, quibusdam fidem in hac historia aut fabula non accommodo. Quaedam enim ibi sunt praestrigia demonum, quaedam autem figmenta poetica, quaedam similia uero, quaedam non, quaedam ad delectationem stultorum ('Ach mise a chuir an scéal seo, nó níos cirte, an finscéal seo síos, ní ghéillim do rudaí áirithe ann ar aon chor. Mar is cluana deamhan cuid acu, cumadóireacht fhileata cuid eile. Roinnt de inchreidte, a thuilleadh nach bhfuil, agus a thuilleadh fós nach bhfuil ann ach ábhar cuideachta d'óinseacha') (LL 104b).

Is léir nach bhfuil an ghuí Ghaeilge ag teacht leis an meas Laidine cé gurb í an lámh chéanna a scríobh iad féin agus an *Táin.* Guí

---

4. Cf. W. O'Sullivan, Notes on the Scripts and Make-up of the Book of Leinster, *Celtica* VII 1–31.

sheanchaí – ach meas cléirigh cheartchreidmhigh? Is deacair
freastal in éineacht ar an tseanchaíocht is ar chinsireacht an tsean-
chais; ach is dealraitheach nach bhfuil sa chinsireacht Laidine aige
ach béalchráifeacht leithscéalach a d'fhágfadh an seanchaí Gaeilge
i mbun pinn ar a bhogshocracht: mar an té a chuir leagan LL den
Táin ar fáil níl amhras ar a bhá leis an litríocht ná ar an bhféith
atá ann chuici. Chuir sé a leagan féin den scéal ar fáil le cabhair
foinsí eile, mar a dhein Aed a smut féin de LL (Facs. lch 313). Sula
raibh sé seo críochnaithe ag Aed chuir sé ag triall ar easpag Chill
Dara é agus tá litir uaidh seo á sheoladh ar ais (288) '(Beatha) ⁊
sláinte ó Fhind easpag Chill Dara d'Aed mac Crimthainn, *fer
léiginn* (i.e. ollamh le scrioptúr is diagacht) ardrí na Mumhan,
comharba Choluim meic Crimthainn, ⁊ príomhsheanchaí Laighean
ar ghaois ⁊ eolas ⁊ léann leabhar ⁊ fios ⁊ foghlaim. Scríobhtar dom
deireadh an scéilín [ranna, le ceart] seo a leanas . . . Tugtar dom
duanaire Mhic Lónáin go bhfeicfidh mé ciall na ndánta atá ann ⁊
vale in Christo.'

Is follas go raibh an t-easpag ar tinneall le spéis san fhilíocht
dhúchasach agus Aed lánoilte inti. Fianaise dhéanach í seo, ó lár an
12ú céad, is léiríonn sí cad é mar thoradh a d'fhéadfadh a bheith ar
an gcomhthuiscint a d'fhás idir cléirigh is filí leis an aimsir. Caith-
fimid casadh ar ais anois go tús an traidisiúin le léargas níos fearr
a fháil ar na filí féin.

III. NEWGRANGE (Sí an Bhrú, i mBruig na Bóinne).

[*Féach lch.* 51]

V

Na Filí

1. Néde mac Adnai: Santú na Cumhachta

Seo é an Néde a luaitear in A.L. i 18: 'Ón uair a thug Amargein Glúngel céad bhreith in Éirinn ba leis na filí amháin breithiúnas anuas go taca an scéil *Immacallam in Dá Thúarad*[1] "Imagallamh an dá shaoi" in Emain Macha. Ferchertne file agus Néde mac Adnai meic Uithir an bheirt a bhí ag iomarbhá faoin tuighean, is é sin, faoin bhfallaing suadh a bhí roimhe sin ag Adna, athair Néde, Rí-Fhile Éireann. Ba dhorcha í labhra na bhfilí, is níor léir do na flatha an bhreith a thug siad.'

Seo a leanas brí an scéil: Adna mac Uthidir de Chonnachta a bhí mar ollamh Éireann in éigse is i bhfilíocht. Bhí a mhac sin Néde le hEochu Echbél in Albain ag foghlaim éigse. Ba dhóigh leis na filí gur ar imeall uisce ab fhearr a tháinig an fhilíocht chucu, is ráinig do Néde dá réir a bheith ag siúl cois farraige, lá. Chuala sé foghar sa tonn, glór caointe is dobróin, rud ab iontach leis. Chaith sé briocht nó ortha ar an tonn le go léireofaí dó cad a bhí cearr. Léiríodh dó ansin gur ag caoineadh a athar Adna a bhí an tonn agus go raibh Ferchertne file ceaptha ina chomharba d'Adna agus go raibh ollúnacht Éireann is an fhallaing a ghabh léi ina sheilbh.

D'eachtraigh sé a scéal d'Eochu agus mhol seisean dó filleadh ar Éirinn – 'Ón uair nach dtoilleann beirt ollamh in aon bhall, agus ceird ollaimh chomh pras anois agat.' Níor fhan Néde lena thuilleadh ach d'imigh roimhe lena thriúr deartháir. Is gairid gur casadh bolg béice, i.e. cineál muisiriúin orthu sa chonair, is nuair nach raibh aon chur amach acu ar bhunús an ainm sin chas siad ar Eochu le tamall eile léinn a dhéanamh. Pé faillí a bhí tugtha sa tsanasaíocht acu níor mhór ráithe ar fad chun í a leigheas.

Dá fheabhas a mheanma ansin féin, níorbh ollamh fós é, de réir dealraimh, mar craobh airgid a bhí os a chionn ar a shlí aige i gcomhartha file den dara grád, i.e. *ánrad*: – craobh óir ba dhual

---

[1]. In eagar ag W. Stokes i RC XXVI 4–64, ó LL, Rawl. B. 502 agus YBL.

E

d'ollamh, craobh umha do na gráid eile. D'imigh roimhe ar an dul sin go ráinig in Emain Macha. D'inis Bricriu Nimthenga dó go raibh Ferchertne marbh: 'agus leanfaidh tusa san ollúnacht é má thugann tú luach saothair domsa.' Thug, leis, agus dúirt Bricriu leis suí in ionad an ollaimh. Mar nár dhual d'ógánach amhulcach ollúnacht in Emain, áfach, thóg Néde lán a dhoirn den fhéar agus chaith briocht air le go samhlófaí féasóg leis. Shuigh sé i gcathaoir an ollaimh ansin agus ghabh sé an tuighean uime. Fallaing ollaimh ba ea an tuighean. Bhí trí dhath ann, eití geala éan i lár baill, breacarnach *findruine* in íochtar agus dath órga in uachtar.

Ansin chuaigh Bricriu chomh fada le Ferchertne, áit a raibh sé ag teagasc éigsíní tamall ó thuaidh d'Emain. 'Nár thrua thú a chur as an ollúnacht inniu,' ar seisean, 'tá d'áit tógtha ag fear óg amhulcach in Emain.' Bhí cuthach ar an ollamh agus tháinig sé gan mhoill i láthair Néde.

Cuireann an tráchtaire a ladar isteach ag an bpointe seo le séala na ceirde a bhualadh ar an ngnó, ar nós scannáin an lae inniu: 'Ionad don Imagallaimh seo Emain Macha, aimsir di aimsir Chonchobhair, pearsa Néde mac Adnai de Chonnachtaibh; nó de Thuatha Dé Danann faoi mar a insítear san Imagallaimh féin . . . '

Fiafraíonn Ferchertne 'Cér díobh thú?' (LL 187 c 32) agus leanann Néde a ghinealach siar go dtí na trí Dé Dána ar an gcuma seo: Néde mac Dána mic Staidéir mic Machnaimh mic Feasa mic Ceisniúcháin mic Taighde mic Rófheasa mic Róchéille mic Róthuisceana mic Eagna mic na dTrí Dé Dána. (Meastar ón tagairt seo gurb é *Tuatha Dé Dána* an t-ainm ceart is gur thruaillfhoirm *Danann*.) Fiafraíonn Ferchertne uair eile 'Cad as a tháinig tú?' agus freagraíonn Néde 'Ó naoi gcollaibh na Seaghaise', i.e. tobar Seaghaise, áit a n-éiríonn an Bhoinn. *Is astu a bhaineann na filí cumhachtaí is cleasa a gceirde* (Gluaiseanna 186 b 38, 40). Bhí dlúthbhaint ag an ollamh, chomh maith, leis an mBoinn, áit ar ól sé as sruth *immais* nó imfheasa na héigse (186 b 48). Le Nuadu is le Nechtan na dTuatha Dé atá abhainn na Boinne luaite ina cáilíocht mar bhandia. Is í *rig mná Nuadat* í (*rig*=rí láimhe). Is í an Bhoinn príomhbhaile na dTuatha Dé agus príomhthobar na héigse ina theannta sin. De réir an tseanchais seolann Bandia na habhann, Boann, cnónna le sruth. Is astu sin a bhaineann Ferchertne an fhilíocht, nó i bhfocail eile, 'foilsiú feasa a thagann le sruth na Bóinne' (LL 187 a 55–57). Déanann sruth éigse, leis, den sruth uisce, de réir an tsamhlachais seo, mar is léir ón téarma *sruth di aill* 'sruth ó aill' ar chineál méadair agus ina theannta sin ar chineál áirithe baird, an *soerbard* (IT III 5.8). Tá an *soerbard* seo ábalta ar a theagasc a shimpliú lena chur in oiriúint 'd'aos lagmheabhrach an bheagléinn a thránn i bhfianaise *ánraidh*. *Ánrad* nó *ánshruth* (*án* 'taibhseach' +*sruth*) ba ea Néde, i.e. file den dara grád: 'ánradh ar bhreáthacht a theagaisc, ar ilíocht a chéadfaí, ar a sholabharthacht, ar mhéid a eolais, ar a chruthaitheacht sna hearnálacha éagsúla idir fhilíocht, léann agus sheanchas; *ach amháin nach bhfuil an barr bainte amach aige* . . .' (A.L. iv. 356; cf. lch 189 thíos). Is léir gur deacair an dá fhocal *sruth* agus *ánrad* a scaradh ó chéile, pé rud a déarfaidh sanasaithe. In *Iomarbhá na bhFile* tá trácht ar 'thoircheas éigse ar tuile/ ag scoilteadh a urbhruinne' (*Content.* xvi 79), mar a bhfeicimid an tsamhlaoid beo fós. In úire an traidisiúin samhlaíodh naoi gcoll éigse ag fás ag foinse gach aon phríomhabhann sa tír. Seo mar a tharla i gcás na Sionna (*Dindsh.* RC 15,456): 'Sionann, iníon Lodhain mic Lir as Tír Tairngire, chuaigh sí a fhad le Tobar Connla faoi mhuir lena fhéachaint. Tobar é sin go bhfuil coill agus imfhios éigse agus filíochta faoi; agus brúchtann a meas, a mbláth is a nduillí in éineacht agus titeann siad in aon fhrais ar an tobar go dtógann broinn bhuacach corcra air. Cognaíonn na bradáin an meas agus is é sú na gcnónna a nochtann ar a mboilg chorcra. Agus bruinneann seacht sruth éigse as agus casann siad ar ais ann. Chuaigh Sionann roimpi ar lorg imfheasa, mar sin é amháin a bhí uaithi, gur tháinig sí a fhad le Linn Mná Féile, nó Brí Éile; d'imigh uisce an tobair roimpi go bruach na habhann Tarr-Caín. Ansin d'éirigh an t-uisce uirthi is chas bolg in airde í; agus ar rochtain na tíre leathsbhus den abhainn bhlais sí bás.'

Is soiléire dá bharr sin an bhaint idir éigse agus coill Sheaghaise, na collchnónna agus an bradán feasa féin.

Casaimis ar iomarbhá na beirte. Fiafraíonn Néde d'Fherchertne cén bealach ar tháinig sé (187 c 15).

'Ar fhallaing Loga,' a deir Ferchertne. Ba é Lug Lámfhota, an Samildánach, mar a thug siad air, Dia Ceilteach na heagna is na héirime. Is as a ainmníodh *Lug(u)dunum* (>*Laon, Lyon, Leyden*). Leanann sé air: 'ar thrí ainbhfios Mac-ind-Óc'. Mac ind Óc nó in Mac Óc ainm d'ainmneacha Oengus Bhruig na Bóinne, is é sin, Oengus mac in Dagda, dia an-tábhachtach de chuid na dTuatha Dé. An trí ainbhfios atá i gceist 'ní fheadair sé cathain a gheobhadh sé bás, ná cá háit, ná conas'.

Mar a dúramar cheana, ba iad seo déithe na nGael dáiríre, ach gur thug na heaglaisigh páirt eile dóibh sa leagan Críostaí den fhinscéal náisiúnta. Faighimid léargas ar an dá thraidisiún sa chuntas in LL 245 b: 'Bhí rí amhra ar Thuatha Dé in Éirinn dárbh ainm Dagan nó Dagda. Ba mhór a chumhacht – fiú amháin le Gaeil – tar éis dóibh an tír a ghabháil: is amhlaidh a mhilleadh na Tuatha Dé arbhar is bliocht ar na Gaeil go dtí gur dhein siad seo cairdeas leis an Dagda. Ina dhiaidh sin, chuir sé na torthaí ar láimh sábhála dóibh. Bhí cumhacht thar barr i dtús a réime aige, nuair is faoi a bhí dáileadh na sí ar a mhuintir féin' i.e. Lug, Ogma is Oengus. Fuair Oengus Étar ón Dagda, tír amhra na sainbhuanna gan meath, 'muc bhithbheo ar a cois mar aon le muc rósta, agus árthach le togha na dí.'

De phór na ndéithe na filí *quasi* filí. Sin é a thugann cumhacht osnádúrtha dóibh is a fhágann faoi mhám na cumhachta sin iad má choilleann siad nó má cheileann siad an fhírinne. Ag guí chabhair Dé dó sa bhreithiúnas atá le tabhairt aige, deir Dubthach file (A.L. i 10). 'Deimhneodsa le mo leicne/ná loiscfeadsa a ngealoineach/: tabharfad breithiúnas slán/leanaim Pátraic ó baisteadh mé.' Bolga aithise ar a aghaidh de bharr góbhreithe atá i gceist anseo aige. Féach A.L. i 24: 'Roimh theacht Phátraic bhí iontais á léiriú. Nuair nach dtugadh na breithiúna an fhírinne nádúrtha leo thagadh bolga ar a ngrua; mar a tharla ar an gcéad ásc do dheasghrua Shen mic Aighi nuair a thugadh sé claonbhreith; ach d'imídis arís le breith na fírinne. Níor rug Connla góbhreith riamh mar bhí rath an Spioraid Naoimh air. (Is de sin a ainm, C. Caínbrethach.)

'Ní bheireadh Sencha mac Col Cluín breith gan dianmhachnamh uirthi an oíche roimh ré. Nuair a bheireadh a mhac Fachtna góbhreith in aimsir mheasa, thiteadh meas na tíre thar oíche; dá mba in aimsir lachta é, dhiúltódh na ba dá gcuid laonna. Nuair a thugadh fíorbhreith, d'fhanadh an meas slán folláin ar na crainn. De sin a ainm, F. Tulbrethech "luathbhreitheach".

'Trí bhuanbholscóid a thagadh ar Shencha mac Ailella de bharr gach góbhreithe. Maidir le Fíthal, bhí an fhírinne nádúrtha ann sa tslí nár chan sé gó riamh. Níor rug Morann breith riamh gan iodh faoina bhráid: nuair an thugadh gó, theannadh an iodh uime: le breith na fírinne leathadh an iodh uime síos.

'Filí an oileáin seo, Fergus Fianach, Ferchertne, Néde mac Adna, Aithirne Amnas, Fergus mac Aithirne agus an chuid eile acu. níor fhan eineachlann ag aon duine acu a chan góbhreith; bhí a gceird truaillithe is ní raibh (na deasghnátha fáistineachta) *imbas forosnai* is *teinm laído* ar a gcumas a thuilleadh.' Cf. EIHM Caib. XVII do na deasghnátha sin.

Is mithid casadh ar Néde. Nuair a iarrann Ferchertne scéala air (188 a 20), tá gach aon chomhartha is rathúla ná a chéile aige dó: muir thorthúil, domhan sciamhach, fir le gaisce, mná ag bróidnéireacht, an dúlra i mbun an fhialchaithimh is dual di nuair a bhíonn an fhírinne i réim i measc daoine. Níor mhar sin d'Fherchertne, áfach, ach gach aon tuar is tuairisc níos measa ná a chéile aige, go háirithe i ngach a bhain le ceartbhéas is comhghnás (ar nós an chur síos ag Hesiod ar Ré an Iarainn, *ERΓA KAI HMEPAI* 182–196): 'casfaidh cách a dhán i saobhtheagasc is i saobhintleacht ag iarraidh a mháistir a shárú; bainfidh an sóisear áit suí den sinsear; ní bheidh scáth ná imdheargadh ar rí ná ar thiarna luí isteach ar bhia is ar dheoch roimh a fhear coimhdeachta is roimh an dámh is an tionól a thiocfaidh chuige. Ná ní bheidh náire ar an bhfeirmeoir a chromfaidh ar ithe tar éis dó a dhoras a iamh ar an bhfile atá réidh lena eineach is a anam a reic ar éadach is ar bhia. Tabharfaidh cách a ghrua lena chomharsa ag an bhféasta. Líonfar cách de shaint agus díolfaidh fear an díomais a eineach is a anam ar luach aon scrupaill . . . Tiocfaidh seacht mbliana dorcha a cheilfidh léaspaire neimhe roimh dhul i mbéal brátha.' Cuireann sé an bhreith abhaile ar an sóisear atá ag iarraidh é a shárú: 'An bhfeadair tú, a mhic Adnai, cé tá os do chionn?' Deir Néde 'Aithním mo Dhia, Dia na ndúl, aithním plúr na bhfáithe, aithním crann coill, i.e. foinse na héigse; aithním mo Dhia tréan; aithním Ferchertne, rófhile agus fáidh.'

Leis sin fágann Néde suí an ollaimh, síneann an tuighneach d'Fherchertne, is sléachtann dó. 'Fan!' arsa an t-ollamh. (Is é a deir an ghluais: 'ná téigh níos doimhne i dtalamh!' mar bhí an talamh ag slogadh Néde i ngeall ar a easumhlaíocht don ollamh nuair nár éirigh sé roimhe agus eisean ina sheasamh!) (RC 26, 51).

Ach níor bhain aon ní do Néde don chor sin. Ag guí beannachta ar a chéile a bhí an bheirt gur scar siad. Más ea, ní bhíonn an rath mar a mbíonn an tsaint, agus bhí an chinniúint ag faire air. Seo mar a léiríonn Cormac a dhán (*Corm. Υ* §698): Caier, deartháir athair Néde a bhí mar rí ar Chonnachta. Ón uair nach raibh mac aige, ghlac sé Néde chuige féin. Thug bean Chaier gean do Néde agus thairg sí úll airgid dó ar a chumann. Ní éisteodh seisean léi gur gheall sí an ríocht dó agus í féin ina teannta.

'Conas a bhainfimid é sin amach?' ar seisean.

'Déansa aoir a fhágfaidh máchail air,' ar sise, 'caithfidh sé éirí as an ríocht ansin.'

'Ní furasta é,' ar seisean, 'mar ní thabharfaidh sé an t-eiteach dom, is níl aon ní aige nach dtabharfaidh sé dom'.

'Tá,' ar sise, 'an scian a thug sé ó Albain leis; is geis dó scaradh léi.' D'iarr Néde an scian air.

'Ó, mo léan!' arsa Caier, 'is geis dom scaradh léi!'

Dhein Néde aoir nimhneach ansin ar a uncail ag fógairt báis agus díthe air, gur fhág trí bholg aithise ar a aghaidh.

D'éirigh Caier amach go moch chun an tobair maidin lae arna mhárach. Lámh dár thug sé thar a aghaidh gur bhraith sé an trí bholg 'on agus ainimh agus easpa, i.e. dearg agus glas agus bán'. D'éalaigh sé leis go dtí Cacher mac Etarscéli i nDún Cermnai in aice Chionn tSáile, d'fhonn is nach bhfeicfí faoi easonóir é.

Ghabh Néde ríocht Chonnacht ansin. B'aithreach leis crá Chaier, agus nuair a bhí bliain istigh aige b'eo leis, lá, ar a chuairt go Dún Cermnai, carbad Chaier faoi, bean Chaier ina theannta agus a mhíolchú chomh maith. 'Nach diail an cairpeach é siúd atá ag déanamh ar an dún; nach breá an fear é! Cé hé féin?' B'in é a bhí i mbéal cách.

'Sinne a ghabhadh suí cairpigh!' arsa Caier.

'Focal rí é sin!' arsa Cacher. Ní fheadair sé roimhe sin cé a bhí aige.

'Och, mh'anam!' arsa Caier, ag cuimhneamh air féin. D'imigh sé amach go raibh sé ar leac faoi scailp ar chúl an dúin. Bhuail Néde isteach sa dún ina charbad. Lean an cú lorg Chaier; lean Néde an cú gur tháinig sé a fhad lena uncail. Nuair a chonaic Caier é, thit an t-anam as le racht náire. Thosaigh an leac ag fiuchadh faoi Chaier ansin gur chuaigh ina bladhm lasrach. Sceinn blogh di in airde gur bhuail Néde sa tsúil, gur mhill a shúil, is gur mharaigh. *Ut dixit poeta*

'Cloch a tharla faoi chois Chaier
Do sceinn airde seolchrainn suas,
Do thit, níor ba cham an dlí,
Ar cheann an fhile anuas.'

Sin é mar a mhair is mar a bhásaigh Néde mac Adna, file.

VI

Na Filí

2. Athirne Áilgesach, Amnas, Díbech: Cumhacht na Sainte

Saint agus síoriarraidh a léiríonn na haidiachtaí seo, duáilcí a bhí go smior sna filí, mar is follas ón mbéaloideas is óna bhfuil ráite againn. Ní raibh aon teorainn le saint Athirne agus níor feasach teorainn a chumhachta gur tástáladh é.

Athirne an té ba dhoicheallaí in Éirinn (LL 117 a 39). Chuaigh sé go Midir Brí Léith ag triall ar thrí chorr an diúltaithe is an doichill i gcomhair a thí féin.

'Ná tar, ná tar!' a deireadh an chéad chorr leis an gcuairteoir.

'Bí ag imeacht!' a deireadh an dara corr.

'Cuir díot ón teach!' a deireadh an tríú corr. An té a d'fheicfeadh iad ní fhéadfadh sé comhrac aonair a sheasamh an lá sin.

Níor chaith Athirne béile riamh in áit a bhfeicfí é (ibid.). An lá áirithe seo d'imigh sé faoin gcoill lena mhuc rósta is a bhuidéal meá go gcaithfeadh sé a sháith ina aonar. D'ullmhaigh sé a bhéile ansin dó féin. Tháinig an fear seo chuige. 'Ní cóir ithe i d'aonar!' ar seisean ag sciobadh meá is muice uaidh. 'Cad is ainm duit?' arsa Athirne. 'Ní aon ainm oirirc é,' arsa an fear eile agus scaoil sé deilín gan dealramh chuige. Bhí an mhuc imithe ó Athirne is ní raibh ainm an fhir aige chun é a aoradh. Is dócha gur Dia a sheol an fear ina threo mar d'imigh an doicheall leis an muc.

Tá mórán Éireann folaithe san fhabhalscéal seo, an té a thabharfadh chun solais é. Féach, ar an gcéad dul síos, cairdeas is caidreamh an fhile le duine de dhéithe na dTuatha Dé, Midir, agus an cumas draíochta go léir atá i dtreis lena leithéid. Samhail den draíocht an chorr, rud is léir ón bhfocal *corrguinecht* ar chineál áirithe gintlíochta: 'bheith ar leathchois is ar leathláimh is ar leathshúil ag déanamh an *glám dícinn*' (O'Dav. 383). Seo í an chuma a bhí ar Chú Chulainn is é i mbun na hidhe draíochta a d'fhág arm Mheidbe faoi mhám an chruatain laisteas de theorainn Uladh dara oíche na Tána. Aoir ba ea an *glám dícenn*; is é a dhein Néde ar Chaier, agus tá cur síos in BB 284 a 24 ar conas mar a dhéanfaí i gcás rí a dhiúltódh duais ar dhán: 'Is amhlaidh a dhéantaí an *glám dícenn*, troscadh ar fhearann an rí ar dó an dán agus comhchomhairle a ghairm mar gheall ar an aoir a bhí le déanamh ar a mbeadh tríocha tuata, tríocha easpag agus tríocha file. Coir ba ea é an aoir a chosc tar éis diúltú na duaise. Níor mhór don fhile dul i ndámh seachtair – seisear ina theannta féin a mbeadh na sé ghrád bronnta orthu, mar atá, *fochloc, mac fuirmid, doss, cana, clí, ánrad (ánshruth), ollam.* Rachadh an seachtú duine, is é sin an t-ollamh, le héirí gréine go mullach cnoic ar theorainn seacht bhfearann; aghaidh gach gráid díobh ar a fhearann féin agus aghaidh an ollaimh ar fhearann an rí a bhí le haoradh; a ndroim le sceach ar mhullach an chnoic, an ghaoth aduaidh, agus cloch tabhaill is dealg sceiche i lámh gach fir acu. Ansin rann san aiste filíochta seo á chanadh ag gach aon ghrád isteach sa chloch is sa dealg in aghaidh an rí, an t-ollamh ar dtús leis féin, agus an chuid eile ansin in éineacht. Fágtar cloch is dealg ansin ag bun na sceiche. Más iad féin a bheadh ciontach, shlogfadh talamh na tulaí láithreach iad; da mba é an rí, áfach, a bhí san éagóir, shlogfadh an talamh é i dteannta a mhná, a mhic, a eich, a airm, a éide, agus a chú. Thitfeadh aoir an mhac fuirmid ar an gcú, aoir an fhocloc ar an éide, aoir an duis ar an arm, aoir an chana ar an mbean, aoir an chlí ar an mac, aoir an ánrada ar an bhfearann, agus aoir an ollaimh ar an rí.

Faltanas nimhe agus fíoch éilimh atá ag roinnt le hAthirne *Chath Étair* (LL 114 b). Thug sé scríob na hÉireann mórthimpeall ar chomhairle Chonchobair chun a naimhde a chrá. Tuathal a ghabh sé i gcomhartha mioscaise is mírúin d'fhearaibh Éireann gur tháinig sé go dtí Eochaid mac Luchta, rí dheisceart Chonnacht. Thionlaic seisean thar Shionainn ó dheas go dtí an Mhumhain é agus d'fhág a rogha féin dá shéada faoi roimh scaradh. 'Má tá aon ní ann a thaitneodh leat,' arsa Eochaid leis. 'Tá,' arsa an file, 'an t-aon súil i do cheann.' 'Ní bhfaighidh tú an t-eiteach uaim ann,' arsa Eochaid. Srac sé an tsúil as a cheann is thug i lámh Athirne í. Ach thug Dia radharc a dhá shúil d'Eochaid mar chúiteamh ar a fhéile![1]

---

1. Cf. na línte seo as dán do Thomhaltach an Einigh Mac Diarmada (+1458), i gcló ag Mac Cionnaith, *Diogh. Dána* 415:

Do-bhéaradh Mac Diarmuda/ a shúil tar ceann a einigh;
dá mbeith fear a hiarrata/ níorbh eisean fear a heitigh.

Ní shásódh aon ní Athirne nuair a shroich sé cuairt rí Mumhan ach codladh leis an mbanríon, cé go raibh sise ar a leaba luí seoil is gur chuir a cúram di an oíche chéanna. Ligeadh sin leis chun nach mbéarfadh sé eineach rí is cúige leis as é a eiteach ina ghuí.

Nuair a tháinig Athirne go hArd Brestine i nDeiscirt Laighean bhí an pobal ansin roimhe agus seoda is maoin acu á thairiscint dó ach fanacht uathu. Bhí eagla orthu go n-aorfadh sé iad. Mar ní fhanfadh maoin ag an té a dtabharfadh an file faoi mura bhfaigheadh sé bronntanas uaidh. Agus an pobal nó an sliocht a mharódh é, ní bheadh ar deireadh thiar acu ach an dealús; sa tslí go dtabharfadh duine a bhean dó, nó an t-aon súil ina cheann nó a dhúil de sheoda is de mhaoin.

Ach bhí seisean ag cuimhneamh dá bhféadfadh sé iad a ghríosú chun go maróidís é go mbeadh sin le hagairt ar na Laighnigh ag na hUltaigh choíche. Dá réir seo dúirt sé leo nach nglacfadh sé aon ní díobh sin uathu, ach go bhfágfadh sé aithis orthu sa tslí nach dtógfaidís a n-aghaidh go deo arís i measc Gael mura gcuirfidís ar fáil dó as an tulach an tseoid ba luachmhaire dá raibh ann. Bhí siad sáinnithe, ach ghuigh siad Dia agus ba é deonú Dé gur chaith capall a bhí á aclú féin sa láthair fód in ucht an rí, a raibh dealg luachmhar istigh ann. Sin í an dealg ab áil le hAthirne a fháil: bhí sí i mbrat dheartháir a athar, Maine mac Durthacht, an lá a thit i gcath Bhrestine i gcoinne na Laighneach.

Ar aghaidh le hAthirne ansin go cúirt Mhes Gegra rí Laighean, mar ar cuireadh fáilte mhór roimhe.

'Tá go breá!' ar seisean, 'ach ba mhaith liom do bhean i mo theannta go maidin.'

'Cad ina thaobh go dtabharfainn mo bhean duit?' arsa an rí.

'Ar son d'einigh. Is má mharaíonn tú mé beidh Laighin faoi smál is Ulaid á agairt oraibh go deo.'

'Ní mar gheall ar na hUlaid a bhfuil aon fháilte agamsa romhat,' arsa an rí. 'Ní fhéadfadh aon Ultach í a bhreith uaim ach go dtabharfainn duitse ar m'eineach í.'

'Ar a shon sin féin,' arsa an file, 'beidh mé leat go dtógfaidh Ultach do cheann is do bhean uait.'

'Ní agróimid ort é,' arsa an rí, 'cuirfimid fáilte romhat.'

Chaith sé an bhliain sin i Laighnibh agus ansin d'ardaigh sé leis céad go leith de mhná uaisle an chúige le chéile chun iad a bhreith

ar ais go hUlaidh leis. Ag an am céanna chuir sé a ghiolla roimhe
ar lorg cabhrach aduaidh, mar nach scaoilfeadh na Laighnigh a
gcuid chomh bog sin leis nuair a bheadh sé thar teorainn is a
n-eineach slán uaidh.

Tháinig na Laighnigh go Telchuine lastuaidh de Bhaile Átha
Cliath ina theannta, áit ar cheiliúr siad dá chéile gan beannú. Níor
thúisce cos Athirne thar teorainn ag Ainech Laighean ná gur
thosaigh an tiomáint. Bhí sé ina chath láithreach idir na Laighnigh
is na hUltaigh a bhí tar éis brostú aduaidh. Briseadh ar na hUltaigh
agus chúlaigh siad feadh an chósta go dtí Étar. Chaith siad ocht
lá i ndún Étair gan de bhia ná de dheoch acu ach cré agus sáile.
Bhí seacht gcéad bó ag Athirne i lár an dúin agus is túisce a ligfeadh
sé a gcuid bainne le haill ná a thabharfadh sé deoch d'aon duine,
sa tslí nach bhféadfaidís a rá gur bhlais siad dá chuid bia: go fiú
na fir ghéarghonta agus Conchobar féin, fuair siad an t-eiteach
uaidh.

Maraíodh Mes Dead mac Amargin, dalta Chú Chulainn, tar éis
dó éachtaí a dhéanamh ar pháirc an chatha. Leis sin bhris Cú
Chulainn féin agus a lucht leanúna amach agus chuir siad an ruaig
ar na Laighnigh go dtí gur thóg siadsan múr dearg ar raon na
maidhme. Ba gheis do na hUltaigh dul thairis seo.

Leanann Conall Cernach ina aonar na Laighnigh chun díolas a
bhaint amach as bás a bheirt deartháir, Mes Dead agus Loegaire.
Tá na Laighnigh tar éis scaradh ó chéile ar a slí abhaile ach go
bhfuil Mes Gegra agus a ara ina ndiaidh ag Casán Cloínta ar an
Life. Síneann an t-ara thairis le dreas codlata a dhéanamh agus
tagann tromluí air. Feiceann an rí cnó le sruth chuige a bhfuil méid
cheann fir ann; tógann, osclaíonn agus fágann leath na heithne don
ara. Dhúisigh sé eisean ansin agus thairg an leath dó, á rá mar
mhagadh go mba é an leath ba lú é. Tháinig an ghoimh ar an ara
is bhain sé a leathlámh den rí le hiarracht de chlaíomh. Nuair a
chonaic sé go raibh lánleath ann chas sé an claíomh air féin agus
chuir trína dhroim siar.

'Mo léan, a ghiolla!' arsa an rí. Chuingrigh sé féin an carbad ansin
agus d'fhág a leathlámh istigh ann. Leis sin tháinig Conall Cernach
anoir chun an átha agus d'éiligh a bheirt deartháir ar an rí. 'Ní i
mo chrios atá siad!' arsa Mes Gegra. Bhí ina chomhrac eatarthu
láithreach, a leathlámh ceangailte lena thaobh ag Conall de réir
'fíor gaisce' nó cothrom féinne. Ba threise Conall. 'Tá a fhios agam

nach n-imeoidh tú gan mo cheann a bhreith leat,' arsa an rí, is é i mbéala báis, 'agus cuir ar do cheann féin é agus m'ordansa le d'ordansa.' Chuir Conall ceann Mhes Gegra ar leac cois an átha agus chuaigh braon fola tríd an leac síos i gcré; ansin chuir sé ar leacht é is d'imigh an ceann ó bharr an leachta go talamh síos agus ar aghaidh i dtreo na habhann. Ansin chuir sé an ceann ar a cheann féin is nuair a thit an ceann thar a dhroim siar, dhírigh sin (a radharc) sa tslí nár oir an leasainm *Claen* 'fiarshúileach' dó a thuilleadh.

Ar an mbealach ó thuaidh bhuail Conall le Buan, bean Mhes Gegra agus bantracht Laighean ag filleadh aduaidh dóibh arna saoradh ag Laighnigh.

'Ordaíodh duit teacht liomsa,' arsa Conall.
—'Cé a d'ordaigh?'
– 'Mes Gegra.'
– 'Ar thug tú comhartha leat?'
– 'A chapaill is a charbad ansin os do chomhair.'
– 'Is mó duine a dtugann sé maoin dóibh.'
– 'Seo duit a cheann.'
– 'Níl fáil aige orm feasta.'

Dheargaigh is bhánaigh ar aghaidh Mhes Gegra leis an gcaint seo. 'Cad tá cearr leis an gceann, a bhean?' arsa Conall.

'Sea, is eol dom é sin,' ar sise. 'Bhí conspóid idir é agus Athirne. Dúirt Mes Gegra nach mbéarfadh Ultach amháin ar bith mise leis. An tsáraíocht faoina fhocal atá ag cur as dó anois.'

'Tar leat isteach sa charbad,' arsa Conall léi.

'Fan liom nóiméad go gcaoinfidh mé mo chéile,' arsa Buan.

D'ardaigh sí a glór goil gur cualathas i dTemair is in Almain í; agus ansin thit an t-anam aisti. Tá a huaigh ar thaobh an bhealaigh; Coll Buana a thugtar ar an uaigh mar gur fhás an crann coill aníos aisti.

Téann d'ara Chonaill ceann Mhes Gegra a bhreith leis, agus fágtar i dteannta Bhuain é tar éis an inchinn a bhaint as chun liathróid a dhéanamh de. Filleann siad ar Emain mar a gceiliúrann Ulaidh bás rí Laigen.

Má bhaineann leagan LL den scéal seo leis an 11ú céad féin (*Heldensage* 506), níl aon amhras ná go bhfuil bruíon Ultach is Laighneach agus oidhe Mhes Gegra ar théamaí chomh hársa is atá sa traidisiún againn. Níl aon trácht fós ar na Gaeil sa scéal seo! Crualaochas is danarthacht na bhfear, tá sin le mothú i seanchaíocht na hÍoslainne leis, dá dhéanaí í, agus baineann sé le ré an laochais trí chéile gan mórán athraithe air. Ach rannpháirtíocht na mban, sin scéal eile. D'fhéadfaí a rá nach bhfuil i bhformhór na laoch in *Njálssaga* ach mar a bheadh rinn ga i lámh mná: mná ar nós Ghráinne agus Dheirdre. Ach ní amhlaidh dóibh i g*Cath Étair*: go deimhin ní fada ó riocht bunaidh an chórais mhalairte is margála é mná á dtógáil ina dtréad as an tír: cuimhnímid gurbh aonad airgid an chumhal is gurbh fhiú trí bhó í. Airnéis in imshaol na bhfear, gan sainphearsantacht ná sainpháirt sa scéal, na mná anseo. Ach na fir féin, is go háirithe na ríthe, tá siad sáinnithe idir dhá gheis: geis file a eiteach – d'eagla aoire; geis file a mharú – d'eagla eisreachta. Tá siad i ladhar na ngeiseanna thíos faoi, agus eisean ag caitheamh gach donais is díogha sa mhullach orthu. Sin é an scéal: mar a chaitheann seisean leo; faoi sin atá tionscnamh is gníomh; níl acu siúd ach fulaingt is frithghníomh.

Ba é a chumhacht a dhein é. Bhí sé ábalta néal cinniúna a thoghairm as broinn na todhchaí ar Mhes Gegra agus a bhean in ainneoin a laochais is a oird sin; agus ba é dícheall báis na beirte aon chuid de a scaipeadh. Dá réir sin ní chloisimid aon fhocal anseo fós ar *chearta* ná ar *cheart* rí ná ar éitheach an fhile agus a chúiteamh. Is túisce a chuimhnímid ar Theiresias is Oedipous, ar ghéire is ar ghlaise is ar úire an tsaoil. Deirtear in LU 8210 gurbh é Chonchobor 'an dia talúnda a bhí ag na hUltaigh san am sin', ach níl aon dul aige ar Athirne sa scéal seo: tá an chinniúint ar urla ag Athirne agus í ag freastal ar a thiarnúlacht. Ní rófhada ar fad é ó chluiche déithe is daoine ar mhachaire na Traí.

Seo é an tAthirne a glacadh ina eiseamláir sa chnuasach dár teideal *Bretha Nemed* (cf. *Ériu* XIII 1 ff.) mar a bhfuil dlí arna reachtadh ag filí, is é sin, dlí i riocht fileata, á léiriú. Ní hé go bhfuil an *suaineamh* nó an *snáth fileata* in easnamh ar an gcnuasach a bhí faoi chaibidil thuas againn, an *Senchas Már*. Ach tá a chuspóir, i.e. léiriú dlí, á chur i gcrích go neamhbhalbh sa *Senchas*: Gaeilge theicniúil, ghonta ach í soiléir, sothuigthe, pé acu i bprós nó i bhfilíocht di. Tá ceisteanna dlí á bplé sna *Bretha* chomh maith, ach is mó go mór an bhéim ar ord na bhfilí féin, ar a gcultas bunaidh, ar phribhléidí, ar sheasamh, ar cháilíochtaí is ar thuarastal na bhfilí ann. Tiomsú don ord féin is ea é, cáipéis ghairmiúil don bhráithreachas. Dá réir, ní aon Ghaeilge don choitiantacht atá ann, ach gairmtheanga na bhfilí: reitric dhoiléir na haicme arbh é caomhnú, bíogadh agus bogadh na bhfocal a gceird is a gcúram.

Níl ach blúirí fánacha den tráchtas seo aistrithe nó ciallaithe fós, ar a dheacracht is atá an teanga ann. Tá a thús ar iarraidh ach is inmheasta ó thagairtí eile sa litríocht (cf. *Ériu* XIII 57) go bhfuil Athirne i ndiaidh aoir a chumadh ar abhainn na Modhairne (Tír Chonaill/Tír Eoghain) i ngeall ar é a eiteach in iasc; gur éirigh an abhainn in aon mheall amháin amach ar a thóir is gur thug daoine, stoc is maoin sa siúl léi chun farraige síos, gur chuir uafás ar an bhfile is gur chum seisean dán molta uirthi in aiseag na haoire: 'Filleann a dhath féin ar an bhfionnairgead a bhí faoi smál na haoire chomh luath is a ghlantar le guaire é,' a deir Athirne.' Leis sin bhí an abhainn ar ais ina seanriocht féin agus ní raibh cloch ná cuach ná luach na críontruaille féin dár sciob sí chun siúil léi ná gur fhág sí ar phort arís é; agus bhí fras néamhann ina diaidh ar gach seachtú iomaire uaidh sin go muir, nó iasc nó muirthoradh sobhlasta. Agus sin é an moladh a níonn an aoir; agus seo toisc amháin faoinar tugadh *áilgesach* 'éilíoch' ar Athirne' (*Ériu* XIII 13).

Má tá cumhacht osnádúrtha i nathán an fhile cé a sheasfaidh ina choinne nuair is nathán dlí a chumann sé – agus nuair is é féin an breitheamh? Leanann an tráchtaire air: 'An Cháin Eineach seo a luamar deineadh le ríthe is filí na hÉireann i dtús an tsaoil í, naomhaigh is d'athnuaigh Pátraic is Dubthach in aimsir Loegaire í, agus chinn fir Éireann nach mbeadh deireadh ná díobhadh léi go brách, go fiú i gcríocha cogaidh, mar a bhfuil marú duine dí-agair; ní ceadmhach áfach a chéile a aoradh, mar atá curtha síos i bhfíor-bhreithe Uin meic Aim: "níl comhcheart de réir einigh le fáil sa chúis sa duine marbh; déantar comhchonradh síochána ar fud na hÉireann". Is iad na filí a ghearradh Cáin Eineach sna críocha cogaidh áit nach n-aithnítear bannaí ná comhcheart dlí. D'fhág cách breith faoi gheall ag na filí ar eagla a n-aortha.'

Tá iarracht á dhéanamh anseo ar a dhintiúirí a chur ar fáil don Cháin Eineach faoi mar a deineadh don *Senchas Már* in A.L. i 2–18. Má bhí na filí ábalta a leithéid de dhlí a chur ar mhuintir na hÉireann bhí siad ar chomhchéim leis an bhfor-rí is leis an Eaglais, rud nach gcuirfidh iontas orainn. Níl aon chur amach againn áfach ar an gCáin Eineach is ní eol dúinn go raibh a leithéid ann. Féach *Ériu* XIII 58.

Anois go bhfuil fianaise Chath Étair againn leis, is ea is fusa dúinn a chreidiúint go bhféadfadh na filí imeacht rompu i bhfad ó bhaile fiú in aimsir chogaidh, agus dlí dá leithéid seo a chur i bhfeidhm. Anois leis a thuigimid cad ina thaobh Athirne a ghlacadh ina phríomheiseamláir sna *Bretha:* mar is é pearsa na cumhachta thar barr é, agus cumhacht ceann de phríomhaidhmeanna an tráchtais – mar is dual do cheardchumann. Fágann sin leis gurb í ciall scéal an aighnis leis an Modhairn gur treise cumhacht file ná gach cumhacht, ach a chúram a dhéanamh i gceart: fiú má bhagraíonn dúil de dhúile Dé féin air tar éis a haortha, ní amháin go dtabharfaidh sé na cosa leis de bharr a dháin mholta, ach bainfidh sé amach rachmas thar éileamh, thar na bearta, trí chumas a cheirde amháin. Asarlaí é a bhfuil cumas is feidhm briochta ina dhán. Tá brí réamhshampla i mbearta sainte Athirne faoi mar atá sna bearta dlí aige, agus ní iontach dlí á cheapadh leis an tsaint sin a chosaint (*Ériu* XIII 24, 222; ZCP XVII 153–6): 'Má sheachnaíonn file dámha cuarta mar a dhein Athirne, ní dhlitear sin a ghearradh ar mhaoin a thí; mar a dúirt Sencha: "bruitear torc, faightear árthach, cantar dícheadal (i.e. *ortha*), scaoiltear cré, brúitear cnónna, róstar arbhar". Nach é an madra gairgeach é Athirne agus filí Ulad a iomghabháil mar sin?

'Sin toisc amháin faoinar tugadh Athirne *díbhech* 'sprionlaithe' air; ach cad fáth *amhnus* 'danartha' air? – Ó dhícheadal nó cantain laoi i mbroinn a mháthar. Chuaigh sise ar thóir tine go teach a raibh féasta á ullmhú ann. Le boladh an leanna léim seisean ina broinn agus chuir bunoscionn ar a slí amach í. Ansin d'iarr sise deoch leanna faoi thrí; d'eitigh an bríbhéir faoi thrí í, á rá dá mbeadh is gur ba é ba thrúig bháis di, is go dtiocfadh an leanbh trína taobh amach, nach ligfeadh seisean an leann di, pé fad eile a thógfadh a cúram. Agus bhí na hárthaí clúdaithe go dtí go dtiocfadh an rí ar deineadh an t-ullmhúchán dó.

Chualathas eisean á rá i mbroinn a mháthar:

Do laith—	Do leann
lōchrann talmhan	(Is) lasair talún,
tethraigh mara,	Tuilte farraige
mos-tíre-timchealla,	A thimpeallaíonn tíortha go grod,
tethraigh, tráighes láthrach,	Do thráigh, a thránn gan mhoill
lōichett la bledh-mhaidm	Le bladhm tintrí
Bē tenedh,—	Na Bé Tine—
tethnatar a ciorcuill	Réab a bhíonsaí
cnó-mhaidhm.	Mar a réabfadh cnó.

Leis sin bhris fonsaí na n-árthaí go léir agus bhí leann go murnán
ina shruth ar fud an tí agus d'ól an bhean trí shlogóg de as a bois
is í ag fágáil an tí.

'File ar bith a chanfaidh an ortha seo mar is cuí arna eiteach i
ndeoch leanna, brisfidh an leann sin trí na hárthaí amach de dhroim
na hortha sin, mar ní cóir go bhfágfaí ina dhiaidh é gan deoch de
a fháil.'

Ní ghearrtar aon phionós ar an bhfile de bharr ainfhéile is
doichill – mar b'in iad tréithre Athirne: níor luaithe an éigse ann
ná an tsaint, bhí siad i gcuingir a chéile ann i mbroinn a mháthar.
Dá ainmheasartha a mhian bhí sé ábalta í a fháil an t-am sin féin.
Cumhacht na bhfocal a dhéanann é, iad tofa scafa faghartha, riail
is eagar orthu. Slí a leasa d'aon fhile slí Athirne agus ní cás dó an
toradh céanna a bhaint amach trí neart an réamhshampla nuair a
oirfidh dó. 'Beannacht ar gach aon duine a mheabhróidh an *Táin*
go hionraic *amhlaidh seo,*' a deir eagarthóir na *Tána,* agus buaileann
údar *Aislinge Meic Conglinne* clabhsúr ar a shaothar fonóide leis an
scigmhagadh seo: 'Seoltar [mo scéal] chun gach cluaise agus ó gach
so-theanga thuisceanach chun a chéile faoi mar a léirigh saoithe is
seanóirí is seanchaithe, mar a léitear is mar a scríobhtar i *Lebor
Corcaige,* mar a d'ordaigh aingeal Dé do Mhac Conglinne, is mar a
d'inis Mac Conglinne do Chathal agus d'fhearaibh Mumhan.
Déanfaidh sé cosaint bliana don té a chloisfidh, is fanfaidh gach
mairg uaidh. Tá deich mbua fhichead leis an scéal; is leor cúpla
sampla: an lánúin dá n-insítear an chéad oíche, ní scarfaidh siad
gan oidhre; is ní bheidh díth bia ná éadaigh orthu. An teach nua
ina mbíonn tús inste aige, ní bhéarfar marbh as; ní bheidh díth
bia ná éadaigh ann; is ní loiscfidh tine é. An rí dá n-insítear roimh
chath nó coimheascar, béarfaidh sé bua. Nuair a bhíonn leann á
réiteach, flaith á riar, atharthacht is oidhreacht á nglacadh, insítear
an scéal seo. Is í duais a inste bó bhreacfhionn, chluaisdearg, léine
de línéadach nua, brat lomrach gona dhealg – don té atá in ann é a
insint is é a aithris dóibh – ó rí is ó bhanríon, ó lánúineacha, ó
mhaoir, is ó fhlatha.' (*Aisl. MC* 111–113).

Cúlchiste cumais is ea an scéal nó an ortha a rachaidh chun leasa
an té a déarfaidh go deabhóideach cruinn é. An amhlaidh don dán
féin – ó bhunús, abair? An ar chumas seo na bhfocal, cumas an
fhriotail fhileata atá córas íocaíochta na ndánta gona dhianbheart-
aíocht phionóis bunaithe? (lgh 56, 112). Is inmheasta nach
bhfoighneodh flatha leis murarbh ea.

Beart thar foighne flatha ba thrúig bháis d'Athirne, mar a eachtraítear sa scéal dár teideal *Tochmarc Luaine ocus Aided Athirni* (*Heldensage* 515, RC XXIV 272–284). Achoimre ar eagrán Stokes i RC anseo síos: Bhí Conchobor faoi dhobrón de chumha Dheirdre is bhí maithe Ulad ag moladh dó cailín uasal a chur á lorg sa tír, a thógfadh an cian de. Beirt urghránna dár chomhainm Lebarcham ba ea na teachtairí. Ní raibh aon toradh ar a gcuardach gur tharla go síbhrú Dhomanchinn maic Degad de Thuatha Dé i gCúige Ulad iad. Is ann a chonaic siad a iníon Luaine, an t-aon chailín in Éirinn a bhí inchurtha le Deirdre i gcruth is i gciall is i ndeaslámhacht. Mhínigh siad go raibh Conchobor á hiarraidh dó féin. 'Sásta!' arsa an t-athair, 'ach frithchúiteamh a diongbhála a fháil uaidh.'

Tugadh an scéala do Chonchobor. Líon a chroí le grá éagmaise di ionas gurbh éigean dó dul ar a tuairisc chun í a fheiceáil lena shúile cinn. Nuair a chonaic sé í, líon gach orlach dá chnámha le searcghrá di. Deineadh an cleamhas, ceanglaíodh an *tochra* nó an tabhartas pósta air, is thug sé an baile arís air féin.

Nuair a chuala Athirne agus a bheirt mhac go raibh dáil chleamhnais idir Conchobor agus an cailín, tháinig siad chuici chun bronntanais a iarraidh uirthi (cf. PKM 14–16: *Pwyll*). Nuair a chonaic siad í thug an triúr acu grá di sa tslí gurbh fhearr leo a mbás ná a mbeatha mura bhfaighidís sásamh a ndúil nimhe inti.

Chrom siad ar í a dhiansireadh: dá n-eitíodh sí ann iad ní mhairfidís; dhéanfadh gach duine acu *glám dícenn* uirthi. (cf. lch 56.)

'Ní cuí díbhse sin a rá, agus mise in áirithe le Conchobor,' arsa an cailín.

'Ní mhairfimid,' ar siadsan, 'mura luífimid leat.'

Ní raibh aon mhaith dóibh ann, ní éistfeadh sí leo. Dhein siad sin trí aoir uirthi gur fhág trí chlog ar a haghaidh, *On* agus *Ainim* agus *Aithis,* is é sin, dubh agus dearg agus bán. Ba é dála Chaier aici é (lch 54).

Fuair sí bás ansin le teann modhúlachta is náire. Theith Athirne is a bheirt mhac go Benn Athirne os Bóinn ansin, ar eagla go n-agródh Conchobor agus na hUlaid an gníomh sin air.

Bhí Conchobor ag tnúth lena bhainis phósta ar feadh na faide. Tháinig sé féin agus mórmhaithe Ulad go síbhrú Dhomanchinn.

Fuair siad Luaine marbh rompu agus a muintir á caoineadh. D'fhág an scéal sin Conchobor balbh le brón athuair.

'Cén díoltas is cóir a bhaint amach ar Athirne?' ar sé le maithe Ulad.

'É féin agus a mhuintir a mharú,' ar siadsan, 'tá síorshaighdeadh catha san fhear sin.'

Tháinig máthair Luaine agus thug fáistine fhileata draoi i bhfianaise air go bhfaigheadh sí féin agus a fear bás de chumha a n-iníne. Arsa Cathbad: 'Cuirfidh Athirne creachmhíolta in bhur n-aghaidh: aoir agus aithis agus imdheargadh, glámh agus grísnimh agus goirtbhriathar. Is aige atá sé mhac Mí-einigh, mar tá, Doicheall agus Eiteach agus Diúltadh, Cruas is Déine is Craos. Radfar isteach oraibh iad agus tabharfaidh siad cath in bhur n-aghaidh.'

Chrom Domanchenn ar na hUlaid a ghríosú in aghaidh Athirne.

'Cad a dhéanfaidh sibh, a Ulaidh?' arsa Conchobor.

Cú Chulainn a mhol go marófaí Athirne Amnas, agus glacadh leis an gcomhairle. Fearadh cluiche caointe an chailín ansin agus tógadh a leacht. Arsa Conchobor:

Leacht Luaine é seo ar an leirg,
Iníon Dhomanchinn Deirg,
Níor casadh riamh go Banba bhuí
Bean ba dhoilí a chur ó chrích . . .

Athirne an cheathrair chlainne
Olc dó an gníomh a rinne:
Titfid uile, fear, mic, mná,
I ndíol an leachta seo.

Mar sin a tharla leis: ghluais na hUlaid rompu go Benn Athirne. D'iaigh siad um mhuintir Athirne ansin, mharaigh siad a bheirt iníon, is loisc siad é féin ina dhún. B'olc le filí na nUlad an gníomh sin agus chum a dhalta Amargein tuireamh air inar fhógair sé ar lucht a mharaithe.

F

VII

Na Filí

3. Amargein agus Spiorad na hÉigse

Ba é Amargein mac Ecit Salaig file Chúirt Chonchobair, cé gur beag de thréithíocht a ghairme atá le sonrú air sa *Táin*. Is dá ghairm mar fhile a thagraíonn an teideal *Aislinge nAimirgin* (cf. *Heldensage* 198) gan dabht. Tugann seo le fios gur i bhfís a bhain a choimheascar le Cú Roí dó, ar an gcéad ásc; ach sa *Táin* is laoch agus teilgeoir cloch é, dála a chéile comhraic. Tá sé pósta le Finnchaem, deirfiúr Chonchobair, agus is é an mórlaoch Conall Cernach, comhalta Chú Chulainn, a mhac.

Tá traidisiún eile ann faoi Amargein atá thar a bheith inspéise, mar go léiríonn sé an bhaint atá aige le hAthirne. Baineann *Bretha Nemed* agus na Tráchtais Phrosóide leas as an gceangal seo chun gnás is breith is cás samplach a chur i láthair; chomh maith leis sin, déanann sé cur síos diamhair samhaltach ar phearsa an duine óig thréithigh a bhfuil an fhilíocht ar tí brúchtaíl amach as : LL 117 b:

Bhí sárghabha in Ultaibh dárbh ainm Ecet Salach nó Echen. Bhí gach uile údar aige ina cheird is ní raibh fear a dhiongbhála riamh ar an saol. Rugadh mac dó dárbh ainm Amargein. Bhí sé gan urlabhra go dtí aois a cheathair déag. D'fhás a bholg go raibh méid tí mhóir ann agus bhí sé féitheach cruinn. Bhí smugairle leis as a shróin anuas ina bhéal. Ba dhubh a chraiceann, ba gheal a fhiacla, ba ghlasbhán a aghaidh. Mar dhá bhuinne bolg gabhann a loirgne is a cheathrúna. Bhí méara a chos cam agus na rúitíní ollmhór. Bhí gruanna arda sínte aige, dhá shúil dhomhaine dhú-dhearga, agus malaí leathana anuas orthu. Folt garbh deilgneach air, agus droim cnapánach, cnámhach, scrathach. Dá bhfágtaí é i bhfad ina shuí gan ghlanadh faoi, bheadh cac leis go dtí a dhá cheathrú. Ba iad a rogha bia gruth bruite, salann farraige, sméara dearga, caora glasa, diasa loiscthe, gais ghairleoige. Cnónna caocha a bhíodh ar chlár aige is é ag baint sásaimh astu.

Chuir Athirne a ghiolla, Greth, go dtí an cheárta le tua a chur i dtine, agus chonaic sé ansiúd roimhe an t-arracht gránna táir. Chaith seisean súil ainmhín air, is ghlac Greth sceimhle. Bhí iníon Ecit ina suí i gcathaoir sciamhach, í feistithe thar cionn agus í ina haonar i mbun an tí is an ghasúir. Go tobann labhair an garsún:

'An itheann Greth gruth?' ar sé faoi thrí. Níor fhreagair Greth mar bhí scéin air. Labhair siúd arís leis:

'Sméara dubha, airní, gais ghairleoige, coirceoga giúise, cnónna, gruth. An itheann Greth gruth?'

Seo amach le Greth de sciuird reatha as an teach thar dhroichead an dúna – agus isteach sa bhogach. Tharraing sé é féin amach as agus ar aghaidh leis go teach Athirne.

'Chonaic tú Murcha!' arsa Athirne, 'tá cuma an diabhail ort, a dhuine bhoicht!'

'Ní tógtha orm é,' arsa Greth, 'garsún ceithre bliana déag nár labhair riamh, ag cur forráin orm inniu: agus fágfaidh sé tusa gan ghrád mura maraítear é.'

'Cad dúirt sé leat?' arsa Athirne.

D'inis Greth gach uile ní faoi mar a tharla.

Nuair a tháinig Ecet abhaile, thug a iníon an scéala dó agus d'fhiafraigh sé di cad dúirt Amargein. 'Is é an toradh a bheidh air,' arsa Ecet, 'go dtiocfaidh Athirne chun é a mharú le heagla go mbainfidh sé an chraobh de, mar gasúr a dúirt a leithéid, is mór ar fad an t-eolas atá i ndán dó.'

Thug an cailín an garsún léi go dtí buaile a bhí ar an taobh theas de Shliabh Mis. Dhein Ecet dealbh chré dá mhac agus chuir ar a lámh chlé é idir é agus na boilg agus chuir fallaing chóir uime. Luigh sé féin síos ansin mar a bheadh sé ina chodladh.

Tháinig Athirne agus Greth agus chonaic siad an mac, mar dhóigh de, ina chodladh rompu. Bhí an tua á réiteach acu ar a socracht agus sáfach acu á chur inti. Thug Athirne iarracht den tua ar cheann an gharsúin, mar a mheas sé; ansin theith sé is an tóir ina dhiaidh.

Bhailigh Athirne a stór is a mhaoin isteach ina dhún, áit ar cuireadh léigear air. Tháinig na hUlaid is deineadh síocháin is réiteach eatarthu. Tugadh seacht gcumhal agus luach a einigh don ghabha agus thóg Athirne an gasúr ar altramas agus thug oiliúint san fhilíocht dó. Nuair a tháinig an chríne ar Athirne ghabh

Amargein ardollúnacht Uladh ina dhiaidh.

Cad faoi deara Amargein a shamhlú le harracht?

Tá leid le fáil san eachtra chlúiteach a bhain do Shenchán Torpéist ar Mhanainn. Bhí trácht thuas (lch 7) againn ar Shenchán, Ard-Ollamh Éireann i gcomharbas an Dalláin Fhorgaill úd a bhfuil cumadh *Amra Choluim Chille* sa bhliain A.D 597 maíte air. Cormac a insíonn an scéal ina *Shanas* mar léiriú ar an bhfocal *Prull*.[1]

Turas aoibhnis a thug Senchán go Manainn i gcuideachta caoga file agus líon áirithe éigsíní. Ar éigean a bhí feisteas riamh ar éigeas chomh breá is a bhí air, gan trácht ar a thuighean suadh (féach lch 50); agus bhí éadach den scoth ar na filí eile, leis.

Nuair a bhí tosach do mhuir agus deireadh do thír acu scairt an giolla gránna seo ón trá orthu mar a dhéanfadh fear mire: 'tugaigí libh mé'. Féachann siad uile air. Níor mhian leo é a ligean chucu mar chonacthas dóibh nár dá sórt é. Bhí cuma mhíchuíosach air. I dtús báire, nuair a chuireadh sé a mhéar ar a chlár éadain théadh taoisc de ghor bréan amach as a dhá chluas is anuas ar a chúla. Bhí *congrus craiche* óna mhullach anuas ar a dhá ghualainn. Ba dhóigh le cách a chonaic é go raibh scraithe a inchinne briste amach trína chloigeann. Bhí a dhá shúil chomh cruinn le hubh loin, chomh dubh leis an mbás, chomh beo le sionnach. Bhí a chuid fiacal chomh buí le hór, is a mbun chomh glas le bun cuilinn. Dhá lorga lomchaola faoi, dhá sháil bhiorga, bhreacdhubha. Dá mbaintí a cheirteacha de, ba dhóbair go siúlfadh sé lena raibh de mhíolta air, mura leagfaí cloch anuas air. Scread sé go láidir ar Shenchán, á rá: 'Ba thairbhí duit mise agat ná an dream baoth sotalach atá timpeall ort.'

– 'An bhféadfá teacht isteach feadh na stiúrach?' arsa Senchán leis.

– 'Triailfidh mé é,' ar sé. Bogann sé feadh na stiúrach isteach sa bhád chomh pras le spól ar gharma. Is beag nár bádh an curach lena lucht, mar gur imigh na filí roimhe ón taobh sin go dtí an taobh eile agus dúirt siad d'aon-ghuth *Tot-rōrpai péist, a Shencháin* 'tá piast tar éis teacht chugat(?), a Shencháin, agus sin í a bheidh de mhuintir agat ach go sroichfimid port slán.' Is mar sin a fuair sé a ainm, Senchán Torpéist (más fíor!).

---

1. Na príomhlsí: Corm. Bodl. (=Laud 610 ff. 82–3); Corm. Y §1059 (=YBL lgh 278–9); Harl. 5280 ff. 75–6; 23 N 10 lgh 74–6.

Tagann siad i dtír i Manainn agus tarraingíonn siad an bád suas ar thalamh tirim. Ar a mbealach soir an trá feiceann siad an tsean-bhean mhór, mhongliath ar an gcarraig ag baint feamnaí agus cnuasach trá; lámha is cosa míne uaisle uirthi ach ganntanas gorta agus dealús éadaigh ag roinnt léi. Ba thrua sin, mar ba í an bhan-fhile iníon Uí Dhulsaine de Mhúscraí Liac Tuill i gcrích Uí Fidgente í. Bhí cuairt Éireann, Alban is Mhanann tugtha aici is níor fhan beo dá complacht ach í. File thar barr ba ea a dearthár, agus bhí sé anois á lorg ar fud na hÉireann: ach ba shaothar in aisce dó sin.

Nuair a chonaic an tseanbhean na filí, d'fhiafraigh sí díobh cérbh iad. 'Is maith iad, mhuise; Senchán príomhéigeas Éireann é seo,' arsa duine acu.

'An mbeadh sé d'umhlaíocht ionat fanacht le freagra a thabhairt orm?' ar sise.

'Fanfaidh mé agus fáilte!' arsa Senchán.

'Cad é a leathrann seo?' ar sí:

Nipsa ēola imnid odbaig	Ní eol dom fadhbanna na himní,
Ceso femmuin mbolgaig mbung.	Má bhainim an fheamainn bholgach féin.

Níor fhan focal ag Senchán ná ag an dámh. Leis sin preabann an giolla réamhráite ar béala Shencháin, is deir:

'Éist a chailleach; ní cuí duit Senchán a agallamh. Labhair liomsa, nuair nach labhróidh aon duine eile den mhuintir seo leat.'

'Sea, mar sin, cad é a leathrann?'

De muin carrce mara Manann	De mhuin carraige Mara Manann
Do-rōnad mōr saland sund.	Do rinneadh mórán salainn ann.

'Is fíor duit,' ar sise, 'agus cad é a leathrann seo, a Shencháin?'

Immum-loiscet mo dá n-āo prull.	Tá mo dhá chluas do mo loscadh.

'Go deimhin, tá tú ag brú cainte ar Shenchán is níl sé ag iarraidh labhairt leat,' arsa an giolla.

'Sea, más ea, cad é a leathrann, dar leatsa?'

In cherd mac ui Dulsaine	An file mac Uí Dhulsaine
ō Lia[i]c do Taursaige Tull.	Ó Liac i dTaursaige Tull.

'Is fíor sin,' arsa Senchán. 'An tusa iníon Uí Dhulsaine atá á lorg ar fud na hÉireann?

'Is mé,' ar sise.

D'fhothraig sé ansin í agus chuir éadach den togha uimpi agus thug leis go hÉirinn í.

Nuair a shroich siad Éire bhí claochlú ar an ngiolla: óglach lonrach roscleathan, ollmhór, ríoga, míleata ba ea anois é; moing órbhuí, órshnátha, dhualach air, chomh cas le carr cruite. Fallaing ríúil uime agus dealg óir á hiamh. Sciath chorcrach, chabhraíoch, cheatharchorr lán de gheama carrmhogail agus de liaga lómhara agus de néamhainn agus de chriostal agus de shaiffre ar a lámh chlé; claíomh colgdhíreach dorn óir ar a lámh dheas. Cafarr airgid agus coróin órga ar a cheann. An deilbh is uaisle agus is gile air a bhí riamh ar dhuine.

Téann sé deiseal timpeall Shencháin is a mhuintire *et nusquam apparuit ex illo tempore. Dubium itaque non est quod ille Poematis erat spiritus* 'agus níor thaispeáin sé é féin uaidh sin amach. Níl aon amhras, mar sin, ná gurbh é Spiorad na hÉigse é.' I gcuid de na lsí *Christus* atá in ionad *spiritus*!

Is inmheasta ón scéal féin gurbh é a chumas focal is filíochta a dhein éacht is feiniméan d'Amargein, an t-arracht naíonda nár mhór friotháil air, is nár labhair go dtí gur tháinig uain chuí d'urlabhra na filíochta. Is í an fhilíocht a thug an eachtra chun cinn agus is é an dul chun cinn a chuaigh air ná gur cuireadh ceird na filíochta in áirithe don gharsún. Dá inspéise é ina cháilíocht féin, fothréith is ea an chuma chorpartha ach é a bheith ag fónamh do Spiorad na filíochta. Scéal eile a bhraitheann ar chéad labhra an fhile naíonda is ea eachtra Athirne i mbroinn a mháthar (lch 62 thuas), ach nach bhfuil aon chuntas ar a phearsa i gceist.

Ansin tagann Spiorad na hÉigse féin i láthair ag déanamh teannta don Ard-Ollamh Senchán. Ní hé an pearsantú an t-aon seift air seo, ach is é is rogha leis an scéalaí. Tá comharthaíocht aon chlainne ar an Spiorad is ar Amargein; tá siad chomh gaolmhar is tá Aí mac Ollaman agus Delbaeth. Ar an gcéad dul síos tá cuma mhíchuíosach, mhíchumhra ar an mbeirt: buinne inchinne ar dhuine acu is buinne bhoilg ar an duine eile. Dhá bhuinne na héigse iad sin, de réir dealraimh.

Tréithíocht an éin atá ag an Spiorad sa scéal, má bhreathnaíonn tú go grinn é. An cur síos ar an Spiorad i leagan 23 N 10 tá sé dhá uair níos toirtiúla ná a mhacasamhail in Corm. Y. agus tréithíocht an éin tugtha amach go maith ann i dteannta rudaí eile. Féach *a lurga mar cuigil, a sliasait mar tsamthaig. . . . A bru mar miach-bolg, a*

braighe mar bragit cuirri. . . . Librithir gabla a lamha. 'A lorga mar
choigeal, a cheathrú mar sháfach . . . a bholg mar shac lán, a bhráid
mar *scornach cuirre* . . . a lámha chomh tanaí le pící.' Tá comhar-
thaíocht éin le sonrú ar chuid mhaith de na tréithe corpartha a
luaitear i dtuarascáil Amargein, leis, agus is le nádúr an éin is mó a
bhaineann na sólais is rogha leis. Tuar draíochta an chorr, mar a
chonaiceamar cheana (lch 55). Ó tharla á lua anseo sa téacs í is
dealraitheach gur uirthi atá tuarascáil na beirte, Amargein agus
Spiorad na hÉigse, bunaithe. Féach, leis, an leas a baineadh as
samhail na coirre le dúdhoicheall Athirne a léiriú (lch 55).

VIII

Na Filí

4. An tIldánach: Cormac Flaith, File is Breitheamh

Is é dála Chenn Faelad *Lebar Aicle* (A.L. iii 88) anseo againn é le Cormac: ní ar ar chum sé féin de dhea-litríocht atá sé faoi chaibidil againn: go deimhin ní cinnte go raibh a leithéid riamh ann; ach ar ar cumadh de litríocht luachmhar idir scéalta is chnuasaigh ghnómacha (Caib. X) ina ainm. Óir ba rí samplach é, agus tá sé molta as a ilchumas:

> Ba suí, ba file, ba flaith,
> Ba fír-brethem fer Féne.

Cloch adhmainte ar nós na *Tána* ba ea é a bhailigh a lán scéalta reatha[1] chuige féin: cuir i gcás, *Scél na Fír Flatha* (IT³ 185–199). Cur síos atá anseo ar an dá oirdéal déag a bhí in úsáid i measc Gael, más fíor, chun gó a idirdhealú ón bhfírinne. Níl Cormac luaite ach le ceann amháin acu, dáiríre. Má b'fhíorbhreitheamh Cormac, is í góbhreith na sainte a thug sé sa chúis chlúiteach dlí idir a reachtaire féin agus Socht mar gheall ar an gclaíomh (*Ceart Claidib Cormaic, ibid.* 199–202), rud a thaispeánann a lé le bráithreachas na bhfilí de réir na teiste a fuaireamar thuas orthu. Ní chloisimid aon cheo faoin meath einigh is faoin meath barra a leanann an drochbheart ach chomh beag, cé go n-oirfeadh críoch den sórt an-bhreá do thosach an scéil ó thaobh struchtúir de. Léiríonn sin buantréith amháin sa tsaoithiúlacht a bhuail cheana linn i gcás Athirne *Chath Étair:* an file nó an rí nó an rífhile samplach á shamhlú os cionn an dlí agus saor óna smacht, dála Chonchobair na *Tána.* Tugann na scéalta seo an-léargas ar bhraistint na nGael i leith gnéithe bunúsacha dá saoithiúlacht mar atá, ordú agus rialú na beatha abhus, cúrsaí cirt agus dlí, agus cruth is ciall na beatha suthaine; ar an gcuma

---

1. Cf. W. Stokes, eag. *Scél na Fír Flatha, Echtra Cormaic i Tír Tairngiri,* ocus *Ceart Claidib Cormaic,* ó na lsí BB agus YBL (*Irische Texte* III:I Leipzig 1891, 183–229).

seo comhlánaíonn siad portráid an fhile ina thimpeallacht is ina shaol féin.

Baineann promhadh trí bhíthin na n-oirdéal le cúraimí dlí agus bhí a leithéidí in úsáid go forleathan i saoithiúlachtaí an domhain. Seo é an t-aon chuntas atá le fáil ar oirdéil na nGael. Cúrsaí dlí leis sea scéal an Chlaímh agus tá traidisiún ársa taobh thiar den scéal seo. Maidir le h*Echtra Cormaic,* is ann is léire an tsamhlaíocht bheo Cheilteach ag cruthú saoil eile di féin.

Seo a leanas leagan nua-aimseartha ar na scéalta is na tuairiscí seo as an 14ú céad:

Scél na Fír Flatha, Echtra Cormaic i Tír Tairngiri, agus Ceart Claidib Cormaic

Rí oirirc a bhí ar Éirinn, Cormac Ua Cuinn a ainm. Bhí an saol lán de gach maith lena linn: bhí toradh ó thalamh, ó chrann, is ó mhuir; bhí síth agus sáimhe agus sástacht ann, is gach aon duine ina áit féin, gan marú ná foghail. Tharla d'uaisle na nGael a bheith ag ól Feis Teamhrach fairis uair. San am sin ba ghnách do ríthe fallaing ríoga is cafarr óir a chaitheamh ar aonach is ar mhórdháil; ar pháirc an chatha amháin a bhíodh na mionna ríoga á gcaitheamh. Ní raibh thar triúr riamh inchurtha le Cormac, ar áilleacht a phearsan, faoi mar a thaibhsigh sé ag an mórdháil sin: Conaire mac Etarscéla, Conchobor mac Cathbada, is Óengus mac in Dagda. (Tá cur síos foirmleach ansin ar bhreáthacht Chormaic atá ar aon dul le tuarascáil Fhroích, Étaíne is Chonaire i scéalta eile.)

Ba í seo an chomhdháil ba mhó tábhacht in Éirinn roimh theacht an Chreidimh, de réir an scéil; mar is ann a leagadh síos reachta is smachta bunaidh na hÉireann. Ba é tuairim na n-uaisle go mba chóir buanordú a chur ar na gráid phoiblí. Mar cé gur 'deineadh seo cheana faoi Chonchobor' de dheasca *Imacallam in Dá Thuarad* (A.L. i 18, lch 44 thuas) agus gur dáileadh a gcion féin den bhreith-iúnas ar aicmí eile seachas na filí, bhí na dáin imithe trína chéile arís is níor mhór iad a dheighilt athuair.

Iarradh ar Chormac, leis, ordú a chur ar chearta na n-aicmí sa Tig Midchuarta (lch 40 thuas). Chuige sin chuir sé muca agus mairt á mbruith sa Choire Cúigdhuirn (al. sa *Choire ai(n)sic,* féach A.L. i 48) agus dícheadal á ghabháil ag flatha, filí agus draoithe os a chionn ar an tine. Coire den sórt sin a bhí i ngach bruíon de rí-bhruíonta Éireann riamh anall. Mínítear go gcuireadh an *coire ai(n)sic* ar fáil – nó go 'n-aiseagadh' sé – do gach dámh bia a diongbhála. Dá fhad dá mbíodh an bia istigh ann, ní théadh sé amú go dtagadh an dream cóir faoina choinne. Ní bhíodh d'fheoil ann ach an méid a d'oireadh don dámh agus thógtaí as an bia a d'oireadh do chách. Coire den sórt sin a bhí ag Cormac i dTeamhair.

Tugadh gach aon duine suas chun an choire le go mbeadh sáith gabhlóige acu as. Is ansin a tháinig a chuid chóir as do chách: láirig do rí is d'fhile, geadán don *suí litre,* colpa d'ógthiarna, ceann don ara, leis do bhanríon, agus a cheart do gach aon duine eile mar an gcéanna. Bonn míorúilte dá bhrí sin a bhí le riaradh *Shuidigud Tigi Midchuarda* (lch 40 thuas) agus d'fhág sin do-athraithe go maith é.

Tugadh aithne phoiblí don dá fhíor nó oirdéal déag flatha a bhíodh ag idirdhealú fírinne ón mbréag acu, mar atá (1) Trí Iodh Morainn meic Maín. Ba é seo an breitheamh clúiteach a bhí ag Cormac ar ainmníodh an cnuasach gnómach úd *Tecosca Moraind* uaidh (Caib. X); (2) Tál Mochta; (3) Crannchur Sencha; (4) Árthach Baduirn; (5) Na Trí Clocha Dorcha; (6) An Coire Fír; (7) Crannchur Sin meic Aigi; (8) Iarann Luchta; (9) Faire Altóra; (10) Cuach Cormaic: Féach *Echtra Cormaic* thíos.

1) (Clann na seanmhuintire! Beidh gach aon dea-thréith ag roinnt leo agus rath Dé is na nDúl orthu. Ach aithigh! – dream coimhthíoch a raibh orthu cíos a íoc le Gaeil: ceann cait is madra orthu sin is gach aon mhírath eile!)

De bhunadh aitheach ba ea Cairbre Cinn Chait, athair Mhorainn. Ghabh Cairbre ríocht Éireann agus mharaigh uaisle uile na nGael ach triúr a bhí i mbroinn a máthar san am, is a rugadh in Albain níos déanaí. Soc cait a bhí ar Chairbre agus ainimh dá réir ar gach aon duine dá chlann mhac, sa tslí gur chuir sé chun báis iad. Ach bean bhreá de bhunadh Gael a bhí aige agus thug sí comhairle a leasa dó: Feis Teamhrach a chur ar bun agus fir Éireann a ghairm ann le go nguídís a ndéithe clann le rath a bhronnadh air. Deineadh amhlaidh is bhí fir Éireann ag troscadh is ag guí Dé ar feadh trí mhí ar a shon. Dá ainneoin féin is ea fuair sé an rath, mar ba dhrochdhuine é. Rugadh an mac, ach más ea, bhí sreabhann ó ghuaille suas timpeall a chinn air is gan béal ná oscailt eile le feiceáil air.

'Balbhán a rug mé,' arsa an bhanríon, 'duine eile acu; beannacht do naimhde faoi deara é an uair seo.'

'Tabhair amach amárach is báigh sa pholl é,' arsa Cairbre lena reachtaire.

Ach an oíche chéanna thaibhsigh fear sí don mháthair is dúirt: 'Chun na farraige is cóir an leanbh a bhreith; coinnítear a cheann le tonn go rachaidh naoi dtonn thairis; beidh sé mór le rá, beidh sé ina rí; *Morann* a bheidh air,' (mar gheall ar é a bheith *mór* agus *finn*!).

Dhein an reachtaire amhlaidh ar maidin agus leis an naoú tonn scaoil an sreabhann a bhí timpeall ar cheann an linbh síos ina mhuinche ar a dhá ghualainn. Is ansin a chan Morann an laoi ag móradh Dhia na bhflaitheas 'a dhealbhaigh um néalta teach neimhe.' Cuireadh cumhdach óir is airgid um an sreabhann; an ciontach go gcuirtí faoina bhráid é, thachtadh sé é, ach shleamhnaíodh sé go talamh síos um an neamhchiontach.

Bhí iodh eile ag Morann, mar a bheadh ciorcal adhmaid ann. Fuair sé ó Ochamon drúth ar Shídh-ar-Femin i dTiobraid Árann é. Chuir sé an drúth isteach sa sí ag triall air nuair a thug sé faoi deara gurbh é a bhí in úsáid istigh le gó agus fírinne a idirdhealú. Chuirtí an iodh um chos nó lámh an duine agus más í an bhréag a bhí aige theannadh an iodh air go ngearradh sí an ball sin de; ach más í an fhírinne a bhí aige, níor bhaol dó.

Bhí agus an tríú hiodh aige: chuaigh Morann mórbhreitheach ag triall ar Phól aspal agus fuair eipistil uaidh is chuir faoina bhráid féin í. Gach aon uair a thugadh sé breith ina dhiaidh sin bhíodh an eipistil air is ní chanadh sé riamh gó.

2) Tál umha a bhí ag Mochta, saor. Dheargaítí i dtine draighin é. Ansin dhéanadh an cúisí é a lí lena theanga. Loisctí a theanga dá mba é an t-éitheach a bhí aige; ní loisctí murarbh ea.

3) Mar seo a leanas a dhéanadh Sencha mac Ailella a chrannchur: thógadh sé crann as an tine don rí agus crann don chúisí. An té a bhí ciontach, chloíodh an crann dá bhos, ach thiteadh an crann de bhos an neamhchiontaigh. Trí dhícheadal nó cantain file a dhéantaí sin.

4) Bhí rí ann dárbh ainm Badurn. D'éirigh a bhean amach chun an tobair lá, go bhfaca beirt bhan ann agus slabhra cré-umha eatarthu. Nuair a chonaic siad an bhean chucu d'imigh siad leo faoin tobar. Lean sise iad go bhfaca an t-oirdéal iontach sa sí faoin tobar: árthach gloine. An té a déarfadh trí fhocal éithigh, scarfadh sé ina thrí chuid ina lámh; an té a déarfadh trí fhocal fhíora shlánódh arís. D'iarr sise an t-árthach d'achainí orthu agus tugadh di é. Sin é a dhealaíodh fíor ó bhréag do Bhadurn.

5) Mar seo a bhí ag na Trí Clocha Dorcha: líontaí árthach de dhúbhruscar is de ghual is de gach aon dubh eile agus chaití trí chloch isteach ann, cloch gheal, cloch dhubh is cloch bhreac. Chuireadh an duine a lámh isteach ann ansin agus thugadh leis an chloch gheal, dá mbeadh an fhírinne aige; thugadh sé an chloch dhubh leis dá mba bhréagach, agus an chloch bhreac dá mba idir eatarthu.

6) Árthach airgid agus óir ba ea an Coire Fír le gó a idirdhealú ón bhfírinne. Théití uisce ann go bhfiuchadh sé, ansin thumtaí lámh ann. Dá mbeadh an duine ciontach loiscfí a lámh, ach dá mbeadh sé neamhchiontach thiocfadh a lámh slán. Ba iad na trí oirdéal is mó a ghnáthaíodh págánaigh an Coire, Crannchur Sin agus Faire Altóra, agus is uathu seo a d'fhás an béas i measc Gael leas a bhaint as taisí na naomh chun crannchuir.

7) Mar seo a dhéantaí Crannchur Sin: trí chrann a chur in uisce, mar tá, crann an fhlatha, crann an ollaimh, agus crann an chúisí. Dá mba chiontach an cúisí, théadh a chrann go híochtar, ach dá mba neamhchiontach, thagadh sé in uachtar.

8) Go críocha Leatha, is é sin, go dtí an Bhriotáin a chuaigh Luchta draoi ag déanamh léinn. Chonaic sé earra iontach ansin acu ag dealú idir gó is fírinne: iarann a séanadh le draoithe á dheargadh sa tine, agus á chur ar bhos an chúisí. Thug sé leis go hÉirinn é agus tá sé in úsáid i gcónaí i measc Gael.

9) Faire Altóra oirdéal eile acu. Níor mhór dul naoi n-uaire timpeall na haltóra agus uisce a ól ansin ar chuaigh dícheadal nó cantain draoi air. Ba róléir comhartha a pheaca ar an gciontach leis an méid sin, ach théadh an neamhchiontach saor slán. Cai Caīnbrethach, dalta Fhéniusa Farsaid a thug an t-oirdéal seo leis do Thuatha Dé ó Iosrael. Bhí Reacht Mhaoise foghlamtha aige sin agus is eisean a bheireadh breitheanna sa scoil a thug Fénius le chéile ó Ghréagaibh le hilbhéarlaí an domhain a fhoghlaim. Eisean a bhunaigh an gnáth-dhlí agus Dlí na gCeithre Sleachta, agus níor tháinig aon duine eile den scoil ina theannta go hÉirinn ach Amairgen Glúngel, file, amháin. Mhair Cai go ceann naoi nglún iomlán in Éirinn i ngeall ar fhírinne a bhreitheanna. Breitheanna reacht Mhaoise a bhíodh aige agus mar sin tá siad an-fhlúirseach san Fhéineachas. Is iad a bhíodh ag Cormac, fosta.

Echtra Cormaic i Tír Tairngiri

10) Cuach óir sea a bhí ag Cormac agus mar a leanas a fuair sé é: Bhí sé leis féin ar Mhúr Tea i dTeamhair go moch maidin Bhealtaine amháin nuair a chonaic sé chuige an t-óglach socair fionnliath, brat corcra imeallach uime, léine rigíneach órshnátha, agus dhá throithín *finndruine* ar a chosa. Bhí craobh airgid gona thrí úll óir lena ghualainn, agus bhí díol aon duine de cheol ann mar chodlódh go fiú na fir thromghonta, nó na mná ar a leaba luí seoil, nó an t-aos galair leis an gceol a dhéanadh na craobhacha nuair a chroití iad.

Bheannaigh siad féin dá chéile. 'Cad as duit, a óglaigh?' arsa Cormac.

– 'As tír nach bhfuil inti ach an fhírinne, is nach bhfuil inti aois ná orchra, ná duibhe ná dobrón, ná éad ná formad, ná mioscais ná mórtas.'

– 'Ní amhlaidh dúinne,' arsa Cormac; 'cogar, an ndéanfaimid cairdeas?'

– 'Ba mhaith liom sin.' Dhein siad cairdeas ansin.

– 'Tabhair domsa an chraobh,' arsa Cormac.

– 'Tabharfaidh mé,' arsa an fear eile, 'ach na trí aisce a iarrfaidh mise i dTeamhair ina comaoin a thabhairt dom.' Nasc an t-óglach an comha sin ar Chormac agus cheiliúir. Nuair a chuaigh seisean isteach sa phálás, dhein gach aon duine iontas den chraobh, ach chroith sé orthu í agus thit a gcodladh orthu go cothrom an lae arna mhárach.

I gceann na bliana tháinig an t-óglach ar ais agus d'iarr comaoin na craoibhe.

'Gheobhaidh tú sin leis,' arsa Cormac.

– 'Tabharfaidh mé Ailbhe liom den turas seo,' arsa an t-óglach. Thóg bantracht na Teamhrach trí gháir chaointe i ndiaidh iníon an rí; ach chroith Cormac an chraobh orthu gur dhíbir an t-uaigneas uathu is gur thit a dtromshuan orthu.

I gcothrom mí ón lá sin tháinig an t-óglach arís agus d'ardaigh Cairbre Lifeachair leis. Níor tháinig aon stad ar an gcaoineadh i ndiaidh mic Chormaic i dTeamhair an oíche sin, is níor caitheadh bia ná níor codlaíodh, ach an uile dhuine faoi bhrón is atuirse ábhalmhór. Chroith Cormac an chraobh orthu is scar siad leis an mbrón.

Nochtann an t-óglach den tríú huair.

'Cad ab áil leat inniu?' arsa Cormac.

– 'Do bhean chéile, Eithne Taobhfhada,' ar seisean agus ardaíonn leis í. Ach, más ea, leanann Cormac é, agus leanann a mhuintir Cormac. Amuigh i lár an mhachaire thit ceo trom orthu, agus ní fada go raibh Cormac ina aonar ar mhá mhór. Chonaic sé dún mór i lár na má agus sonnach cré-umha timpeall air. Bhí teach fionn-airgid sa dún agus leathdhíon d'eití éan fionn air; marcshlua sí ar bior thart faoin teach agus díolaim d'eití éan fionn ina n-ucht acu chun tuí. Gach aon séideán a thagadh an treo sciobadh sé leis a raibh clúdaithe acu den díon. Feiceann sé fear ag fadú tine agus crann bunleathan aige á chur isteach scun scan inti; is nuair a thagann sé ar ais le crann eile bíonn an chéad cheann ídithe. Ansin feiceann sé dún fairsing ríoga eile, sonnach cré-umha uime agus ceithre theach ann. Istigh ann chonaic sé rí-theach mór, cleitheanna cré-umha air, caolach airgid agus tuí d'eití éan fionn.

Bhí tobar taitneamhach sa lios a raibh cúig shruth as agus slua ag ól uisce na sruthanna. Bhí naoi gcoll Bhuana os cionn an tobair (Nach breá gur ón gcoll a d'fhás trí uaigh bhean Mhes Gegra a fuair coill chaoinmheasa na beatha síoraí a n-ainm! Féach lch 59). Chaitheadh na coill a gcnónna sa tobar, rúisceadh na cúig bhradán sa tobar iad agus théadh na blaoscanna le sruth. Ba bhinne glór eas na sruthanna sin ná gach ceol.

Chuaigh sé isteach sa phálás. Lánúin amháin a bhí roimhe ann, iad araon ar bhreáthacht, ise agus cafarr órga anuas ar a folt buí aici. Déantar a cosa a ní gan aon sonrú faoi leith, mar bhí foth-ragadh ar chlár ann gan aon fhriotháil ach na clocha teasaíochta isteach is amach uathu féin. Ghlac Cormac folcadh, fosta.

Bhí meán lae thart faoin am ar bhuail fear isteach chucu, tua aige agus lorg adhmaid agus muc ina dhiaidh. 'Is mithid dul i mbun bia istigh,' arsa an t-óglach leis an bhfear, 'mar tá aoi uasal ann.'

Mharaigh sé an mhuc ansin agus scoilt an t-adhmad go raibh sé oiriúnach ina thrí chnocán aige. Leagtar an mhuc sa choire.

'Is mithid í a iompú,' arsa an t-óglach.

'Ní aon chabhair sin,' arsa fear na muice, 'ní bhruithfear an mhuc go deo go n-insítear fírinne in aghaidh gach ceathrún di.'

'Buail tús air tú féin, mar sin.'

'Lá dá raibh mé ag siúl na talún fuair mé ba fir eile ar an talamh romham agus chuir mé sa phóna iad. An té ar leis iad tháinig sé chugam is dúirt go dtabharfadh sé luach saothair dom ach iad a scaoileadh as. Lig mé as iad. Thug sé muc is tua is lorg dom: an mhuc a mharú leis an tua gach oíche agus an lorg a scoilteadh, agus bheadh díol na muice is díol an pháláis de chonnadh ina dhiaidh. Chomh maith, bheadh an mhuc beo agus an lorg slán arís ar maidin; agus is mar sin dóibh riamh ón lá sin go dtí inniu.'

'Scéal fíor, ambaiste!' arsa an t-óglach.

D'iompaigh siad an mhuc is ní raibh ach ceathrú amháin di beirithe fós.

'Insítear scéal fíor eile!' ar siad.

'Inseoidh mise,' arsa an t-óglach. 'Tháinig am treafa againn; nuair ba mhian linn an gort amuigh a threabhadh is ann a fuaireamar síolta, fuirsithe, treafa, de chruithneacht cheana romhainn é; nuair ab áil linn teacht á bhaint is ann a fuaireamar ina chruach sa ghort é; nuair ab áil linn é a aistriú abhaile is ann a fuaireamar in aon chruach amháin faoi thuí lasmuigh é. Táthar á ithe riamh ón lá sin is níor tháinig aon athrú toirte air.'

Iompaíodh an mhuc agus fuarthas an dara ceathrú bruite inti.

'Liomsa an scéal anois!' arsa an bhean. 'Tá seacht mbó is seacht gcaora agam. Bíonn díol Thír Tairngire de bhainne ag na ba agus riar a gcáis d'éadach ó olann na gcaorach.'

Leis sin bhí an tríú ceathrú den mhuc bruite.

'Leatsa an scéal anois!' ar siad le Cormac. D'eachtraigh Cormac faoi mar a tugadh a bhean is a mhac is a iníon uaidh is mar a lean sé iad go ráinig an teach sin. Leis sin bhí an mhuc uile bruite.

Roinntear amach an bia ansin agus tugtar a chuid i láthair Chormaic. 'Ní chaithimse béile riamh,' ar sé, 'gan caoga i m'fharradh.' Chan an t-óglach dord dó is chuir suan air. Nuair a dhúisigh sé, chonaic sé an caoga óglach agus a bhean is a iníon is a mhac ina dteannta. Ghlac sé meanma láithreach. Dáileadh bia is leann orthu go raibh siad suairc soilbhir. Tugadh cuach óir i lámh an óglaigh. Bhí Cormac ag baint lán na súl as an gcuach ildealbhach sí. – 'Tá rud is iontaí fós,' arsa an t-óglach, 'abair trí fhocal bréige faoina bhun agus brisfidh sé ina thrí chuid; trí fhocal fírinne ansin agus comhtháthfaidh arís.'

Chan an t-óglach trí fhocal bréige faoina bhun agus bhris.
'B'fhearr dom fíor a rá anois chun é a shlánú; dar mo chúis, a
Chormaic, nach bhfaca do bhean ná d'iníon aghaidh fir ó d'fhág
siad Teamhair, is ní mó ná sin a chonaic do mhac aghaidh mná.'
Ba shlán an cuach ansin.

'Beir leat do mhuintir anois!' arsa an t-óglach, 'agus tabhair leat
an cuach ina dteannta chun idirdhealú idir fíor is bréag, agus an
chraobh chun ceoil is aoibhnis; tógfar uait iad lá do bháis. Is mise
Manannán mac Lir, rí Thír Tairngire, agus is chun an Tír a
fheiceáil a thug mé i leith thú. Agus an marcshlua a chonaic tú ag
tuí an tí, aos dána Éireann iad ag tiomsú ceathra is maoine a théann
ar neamhní gan mhoill. An fear a bhí ag fadú na tine, ógthiarna é
a íocann a chaitheamh go léir as a thíos. Tobar na gcúig shruth, is
é tobar an fheasa is na gcúig chéadfaí é, agus ní bheidh dán ag an
té nach n-ólfaidh deoch as an tobar is as na sruthanna. Lucht
ildánta a ólann astu araon.'

Níl aon ársaíocht ag roinnt le teanga na scéalta seo ná le traidisiún
na lámhscríbhinní. Cnuasach ó cháipéisí eile is ea cuid mhór den
ábhar iontu: an cur síos ar bhunús dlíthe (lch 73: IT 186 §5)
braitheann sé ar A.L. i 18ff., cuid mhór; tiomsú is ea tuarascáil na
n-oirdéal; aithris is ea an cur síos ar Chairbre agus an aithech-
thuatha a bhfuil a céad insint le fáil i ndán le Mael Mura Othna
(+887); an seanchas ar Fheis Teamhrach, Aonach Tailtin agus
Mórdháil Uisnigh a leanann *Echtra Cormaic* sa téacs (§55), má
bhaineann sé le traidisiún féin, ní aon mhuinín mar stair é ach chomh
beag le scéal Mhael Mura.

Togha scéil é *Echtra Cormaic* a thugann léaspairt neamhghnách ar
an meabhair a bhain na Gaeil as an saol. Eití ildaite éan a bhí mar
chomharthaíocht ar fhile – is ar *shaman*. Tuíodóireacht lá gaoithe ba
ea é ag filí a chuirfeadh a ndán le saint agus in ainneoin mhiotal
is meanma na gcapall fúthu bheadh sí gan chlabhsúr ar feadh na
síoraíochta. Féach chomh hoiriúnach is atá an samhaltas: filí ag cur
dín ar theach nimhe lena ndán. Cuimhnigh, leis, go raibh samhail
an éin, coitianta, le hanam an duine.

An ceo a thit ar Chormac, ceo draíochta é agus comhartha go
bhfuil tadhall is teagmháil á dhéanamh leis an saol eile. Buí saindath
an tsaoil sin, mar tá ar fholt na mná, agus baineann sin le litríocht
na Breatnaise chomh maith. Aon áit a mbuailfidh an fear lena mhuc

is a choire leat, mar a tharlaíonn i m*Bruiden Da Derga*, tá ríocht na sí i gceist, mar is é saol an bhuanfhéasta é.

Tá cúlra ársa fairsing leis na traidisiúin seo faoi shaol eile, saol mealltach na mianta, saol nach bhfuil crá ná pian ann ach gach uile shórt mar a d'iarrfadh do bhéal é a bheith.[2] *Utopia* le ciníocha áirithe é, *Elysium* le ciníocha eile, *Tír na nÓg* nó *Mag Mell* 'machaire na n-aoibhneas' leis na Gaeil, *Tír Tairngiri* 'terra repromissionis' leis, faoi anáil na Críostaíochta. Tá sé le fáil sna foinsí is ársa ón Oirthear, in Eachtra Ghilgamesh, mar shampla. Triallann an laoch tríd an sliabh go dtí gairdín draíochta na ndéithe. An cuntas ar an ngairdín sin, tá dealramh aige le cuntas Ghairdín Éidin sa Bhíobla féin. I dteannta an tobair agus na ceithre shruth tá Crann na Beatha agus Crann Feasa na Maitheasa agus an Oilc i gcuntas Leabhar Geinisis. Ón gcéad chéad A.D. amach tá míniú fáithchiallach á bhaint ag aithreacha na hEaglaise as na gnéithe seo: samhlaíodh na ceithre Shuáilce chairdinéalta nó na ceithre Shoiscéal leis na ceithre shruth, mar shampla. Is léir ó *Echtra Cormaic* thuas go raibh cur amach dá gcuid féin ag na Gaeil ar an saol eile seo is gur bhain siad a gciall féin as.

Léiríonn *Echtra Cormaic*, leis, an tábhacht bhunúsach atá le coincheap na *fírinne* i gcoitinne agus le *fír flathemon* 'fírinne nó cóir flatha'.[3] Is é Morand, breitheamh Chormaic, a shamhlaítear le caomhnú na fírinne. Is aige atá *Iodh na fírinne*. I mbéal Mhoraind a leagtar an chomhairle don rí óg Feradach: 'móradh sé fírinne, mórfaidh an fhírinne é'; 'is í fírinne an fhlatha a thugann an talamh chun toraidh agus an leanbh slán as broinn a mháthar'. Féach Caib. X; ZCP XI 80 §6, 81 §14.

Tagraíonn M. Dillon[4] do chumhacht na *fírinne* chun *gnímh* faoi mar atá in *Echtra Cormaic* thuas, sa traidisiún Hiondúch, agus pléann H. Wagner[5] an bhaint idir é agus an rí sacrach, go háirithe i saoithiúlachtaí na hÉigipte, na hIaráine is na hIndia.

Ceart Claidib Cormaic

Bhí ollchumhacht ag Cormac in Éirinn agus gialla na tíre ina lámh. Duine díobh sin ba ea Socht mac Fíthail de shíol Rudraige.

---

2. Cf. *Studia Hibernica* XII 132 ff.; Meyer-Nutt, Voyage of Bran I, II; EECL, Caib. III.
3. Cf. ZCP 32: 137 ff.
4. *The Archaism of Irish Tradition* 3–7 (London, 1947).
5. ZCP 31: 1ff.

G

Bhí claíomh iontach ag Socht, dorn óir air, crios airgid, rinn ilfhaobhair agus coimheád forórga leis. Bhí loinnir mar choinneal ann istoíche. Dá bhfilltí a rinn go dornchla siar shínfeadh arís amhail ráipéar. Scoiltfeadh sé ribe ar uisce, is bhainfeadh sé ribe de cheann duine gan an craiceann a bhrú. Dhéanfadh sé dhá leath de dhuine sa tslí nach mbraithfeadh leath acu go ceann i bhfad cad a bhain don leath eile. Dar le Socht ba é claíomh Chú Chulainn é; uacht is seanoidhreacht a chine, dar leosan.

Bhí reachtaire iomráiteach i dTeamhair san am dárbh ainm Dubdrenn. D'iarr seisean ar Shocht an claíomh a dhíol leis, is gheall dó a chómhaith féin de bhéile gach oíche, is cion ceathrair gach nóin dá mhuintir i bhfoluach an chlaímh, agus a lánluach de réir a bhreithe féin ina theannta sin. 'Ní aon chabhair é,' arsa Socht, 'níl neart agam séada m'athar a dhíol lena bheo.'

Lean siad orthu mar sin go ceann i bhfad, Dubdrenn ag santú an chlaímh agus ag beartú ina aigne conas teacht air. Thug sé cuireadh óil do Shocht agus d'iarr ar an bhfreastalaí a sháith fíona is meá a riar air le hé a chur ar meisce. Deineadh amhlaidh agus thit a chodladh meisce ar Shocht.

Thóg Dubdrenn an claíomh ansin agus thug leis go dtí gabha an rí, Connu. 'An féidir leat an dornchla a oscailt?' ar sé.
– 'Is féidir,' arsa an gabha.
Osclaíonn Connu an claíomh ansin agus scríobhann ainm Dhubdrenn sa dornchla agus dúnann an claíomh arís. Fágtar an claíomh ar ais le Socht mar a bhfuarthas é.

Téann ráithe eile isteach ar an seanordú, an reachtaire ag tothlú an chlaímh is Socht á eiteach. Ar deireadh d'agair Dubdrenn an dlí go foirmiúil ar Shocht á rá gur leis féin an claíomh agus gurb amhlaidh a tógadh uaidh é. D'fhreagair Socht gur leis féin an claíomh agus ar bhain leis agus go raibh ceart dlí aige chuige.

Chuir Socht an scéal i gcomhairle Fhíthail is d'iarr cabhair a athar, leis, air chun an claíomh a chosaint. 'Ní bhfaighidh tú é, ná ní bheidh aon bhaint agam leat; téigh ina bhun tú féin; mar go deimhin is mór an dúthracht a chaitheann tú leis na cúraimí seo; tarraingíonn fírinne bréag, agus trasnaíonn gó gó. Cabhróidh a dhearbhú sin (i.e. Dubdrenn) leat do cheart seilbhe a dheimhniú, áfach; – ach gurb fhusa, dar liomsa, frithéileamh a dhéanamh.'

Pléitear an chúis agus fágtar faoi Shocht a áiteamh gur leis an claíomh. Thug sé an leabhar ansin gur shéad fine aige é agus gur leis é.

'Thug sé a éitheach,' arsa Dubdrenn.

'Cad é d'fhianaise air?' arsa Cormac.

'Más liomsa an claíomh,' ar sé, 'tá m'ainm scríofa i bhfolach istigh ina imdhorn.' Glaotar ar Shocht agus deirtear leis é. 'Feicfimid sin gan mhoill,' arsa Cormac. Glaodh isteach an gabha, osclaíodh an dornchla agus fuarthas an t-ainm scríofa istigh ann. Is ansin a dhearbhaigh marbh ar bheo nuair a glacadh le fianaise na scríbhinne.

'Éistigí liom, a fheara Éireann is a Chormaic,' arsa Socht, 'géillim don fhear seo; is leis an claíomh. A sheilbh gona chionta uaimse duitse.'

'Admhaímse a sheilbh gona chionta,' arsa an reachtaire. 'Fuarthas an claíomh sin i muineál mo sheanathar,' arsa Socht, 'agus ní fheadar go dtí an lá atá inniu ann cé a dhein an gníomh sin. Beirse breith air sin, a Chormaic.'

'Is mó a fhiacha sin ná luach an chlaímh,' arsa Cormac leis an reachtaire. Thug sé breith seacht gcumhal do Shocht ón reachtaire agus an claíomh a aiseag. Ansin d'admhaigh Connu agus an gabha cad a dhein siad leis an gclaíomh agus ghearr Cormac seacht gcumhal an duine orthu as an gcoir sin. Leis sin tharraing Cormac *bérla na filed* chuige féin is thug nathán dóibh: *Mainech neim/naiscid Nere/naidm coir/combrothaib* 'nascann Nere niamhrach, maoineach naidhm nó conradh cóir lena bhreithiúnas'. Samhail an choire breithiúnais atá i gceist anseo, féach lch 115. Ní léir cén bhaint atá ag Nere, mac Moraind de réir A.L. i 22, leis an scéal. Ach téann bunús *Cheart Claidib Cormaic* i bhfad siar agus tá tagairt don scéal i m*Bretha Nemed* (*Ériu* XIII 34), áit a gcuirtear leagan eile den nathán seo i mbéal Nere: *Mainech neim/naiscid Nere/naidm caire/chombruthaig/con-berba ina chráes/crú* 'nascann Nere niamhrach maoineach naidhm an choire chomhbhruite a chomhbhruitheann amhábhar ina chraos'. Oireann an tagairt do Nere dá chomhthéacs anseo; féach lch 84 thíos.

'Is é fírinne an scéil,' arsa Cormac ansin, 'gurb é siúd claíomh Chú Chulainn. Is leis a maraíodh mo sheanathairse Conn Cétchathach le Tibraite Tírech rí Ulad san fheachtas aduaidh go ndúirt an file faoi

Is mairg a chonaic cró Choinn
Ar thaobh claímh Chú Chulainn.

Thug an bheirt, Cormac agus Fíthal, breith leis sin. Cormac a
mheall Socht agus a fuair an claíomh uaidh in éiric Choinn, de
bharr na cúise. Níor rugadh bua riamh in aghaidh an chlaímh sin
ná an té a raibh sé aige agus ba é an tríú séad in Éirinn é i ndiaidh
cuach is craobh Chormaic.

Ultach ba ea Socht, giall scartha óna mhuintir. 'Tost, gruaim,
toirchim' brí an ainm agus is inmheasta gur in oiriúint don scéal a
ceapadh é. Níl aon fháilte ag Fíthal roimh Shocht ar scáth gur fear
dána conspóideach é, tréith nach léiríonn an scéal féin, cibé ar
domhan é. Caint dhoiléir sheachantach dlíodóra a bhfuil saighdeadh
beag, leis, ann sea caint Fhíthail. Eisean a tharraing anuas an frith-
éileamh mar mhodh pléideála sa chás, agus sin é a chinn ar deireadh
é. Beartaíocht le breith ar an Ultach, ní foláir! Samhail ardchumh-
achta an claíomh éachtach seo agus tá brí pholaitiúil i scéal a ais-
trithe ó Ultaibh aduaidh go Temair. Féach Caib. II. Cuireann
tosach an scéil (§58) an bhéim ar chumhacht Chormaic, agus is é
mór-rí samplach na nGael sa seanchas é. Is léir, leis, don scéalaí
nach *ceart* ach *éigin* atá i dtreis, nuair a mheasann sé (§71) gur rug
an bás ar an mbeatha an lá a glacadh ainm an reachtaire ar an
gclaíomh i dteideal úinéara.

Luamar thuas fianaise *Bhretha Nemed* ar an scéal seo. Tá sí
neamhspleách ar an leagan déanach den scéal in IT III, má tá
natháin is tagairtí áirithe iontu araon (féach *Ériu* XIII 34: 13–20;
226). I gcomhthéacs an teagaisc theicniúil dlí agus brí téarmaí mar
gell/pledge agus *ráth, naidm*/surety etc. atá an scéal á lua anseo ina
chás samplach:

'An *naidhm* a chéadcheangail Nere nuair a labhair sé i gcúis
chlaímh mhic Fhíthail, tá sé sin i bhfeidhm. Nere niamhrach,
maoineach a nascann *naidhm* choire chomhbhruite: comhbheiríonn
sé seo amhábhar ina chraos. *Naidhm* iontaofa crannchuir, deoch an
chróilí luath an *naidhm* faoi bhrí na mionn a cheangail Socht trí
bhíthin a bhriochta ar a chlaíomh. Gó a chuir gó ó mhaith. Ansin
bhí an lá ag fianaise an tí óil ríoga agus ag mórbhriathra Chormaic
Uí Choinn, nuair a choisc an marbh an beo i dtaca le slánfhianaise
chairte.'

Crua-Ghaeilge ársa fhileata gona comhréir chasta agus a stíl
thagrach shamhaltach atá sa téacs. Baintear leas as meafar an choire

sa dara habairt, rud atá faoi chaibidil ar lch 115 againn. Cumhacht draíochta an chlaímh sa chath (luaitear in §78 ag deireadh an scéil é) atá i gceist sa tríú habairt, ní foláir. Briocht á neartú le mionn a chuirfeadh an draíocht sin i bhfeidhm. Sa cheathrú habairt tá trácht ar an dá ghó ag treascairt a chéile: bhí rogha díobh sin ann: gó an reachtaire ar dtús, ansin gó Shocht is gó Chormaic.

IX

Na Filí

5. Mongán, Flaith is Frithfhile

D'éag Mongán mac Fiachnai Lurgan maic Báetáin de Dhál nAraide sa bhliain AD 625, de réir Annála Ulad. Bhí Dál nAraide (Cruith-nigh iad sin) lonnaithe idir Dál Riata lastuaidh agus Dál Fiatach laisteas i gContae Aontroma is i gContae an Dúin. Taobh istigh de chéad bliain ina dhiaidh sin sea a cumadh *Immram Brain*[1] maic Febail ina bhfuil cur síos fileata ar Mhongán den sórt is dual do mhac dé Mhag Mell (=Tír na nÓg): labhraíonn an muirdhia Manannán mac Lir leis an iomramhach Bran, comhthíreach leis féin, de réir cosúlachta, is insíonn faoi mar a rachaidh sé go Mag Line i gContae Aontroma *it' lethe-su* 'i do thír féin', go Caíntigern bean Fhiachna, agus go nginfidh sí Mongán de bharr a dteagmhála. Díol suntais an chaoi a mbaineann scéala Mhongáin na sála de scéala an tSlánaitheora in *Immram Brain* §§48–52, faoi mar a bheadh finscéal págánta is soiscéal Críostaí fós gan dul rómhór in adharca a chéile.

48 Tiocfaidh slánú uasal
   Ón rí a chum na reanna,
   Reacht fionn a bhogfaidh farraigí,
   Beidh Sé ina Dhia is ina dhuine.

49 Mo dheilbhse a fheicir romhat
   Tiocfaidh sí id dhúiche féin:
   Eachtra atá i ndán dom
   Go teach na mná i Magh Line.

---

1. Eag. K. Meyer, A. Nutt, *The Voyage of Bran* I, London 1895. A. G. van Hamel, *Immrama* 1–19, B.Á.C. 1941.
Traidisiún béil, nó traidisiún scríofa? Dúchas, nó iasacht (ón gCríostaíocht/ó na Clasaicigh)? Sin iad na ceisteanna is mó atá pléite ag lucht léirmheasa i dtaca le Mongán agus le h*Immram Brain*. Cf.:
J. Carney, *Studies in Irish Literature and History*, B.Á.C. 1955: 280 ff.
T. Ó Broin, ZCP 28: 262–271; P. Mac Cana, *Ériu* XXIII 102–142.
Cf. leis R. Flower, *The Irish Tradition*, Oxford 1947, Caib. I.

51 Déanfaidh Manannán mac Lir
    Luí toirchis le Caíntigern,
    Glaofar chun a mhic sa domhan aoibhinn,
    Is glacfaidh Fiachna leis mar mhac dó féin.

52 Maífidh sé cleachtadh gach sí,
    Muirnín gach tíre, Mongán,
    Nochtfaidh rúin, ráite gaoise
    Ins an mbith gan eagla.

53 Beidh sé i riocht gach míl
    Ar ghlasmhuir is ar thír,
    Dragan i mbéal catha,
    Cú allaidh gach ró-choille.

54 Fia le beanna airgid
    I dtír a gcleachtar carbaid,
    Bradán breac i linn láin,
    Rón agus eala fionnbhán.

55 Beidh trí bhiotha síora
    Na gcéadta mblian i bhfionn-ríghe,
    Leagfaidh naimhde—leacht i gcéin—
    Deargfaidh raon le roth-rian.

Gin dhiamhair an Mongán seo a bhfuil sciar de dhiagacht a athar
ag roinnt leis. Ilchruthach é ar nós Thuain Mhic Cairill a mhair ó
aimsir Phartholóin go dtí aimsir Fhinnian Magbile: riocht duine i
dtosach is ar deireadh a bhí ar Thuan, riocht ainmhí allta, éin nó
éisc san eadarlinn, gach saol dár mhair sé ag freagairt do réim de
réimeanna Ghabhálacha Éireann (LU 15). Eachtraíonn sé scéal
na nGabhálacha don naomh i.e. don té a bhfuil an séala oifigiúil i
gcúl na glaice aige le bualadh air: is cad ina thaobh nach mbuail-
feadh? Nach bhfuil fear inste scéil aige, fear a chonaic lena shúile
cinn na Gabhálacha á ndéanamh? Is maith a fhónann buaine,
ilriochtach nó eile, do chúraimí foirceadail. Is é a fhearacht chéanna
le Mongán é is dócha, sa mhéid gurbh athghin ar Fhinn mac
Cumaill a mhair thart faoi thrí chéad go leith bliain roimhe é, de
réir an traidisiúin: d'oirfeadh clómhalairt mar a luaitear i ranna 53,
54 thuas don té a mbeadh athghin i ndán dó, agus cianta le meilt
aige. Ach asarlaí, leis, is ea Mongán a chuireann an draíocht chun
sochair dó féin mar is dual dá leithéid eile.

Uige ildathach is ea saga Mhongáin dá réir sin. Piocfaimid trí
scéal as nár mhór a ríomh le léas ceart a fháil ar shaol na bhfilí
díreach sular bhog siad chun réitigh is tuisceana leis an léann

Críostaí: Scéal a bhreithe an chéad cheann díobh. Is é patrún ghiniúint an ghaiscígh atá ann (faoi mar atá i g*Compert Chon Culainn*) sa mhéid nach é a athair féin Fiachna ach an muirdhia Manannán a ghin faoi imthosca aisteacha é. Baineann an dara scéal lena óige aerach agus an tríú ceann le cora crua flaithis.

1. Giniúint Mhongáin (Voyage of Bran I 42, LU 133a)

Bhí Fiachna Lurgan, athair Mhongáin ina aon rí ar an gcúige. Bhí cara in Albain aige dárbh ainm Aedán mac Gabráin. Tháinig scéala ó Aedán chuige agus chuir seisean scéala ar ais go dtiocfadh sé i gcabhair air. Bhí Aedán i ngleic leis na Sacsain agus bhí laoch uafar tugtha ann acu sin le hAedán a mharú sa chath. Chuaigh Fiachna sall ansin agus d'fhág sé a bhanríon sa bhaile ina dhiaidh.

Le linn na troda in Albain tháinig fear a raibh cuma ghalánta air chun na banríona i Ráith Mag Line am de lá nach raibh mórán timpeall. D'iarr sé uirthi coinne a dhéanamh leis. D'fhreagair sise nach raibh séad ná maoin ar an saol ar a ndéanfadh sí aon ní a ghoinfeadh eineach a céile. D'fhiafraigh sé di an ndéanfadh sí é le beo a fir chéile a shábháil. Dúirt sise dá bhfeiceadh sí i nguais nó i sáinn é go dtabharfadh sí pé cabhair a d'fhéadfadh sí dó. Dúirt seisean ansin gur chóir di é a dhéanamh 'mar tá do chéile i nguais mhór. Tá fear uafar ceaptha acu lena mharú agus titfidh sé leis. Má luímidne le chéile beidh mac iontach agat dá bharr ar a dtabharfar Mongán. Rachaidh mise don chath a throidfear amárach ar a trí, sábhálfaidh mé d'fhear céile agus cloífidh mé an laoch úd os comhair súl fear Alban uile. Inseoidh mé na himeachtaí seo go léir do d'fhear céile ansin agus míneoidh mé gur tusa faoi deara dom dul i gcabhair air.'

Dhein siad amhlaidh. An uair go raibh eagar catha ar an dá arm, chonaic siad an fear galánta os comhair arm Aedáin agus Fiachna. Chuaigh sé a fhad le Fiachna go háirithe is d'eachtraigh an comhrá a bhí aige lena bhean an lá roimhe agus faoi mar a gheall sé teacht i gcabhair air ag an am seo. Leis sin chuaigh sé i dtreo an laoich eile agus threascair é agus bhris Aedán agus Fiachna an cath ar an namhaid.

D'fhill Fiachna abhaile. Bhí a bhean torrach agus rug sí an mac, Mongán mac Fiachna. Ghabh Fiachna buíochas léi as ucht a raibh déanta aici ar a shon agus d'inis sise an t-iomlán dósan. Mar sin, is mac do Mhanannán an Mongán seo más é mac Fiachna féin a

thugtar air. Mar d'fhág sé an rann seo ag an máthair ag imeacht
uaithi ar maidin dó:

> Táim ag triall ar mo thigh
> Ar theacht na maidne gile,
> Manannán mac Lir
> Ainm an fhir a bhí farat.

2. *Eochaid Rígéices agus Mongán* (YBL col. 800: *Ériu* VIII 156)

Bhí Eochaid Rígéices d'Ultaibh ina Ard-Fhile ar Éirinn agus bhí a
chara Fiachna mac Báetáin rí Uladh á iarraidh chun éigse chuige.

'Ní thiocfaidh mé chugatsa thar aon duine eile de ríthe na hÉir-
eann. Tá do mhac Mongán ar an ógánach is léannta sa tír. Beidh
sé ag scéalaíocht is ag faisnéis, beidh an daoscar ag tathaint air mise
a shárú, cuirfidh mise mo mhallacht air, is beidh tusa ina dhiaidh
orm.'

'Ní hea,' arsa Fiachna, 'ach labhróidh mise leis, sa tslí nach
dtabharfaidh sé faoi do bhréagnú; ní bheidh duine ar an teaghlach
níos béasaí leat ná é.'

'Maith go leor,' arsa Eochaid, 'tabharfaidh mé an bhliain ann,
mar sin.'

Bhí sé ag tabhairt léachta, lá.

'Is suarach an mhaise duit gan tabhairt faoin mbodach bréagach,'
arsa a chompánaigh le Mongán.

'Tá go maith,' arsa Mongán leo.

Chuaigh Fiachna ar a chuairt rí agus Eochaid ina theannta. Lá dá
raibh siad sa siúl go bhfaca siad sé cinn de choirthí móra cloiche
agus ceathrar mac-chléireach timpeall orthu.

'Cad tá ar bun agaibh ansin, a chléirigh?' arsa Fiachna leo.

'Ar lorg eolais is treorach atáimid. Cabhair Dé chugainn! Nach
in é an Rí-Éigeas féin lena léiriú dúinn cé a thóg na leaca agus conas
a feistíodh ina n-áit iad.'

'Ní chuimhním air sin go léir,' arsa Eochaid. 'Ba dhóigh liom
gurbh iad Clann Dedad a thóg iad chun Cathair Chon Roí a
dhéanamh.'

'Sea, más ea,' arsa duine acu, 'deir na mac-chléirigh go bhfuil dul
amú ort.'

'Ná tóg air é,' arsa duine eile acu.

'B'fhéidir nach bhfuil a fhios aige,' arsa a pháirtí.

'Níl a fhios aige,' arsa an ceathrú duine.

'Agus más ea, cad a deir sibhse fúthu?' arsa Eochaid.

'Is é ár dtuiscintne orthu gur trí leac laochbhuíne agus trí leac féine iad; Conall Cernach a thóg le hIlland mac Fergusa iad tar éis dó seo triúr a mharú ar a chéad ghaisce: chuaigh de iad a thógáil uaidh féin i ngeall ar a óige, agus thóg Conall ina theannta iad, mar ba bhéas le hUltaibh coirthí a thógáil don líon a mharaídís ar a gcéad ghaisce; agus gread leat anois le do chuid aineolais, a Eochaid.'

'Ná cuireadh sé aon mhairg ort, má tá na cléirigh inchurtha leat féin,' arsa Fiachna leis.

Chuaigh siad chun cinn go bhfaca siad an aolráth mhór rompu agus ceathrar óganach gléasta in éadach corcra ag an doras. Téann Eochaid ina dtreo.

'Sea,' arsa Fiachna, 'cad ab áil libhse?'

'Ba mhaith linn go n-inseodh Eochaid dúinn cén ráth í seo agus cé a chónaigh inti.'

'Scata daoine a dhéanann ráthanna agus ní fhanann siad go léir sa chuimhne.'

'Caith uait, níl a fhios aige,' arsa an dara fear acu.

'Cén cur amach atá agaibh féin mar sin air?' arsa Eochaid.

Tá an freagra go pras ag an bhfear eile. Scaoileann sé leathrann chuige a raibh réiteach na faidhbe sa leath nach ndúirt sé –

'Agus níor thug tú an t-ainm leat ina dhiaidh sin, a Eochaid,' ar sé.

'Tá go maith,' arsa an file.

Ar aghaidh leo arís go bhfeiceann siad ráth eile agus ceathrar óganach ag aighneas ag an doras:

'Is cirte an ní a deirimse.'

'Ní cirte.'

'Cad tá ar siúl agaibh?' arsa Fiachna.

'Aighneas faoi cén ráth í seo agus cé a thóg; ach chuir Dia fear an eolais iomláin inár dtreo lena léiriú dúinn.'

'Ná náirigh é, níl a fhios aige,' arsa a pháirtí.

'Cad is eol daoibh féin mar gheall uirthi?' arsa Eochaid. Scaoil an fear eile rann iomlán chuige go raibh an t-eolas go léir ann: 'Ráth Immgat a ainm dá bhrí sin, a Eochaid, agus ní maith an bhail ort a bheith dall air.' Bhí náire ar Eochaid.

'Nach cuma duit, a Eochaid, ní lúide ár meas ort,' arsa Fiachna.

Bhí Mongán is a mhuintir sa bhaile rompu.

'Tusa a dhein é sin orm, a Mhongáin, tá a fhios agam go maith é,' arsa Eochaid.

'Dúirt tú é,' arsa Mongán.

'Ní hé do leas a dhein tú; fágfaidh mise máchail ort dá dhroim. Beidh tú gan sásamh i ndíol ar an spórt breá a dhein tú duit féin: ní bheidh ar do shliocht ach *eachbhachlaigh* (i.e. giollaí capall) . . .

3. 'Scéal as a dtuigtear gurbh é Finn mac Cumaill Mongán, agus Toisc Oidhe Fothaid Airgdig á eachtraí anseo' (LU 133, *Voyage of Bran* 45 ff.)

Bhí Mongán ina fhlaitheas i Ráth Mór Magh Line. Bhí Forgoll file ar céilí aige i dteannta mórán lánúineacha eile. D'insíodh an file scéal do Mhongán gach oíche agus bhí siad chomh flúirseach aige go leanadh an caidreamh sin ó Shamhain go Bealtaine. D'fhaigheadh sé séada agus bia ó Mhongán.

D'fhiafraigh Mongán dá fhile, lá, cén oidhe a chuaigh ar Fhothad Airgdech. Dúirt Forgoll gur maraíodh i nDubthair i gCúige Laighean é. Dúirt Mongán gur bhréag dó sin. Bhagair an file air go n-aorfadh sé é i ngeall ar é a shárú, go n-aorfadh sé a athair is a mháthair is a sheanathair, agus go gcanfadh sé briochtaí ar na huiscí, sa tslí nach mbéarfaí ar aon iasc sna hinbhir. Go gcanfadh sé briochtaí ar a choillte i dtreo is nach dtabharfaidís toradh, agus fós ar a mhachairí i dtreo is go mbeidís aimrid go deo ina dhiaidh.

Thairg Mongán a bhreith féin de shéada dó go dtí luach seacht is dhá sheacht is trí sheacht de chumhala. Ansin thairg sé trian dá fhearann, a leath, agus sa deireadh a fhearann iomlán dó; ar deireadh thiar gach aon ní a bhí aige ach a shaoirse féin is saoirse a mhná Breóthigern, mura ndéanfaí a fhuascailt faoi cheann trí lá. Ní ghéillfeadh an file dó ach sa mhéid a bhain leis an mbean. Ghlac Mongán leis sin, áfach, ar son a einigh. Bhí an bhean go dubhach, is níor fhág an deoir a grua, ach dúirt sé léi gan a bheith brónach mar go bhféadfadh cabhair teacht chucu.

Mar sin dóibh gur tháinig an treas lá. Thosaigh an file ag teannadh air. Dúirt Mongán leis fanacht go tráthnóna. Bhí Mongán agus a bhean ina ngrianán. Caoineann sise nuair nach bhfeiceann sí cabhair ag teacht, agus am tíolactha chucu. 'Ná caoin, a bhean! Féach go bhfuil fear ag teacht anois ag fóirithint orainn: cloisim a chosa sa Labrinne' (abhainn i gCiarraí).

Fanann siad tamall eile. Caoineann an bhean athuair. 'Ná caoin, a bhean, an fear atá ag teacht i gcabhair orainn, cloisim a chosa sa Mhaín.'

Bhí siad ó thráth go tráth den lá ag fionraí ar an dul sin: chaoineadh sise is deireadh seisean léi: 'Ná caoin, a bhean; an fear atá ag teacht i gcabhair orainn cloisim a chosa sa Leamhain, i Loch Léin, sa Samaír idir Uí Fidgente agus na hAradha (i gCo. Luimnigh), sa tSiúir ar Mhagh Feimen, san Echuir, sa Bhearbha, sa Life, sa Bhóinn, sa Níth (i gCo. Lú), sa Ríg, san Olarbe ar bhéala Rátha Móire.'

Ar thitim na hoíche bhí Mongán ar a tholg sa phálás agus a bhean ar a dheis faoi dhúsmúid. Bhí an file ag fógairt a n-urraí is a mbannaí. Leis sin fógraíodh fear a bheith ag déanamh aneas ar an ráth, a fhallaing fillte uime agus crann sleá nach raibh beag ina lámh. Tagann sé de léim ar a chrann sleá thar an trí mhóta, gur ráinig lár na faiche, uaidh sin isteach go lár na cúirte, agus ar aghaidh gur ráinig idir Mongán agus an balla ag a adhairt. Bhí an file in iarthar an tí laistiar de Mhongán. Tógtar an cheist i bhfianaise an óglaigh dheoranta.

'Cad tá idir camáin agaibh?' ar sé.

'Tá sé ina gheall agamsa agus ag an bhfile ansin faoi bhás Fhothaid Airgdig. Dúirt seisean gur i nDubthar Laighean a maraíodh é; dúirt mise gur bhreág dó é.'

Labhair an t-óglach á rá go raibh an t-éitheach ag an bhfile. Lean sé air ansin:

'Mar chruthú air: bhíomarna leatsa, le Finn . . .'

'Éist!' arsa Mongán. 'Ní ceart sin.'

'Sea, más ea! Thángamar ó Albain le Finn; bhuaileamar le Fothad Airgdech ansin thall ar abhainn na Latharna. Bhí sé ina chath eadrainn. Chaith mé urchar leis gur chuaigh an t-iarann tríd agus i dtalamh lastall dó. Is é seo crann na sleá sin. Gheofar an mhaolchloch ónar chaith mise an t-urchar sin, agus gheofar an t-iarann sa talamh agus feart Fhothaid Airgdig tamall lastoir dó. Tá cónra chloiche uime agus a dhá fhail airgid is a dhá bhuinne dóide is a mhuince airgid ar an gcónra. Agus tá coirthe taobh leis an bhfeart agus Ogom ar an gceann di atá sa talamh. Is é a deir sé "Eochaid Airgdech é seo. Caílte a mharaigh é i gcomhrac le Finn."'

Chuaigh siad le cois an óglaigh agus fuarthas gach uile shórt dá réir. Ba é Caílte, dalta Fhinn a tháinig chuige. Ba é Mongán Finn, dá bhrí sin, cé nach gceadódh sé a nochtadh.

Duine a shamhlú a bhfuil sárú na bhfilí ann is fogha faoi chóras é agus comhartha go bhfuil athrú ré ag teacht. I scéal Eochaid feicimid Mongán i gcomhar le hionadaithe na ré sin: mac-chléirigh a bhfuil féith an ghrinn go láidir iontu: tá siad óg: ach seargfaidh an greann iontu is beidh siad féin chomh ceartaiseach is chomh tiarnúil leis an dream a chuaigh rompu. Malairt máistrí ach buan-mhallacht! Féach mar a aorann Mac Conglinne iad!

Ní fearr atá Mongán ag réiteach le Forgoll ná mar a dhein sé le hEochaid. Ba bheag an bun a bhí leis an aighneas, dáiríre. Bhí éad a ghairme ag cur as don fhile, is bhí sé postúil. Ar ndóigh, níor thug an córas mórán seans dá leithéid: ba gheis don fhile bheith aineolach nuair a cheisteofaí é agus ní iontach an ghargacht ina sciath dídine acu, go háirithe in aiseag an deiliúis. Déanta na fírinne ba í sciath Aithirne a bhí á hionramháil ag Forgoll, i.e. áer ⁊ glám dícend ⁊ áilges 'aor, eascaine agus dianéileamh' (LL 187 b 4). Bhí an seasamh céanna sa dlí ag file cáilithe agus ag rí tuaithe, á thomhas de réir 'luach einigh' (lóg n-enech, díre, eneclann) is é sin 'luach onóra' duine. Seacht gcumhal a bhí leagtha orthu araon (A.L. v 56–58). Sin é a thairg Mongán dó ar an gcéad ásc sa tslí go bhféadfaí an ghoimh phearsanta a bhaint as an gcúram is dócha agus é a chaitheamh uathu gan a thuilleadh air. Ba é a fhile féin a bhí ann. Ach bhí a dhúshlán seo tugtha agus bhí sé chun an fód a sheasamh. Dá n-aorfadh sé Mongán san éagóir bheadh sé faoi bhagairt ag dlí an phobail agus ag dlí Dé. Ach cén mhaith sin do Mhongán nuair a bheadh meath na mallachta air féin is ar a chúram. Ba é a bhuaic sin an mhallacht a sheachaint agus an chúis a chur ar a triail. B'ábhalmhór an geall a chaith sé a chur le cairde a cheannach.

De réir traidisiúin amháin, is i mainistir Bheannchor a cuireadh Mongán:[2]

I m-Bendchur	I mBeannchor
Atá Mongán mac Fiachna;	Atá Mongán mac Fiachna (curtha),
Is le[is] atá Conchobur	Is leis atá Conchobur
Ar grafaind scaílte sciathcha.	Ag comhrac scoilte na sciath.

---

2. Cf. *Ir. Texte* III 87, *Voyage of Bran* I 86.

An tábhacht a bhain le hOileán Í i bpolaitíocht na hEaglaise ar feadh céad go leith blian, bhí sin ag roinnt le mainistir Bheannchor ar feadh trí chéad blian i gcúrsaí ealaíne is dána, dar le Heinrich Zimmer.[3] Lárionad léinn is caidrimh idir Oir-Thuaisceart Éireann agus an Bhreatain is an Mhór-Roinn, coinneal adhainte an tseanléinn dhúchasaigh is na nualitríochta tuata is eaglasta ba ea Beannchor. Eiseamláir ar an mbeospéis is ar an saothrú seo an t-ilchruthach Mongán mac Manannáin. I *Scél Mongáin* labhraíonn sé as a chleachtadh féin, faoi mar a chonaiceamar thuas é, leis an mac léinn a bhí ag coraíocht lena chúram is é gléasta go fíordhealbh:[4]

Is búan	Is buan gach ní
Huli hi fola lu[i]mne,	(is tú) faoi chlóca garbhéadaigh,
Conda·rois íar téchtu	In am tráth sroichfidh tusa leis
Inna drēchtu imm druimne.	Na dréachtaí mullaigh.

Is deacair saga Mhongáin a dheighilt ó fhorbairt a linne in Oir-Ultaibh sa seachtú céad. Ní inmholta ach oiread *Immram Brain* ó Loch Feabhail a scaradh ón bhforbairt chéanna.

---

3. *Über alte Handelsverbindungen Westgalliens mit Irland,* (iii) lch 591.

4. Cf. LU 134a, *Voyage of Bran* I 52.

X

Críonnacht an tSeanóra agus Véarsaíocht an Dlíodóra

Thagraíomar thuas don dlúthbhaint a bhí ag an nath samplach nó an seanfhocal le leagan amach an dlí ó bhéal, leis an dlí mar chóras béaloidis (lch 8). Filí a bhí i mbun an dlí in Éirinn[1] agus tá loinnir is diamhair na héigse ag cur le grinneas is gontacht an tseanfhocail acu sa saothar is rathúla uathu. *Amail arind·chain fénechas* 'mar a chanann/aithrisíonn dlíthe na nGael é' a deirtear sna dlíthe nuair a bhíonn sliocht as an traidisiún is ársa á thabhairt. Tá an dá ghné, an béaloideas is an fhilíocht agus tuilleadh ina dteannta sa choimriú a dhéantar ar an ábhar ag fíorthosach an t*Senchais Máir* (A.L. I 30): '*Seanchas* nó *Dlí* na nGael, cad a chaomhnaigh é?

' Comhchuimhne dhá sheanóir, an traidisiún béil, dícheadal nó cantain na bhfilí, neart ón dlí aiceanta agus cabhair ón Scríbhinn Dhiaga.'

Tá an freagra seo cruinn, iomlán. Dhá phríomhchineál a thug an *senchas* isteach (le cois na véarsaíochta fánaí), mar tá, scéalta faoi bhunadh ciníocha is clann, agus rianadh sleachta ó shinsear anuas. ('Ginealaigh' a tugadh ar shleachta á rianadh siar amach, faoi mar tá i g*Corp. Gen.* 1, faoin teideal *Bunad Laigen ⁊ a Tindrem co Ádam* 'bunadh na Laigen á leanacht siar go hÁdhamh'; tosaíonn sé le Nuadu Necht.) *Airliter cumni cóich comarbai cré* 'téitear i muinín cuimhní (daoine chun a fháil amach) cé acu comharba ar leis an talamh' a deirtear go foirmiúil i SC §25. Fágadh an bhreith faoin té ba shine, mar is léir ó *Shuidigud Tellaig Temra* 'Réiteach fhearannas na Temrach' (*Ériu* IV 121 ff.). Nuair a mhínigh Fintan mac Bóchna don rí Diarmait cé chomh cianársa is a bhí sé féin, dúirt an rí leis (§11) 'Is deimhin go bhfuil tú críonna! Ba shárú breith seanóra do bhreith a shárú! Ar an ábhar sin sea a chuireamar fios ort, le go dtabharfá breith na fírinne dúinn.' Agus ó tharla gur

---

1. Féach Eg. 88 f. 61 (62) a: *Ni ba hairechtach aí manba faitech cach aosa i roscadhuib filed fēne* 'No one is competent to plead in a court of law unless he is skilled in every kind of legal science in the maxims of the Irish poets'.

95

rugadh Fintan roimh Dhíle (!) agus go raibh sé comhaimseartha le
gach glúin dár mhair in Éirinn ina diaidh, ar nós Thuain mhic
Chairill (LU 15a–16a) agus cuimhne dá réir aige, ní raibh Éire
gan *senchas* ná an rí gan *senchaí* a dhiongbhála.

Ní sáraítear an seanfhocal[1a] a deirtear, is níor mhiste a fhiafraí, cén
fáth. Caithimis súil, mar sin, ar ghlac bheag acu. Seanfhocal a bhfuil
aois mhaith laistiar de sea *fearr seanfhiacha ná seanfhala* nó *ferr sen-
fiacha senfala,* mar a leagtar i mbéal Aldfrith mhic Oswiu rí Northum-
bria é (*Anecd.* iii 18). *Ná tabhair taobh le fear fala* 'ná cuir do mhuinín
sa duine gangaideach' a deirtear, leis, ach ní luaitear aon aois mhór
leis. Tá *gach dalta mar oiltear* ann chomh maith; deir T. F. Ó
Raithille[2] ina thaobh 'uaireanta cuirtear *agus an lacha ar an uisce*
leis. Malairt ar an bhfocal ársa *ealta* "scata éan" atá imithe as an
gcaint le fada, sea *dalta,* cé gur chualas an seanfhocal i mbéal duine
ó Bhaile Mhuirne mar a leanas: *gach ealtha mar oilthear.* Bíonn *éan*
in ionad *ealta,* leis: *gach éan mar oiltear, agus an naoscann san eabar*
"gach éan de reir a oiliúna, agus an naoscach sa lathaigh".' Léir-
íonn an Raithilleach go dtéann an seanfhocal siar ar a laghad chomh
fada le Tadhg Mór Ó hUiginn (+1315) mar go bhfuil *Cach én
mar a adhba* 'bíonn gach éan de réir mar a bhíonn a bhaile, nó a
nead' i dtosach dáin aige. Tá an bhrí chéanna, mórán, leis an nath
cionnus bheadh an t-ubhaillín acht mar bheadh an t-abhaillín? 'de réir an
chrainn a bhíonn an t-úll'.

Tá tréithíocht áirithe le sonrú sna natháin seo ar fad. Ar an gcéad
dul síos tá siad tearcfhocail. Chomh maith leis sin is gnách dhá
phríomhthéarma iontu agus comhimirt éigin áirithe eatarthu. Sa
chéad sampla, *seanfhiacha* is *seanfhala* an dá théarma sin. Á gcóimheas
atá siad. Dá chomhartha sin, tá comhchosúlacht foirme acu lena
chéile. Tá seanleagan Aldfrith chomh tearcfhocail sin nach bhfuil
cead isteach leis na príomhfhocail ach ag an téarma cóimheasa
ferr. Sa chéad nathán eile seasann na cnuasaigh *tabhair taobh* is *fear
fala* d'fhocail shimplí. Ní gan chúis an chomhuaim dhúbailte iontu.
Cén fáth go gcuirtear an bhreis *agus an lacha ar an uisce* leis an gcéad
nathán eile? Mar gurb é a leathcheann é: léiríonn sé an nathán le
sampla agus comhlánaíonn sé ar bhealaí eile é: déanann sé leathrann
den nathán aonair agus cuireann sé an dlaoi mhullaigh air le comh-

---

1a. Cf. T. F. O'Rahilly, *A Miscellany of Irish Proverbs,* B.Á.C. 1922, Preface. As an leabhar
sin na seanfhocail a luaitear san alt seo.

2. Idem, 4.

ardadh. Cuid an fhile é sin; measann an file gur fearrde an nathán aonair leathcheann ina theannta atá ar chomhchothrom leis. Ní *dalta* a bhíodh sa seanfhocal ach *ealta*. Cad chuige *ealta*? – Mar go gcuireann sé príomhthéarma i dteannta *oiltear* atá cosúil san fhoirm leis: tá comhuaim eatarthu agus comhfhreagracht idir *ealth-/oilth-*; baineann filíocht na Breatnaise an-leas as comhfhreagracht dá leithéid. Feicimid sa nathán deiridh, leis, an chomhfhreagracht idir an *t-ubhaillín/an t-abhaillín*. I gcás an natháin *gach éan mar oiltear,/ agus an naoscann san eabar* tá an coibhneas céanna idir an dá mhír agus atá sa leathrann eile thuas; tá comhfhreagracht san fhoghar idir *éan/naoscann* agus idir *oiltear/eabar*, leis.

Más de thoradh taisme an chomhuaim le *f-* sa nathán Ciarraíoch *is fada le fear fionraí é* 'An duine atá ag feitheamh, is fada leis é', tá an taisme chéanna i gceist in *binn béal ina chónaí* (nó *binn béal ina thost*). Faisnéis nó predicate sea *binn* (agus *fada*) anseo. Tá de dhifríocht idir an dá nathán go bhfuil ceangal comhuaime cheana féin idir *fear* agus *fionraí* sa chéad cheann agus nach bhfuil aon cheangal foirmiúil idir *béal* agus *tost* (*cónaí*) sa dara ceann. Féachtar le comhuaim a sholáthar leis an bhfaisnéis sa dá chás. Ar an taobh eile de is deimhin go bhfuil natháin dhea-dhéanta ar fáil gan spleáchas don eagar foirmiúil seo, mar shampla, *buan fear ina dhúthaig* 'maireann duine i bhfad ina dhúiche féin'. Más ceann déanach é *gach dalta mar oiltear* thuas, tá an aois sa cheann seo as *Tochmarc Étaíne* (LU 10899) *Is fiach ma gelltar* 'má ghealltar rud, fiach sea é go dtí go gcomhlíontar'. Gontacht neamhbhalbh na céille atá anseo.

An chríonnacht seo a fáisceadh as an saol is as an seanchas, b'fhéidir í a léiriú mar mhachnamh (A) nó mar chomhairle (B): mar cheacht foghlamtha ag an duine féin (A) nó mar cheacht don dara duine (B). Tá an dá chineál i litríocht na Gaeilge agus tugtar litríocht *gnómach* orthu in éineacht, ó γνώμη 'léargas, breithiúnas' na Gréigise. Le (A) a bhaineann na natháin uimhriúla, natháin atá eagraithe de réir líon na rudaí a luaitear iontu, mar tá sa tré seo a leanas: *trí aithghin an domhain: brú mná, úth bó, neas gabhann*. Tá samplaí de gach uile ghrúpa acu ó na 2-anna go dtí na 9-anna le fáil sna dlíthe: mar a fheicfimid ar ball, cuid de chúram an dlí é liostaí is mionchuntas a chur ar fáil. Seachtanna/Heptads ar fad sea A.L. V 118–373.

I bhfoirm treorach don rí óg nó don phrionsa de réir ghnáis an *Speculum Principis* na cnuasaigh ghnómacha is mó le rá is is ársa dá

H

bhfuil againn. Tá siad luaite le Cormac mac Airt is lena bhreithiúna Morand is Fíthal; féach lgh 81 ff. Seasann *Tecosca Moraind*[3] leis féin i dtaca le haois is le struchtúr: téann leagan amháin de, (B), siar go dtí an 7ú céad. *Tecosca Cormaic*[4] ó bhéal an rí cháiliúil seo dá mhac Cairbre mar dhóigh de, is ainmniúla ina dhiaidh sin; baineann siad leis an 9ú céad. Is iondúil dhá chnuasach eile á lua i dteannta an téacs seo, *Senbriathra Fíthail*[5] (=breitheamh Chormaic) agus *Briathra Flaind Fína*[6] (=Aldfrith, rí Northumbria †705). Téann na cnuasaigh seo trína chéile a bheag nó a mhór sna lsí sa mhéid go dtarlaíonn míreanna áirithe de *Senbr. F.* istigh le *Tec. Corm.* agus míreanna eile istigh le *Br. F. F.* Ina dteannta seo tá an téacs giortach *Briathar-thecosc Con Culaind*[7]: 40 éigin treoir don damhna rí Lugaid Reoderg óna athair altrama Cú Chulainn. Ní bheidh trácht anseo ar na téacsanna gnómacha eile,[8] is cloífimid go háirithe le *Tec. Mor.* is le *Tec. Corm.*

Baineann *Tec. Corm.* le saol mionríthe, leis an *gcomitatus* nó an rítheaghlach laochta agus leis an laochas maolaithe Críostaí. Tá an laochas nach mór báite ag an gCríostaíocht iontu, agus ar éigean má tá aon ghríosadh chun cogaidh iontu. "Cad is fearr do rí, a Chormaic?" arsa Cairbre (§1):

	Fosta cen fheirg,	Seasmhacht gan fearg,
	Ainmne cen debaid,	Foighne gan imreas,
5	Soacallaim cen mórdataid,	So-chaidearthacht gan díomas,
	Deithide senchasa,	Freastal ar sheanchas,
	Frithfholad fír,	Frithfhónamh cóir,
	Géill i nglassaib,	Géill i gcuibhreann,
	Slógad fri deithbiri,	Slógadh le húdar,
10	Fír cen fhuilled,	Fírinne gan cur leis,
	Trócaire co ndlúthugud rechta,	Trócaire is neartú reachta,
	Síd do thúathaib,	Síocháin do thuatha,
	Rátha écsamla,	Urraí éagsúla,
	Bretha fíra,	Fíorbhreitheanna,

3. Eag. Thurneysen, ZCP XI 56–106.
4. Eag. K. Meyer, *Todd Lectures* 15, B.Á.C. 1909. Cf. Thurneysen, *Zu Ir. Hss. und Litteraturdenkmälern*, 3 ff., Berlin 1912.
5. Eag. Thurneysen, op. cit. 11–22; R. M. Smith, RC 45, 1–92; cf. RC 46, 268–271.
6. Eag. Smith, RC 45: 61 ff. Cf. K. Meyer, *Anecd.* III 10–20.
7. Cf. *Seirglige Con Culaind* §25, eag. M. Dillon, B.Á.C. 1953.
8. Cf. EECL 104–5.

15 Troscud for cocrichaib, Troscadh ar thuatha cóngaracha,
   Mórad nemed, Adhmholadh na n-uaisle,
   Airmitiu fhiled, Urraim do na filí,
   Adrad Dé móir, Adhradh Dé,
   Torud inna fhlaith . . . Torthúlacht faoina réim . . .

Is fada ó *Fhergus Flann* nó ó *Chrimthann Cosrach Ruad* na Lagen (ÄID I 17 §§6, 7) barrshamhail ríoga Chormaic. Smacht air féin, foighne, spéis sa chultúr atá luaite ar dtús (3–6), ansin an mhaith phoiblí sa mhéid go mbraitheann sé ar chothrom, ar ghialla ó lucht comhchonartha, is ar cheart cogaidh (7–9). Moltar troscadh ar thuath eile i leabaidh chogaidh (15) agus baineann cuid mhaith de na moltaí eile thuas le neartú na síochána. Dá mhéad *ráth* nó urra a bhíonn le conradh (13) sea is daingne é, mar caitheann an *ráth* a mhaoin a chur i ngeall thar ceann a phríomhaí, má theipeann siúd. Bronnann Dia torthúlacht ar phobal is ar thír dea-fhlatha (19).

Ar na rudaí a chuireann le leas tuaithe (§3) luaitear 'trócaire agus dea-bhéas' (17), trua do dhonáin (15), fianna gan sotal (23) agus fearúlacht leis an namhaid (24) – in ionad fhraoch an ghaiscígh (cf. lch 176). Dá bhrí sin nuair a luaitear ruaig thar theorainn (1.30) i dteannta buíon claíomhach chun tuath a chosaint (1.29) is mó de bhagairt chosanta ná d'intinn ghabhála atá le tuiscint as. *Fír flathemon* (1.45) nó cóir reachta rí agus leas tuaithe ábhar na n-alt tosaigh seo *Thec. Corm.* Tá tagairtí aonair agus sleachta iontu a bhaineann go díreach nó go hindíreach le cúram teicniúil an bhreithimh, mar §1. 13–14 thuas ar lámh amháin, agus 7–11 ar an lámh eile. Is é sainchúram an bhreithimh coirpigh a chur faoi chois (1.37) agus fíorbhreitheanna a thabhairt (1. 38, 43), mar aon leis na rudaí a luaitear in §2.11–30, §3.26–37, 43–44, 47–48 agus cuid de na moltaí in §2.4–10. Moltaí a bhaineann go dlúth leis an gcomhthéacs seo sea cúram *senchais* (1.6), cothú na ndánta is neartú na síochána (1.39, 40) agus móradh na bhfilí (1.17).

Ar na 37 alt i d*Tec. Corm.* áirítear gurb iad na 18 tosaigh an chuid bhunaidh is gur breis leo an chuid eile. Is iad §§1–18, go háirithe, a bheidh faoi chaibidil againn anseo. Liosta comhairleacha (treoracha) nó airíona (tréithe) atá i ngach alt de réir mar a bhaintear leas as an *Tecosc* chun críonnachta machnaimh (cineál A thuas) nó chun aithrise is gnímh (cineál B). In §7, mar shampla, béasa Chormaic is é ina ghasúr atá á n-áireamh, in §13 airíona daoine, in §16 airíona na mban, in §17 airíona na haimsire, agus in §18 airíona drochthís: le (A) a bhaineann siad go léir. Foirm ordaitheach

an bhriathair an comhartha is léire ar chineál (B), e.g. *uaged cech
síd* 'fíodh sé nó cothaíodh sé gach síocháin' §1.40; ainm-abairt, e.g.
airmitiu filed 'móradh na bhfilí' §1.17, gnáthmhúnla cineáil (A).
Tá an dá shórt i dteannta a chéile in §1. D'fhéadfadh an dá shampla
seo a gcruth a mhalartú lena chéile chomh maith e.g. **uaim cech
síde* §1.40, **airmined fileda* §1.17, rud a léiríonn nach bhfuil idir (A)
agus (B) ar deireadh ach an cur i láthair, de réir an chomhthéacs.

Déanann an fhoirmle cheisteach *a hUí Chuind, a Chormaic* . . . (nó
a mhacasamhail) ag tús gach ailt comhcheangal is comhtháthú ar
Thec. Corm. Bíonn eagrú leis ar na natháin ghnómacha a leanann an
fhoirmle sin istigh san alt. Má thógtar §1.3–19 thuas mar shampla,
feicfear go bhfuil siad comhchosúil sa mhéid gur ainm-abairtí iad
uile: ainm +forlíonadh (réamhfhoclach, aid. nó ainm) an déanamh
atá orthu. I gcás §1.3–5, mar shampla, deirtear go bhfuil na habairtí
comhthreomhar (parallel) lena chéile mar go bhfuil an déanamh
céanna ar fad orthu. Samplaí eile sea 13–14, 16–18. Ó thaobh
dhúchas na teanga de is inmheasta nár ghá an t-ionannas iomlán
seo sa déanamh le go mbraithfí go bhfuil abairtí comhchineáil: is
leor an múnla bunaidh *ainm +forlíonadh* lena leagan in aon sraith
amháin san alt seo.

Eagrú na comhréire é sin. Ach tá sé iarracht nocht nó balbh ann
féin, agus cuirtear foghar leis in ailt eile; mar shampla §4, áit a
bhfuil cearta flatha agus coirmthí á n-áireamh. Seo a leanas riar acu:

	Costud im dagfhlaith,	Dea-iompar i láthair uasalfhlatha,
5	Lassamna do lochrannaib,	Lóchrainn ar lasadh,
	Luthbas im shochaide,	Dúthracht a chaitheamh leis an
		gcomhluadar,
	Samugud suide,	Suíocháin a shocrú,
	Soichlige dáleman,	Féile lucht riartha,
	Díanlám oc fodail,	Dáileoirí éasca,
10	Fochraibe oc timthirecht,	Freastal cóngarach,
	Tigerna do charthain,	Grá don tiarna,
	Mesrugud senma,	Measarthacht sa cheol,
	Scélugud ngairit,	Scéalta gearra,
	Gnúis fháilid.	Aghaidh na fáilte.

Tá comhuaim nó ionannas céadfhoghair anseo idir focal deiridh
gach abairte agus foghar tosaigh na habairte a leanann é, mar
lochrannaib 5/ *luthbas* 6. Líne 12 an t-aon eisceacht san alt ar fad.
Gléas eagraithe mí-éifeachtach sea an chomhuaim bheacht, tríd is
tríd, mar go bhfágann sí an-iomarca lasmuigh dá compall. Ar an

ábhar sin, ní foláir, sea a glacadh leis an gcóras maolaithe: dá réir
seo déanann *p*- comhuaim le *b*-, *t*- le *d*-, *c*- le *g*-, *f*- le *fh*, *l*- le *fhl*-
agus mar sin de. Baineann an éascaíocht seo leis an rosc agus leis
an bhfilíocht chomh maith, mar a fheicifimid ar ball.

Gléas eile chun an t-alt a chomháthú sea an *dúnad*. Leis an
bhfilíocht go háirithe a luaitear é seo; macalla sea é idir tús is
deireadh dáin nó dréachta trí bhíthin athrá na chéad líne nó an
chéad fhocail nó an chéad siolla ag an deireadh, nó fiú amháin trí
chomhuaim idir an focal tosaigh is an focal deiridh: nó trí mhacalla
níos éiginnte ná na cineálacha sin: an téama tosaigh a athlua ag an
deireadh. Seo é an cineál atá i gceist mar shampla in §3: A thús:
Cid as dech do less túathe? 'Cad is fearr do leas tuaithe?' A dheireadh:
Dech do less túathe in sin 'sin é is fearr do leas tuaithe'. Tá an cineál
seo *dúnad* i gceist in §§3–8, 14. Baintear leas as sa *Dindshenchas* is in
áiteanna eile sa litríocht agus tá sé fréamhaithe go láidir sa tsean-
chaíocht.

Is é prionsabal na comhthreomhaireachta a chinneann struchtúr
an ailt i d*Tec. Corm.* Sraitheanna ar phatrúin éagsúla sea na hailt
agus abairtí ar aon déanamh istigh i ngach sraith acu. Seo a leanas
trí shampla de na patrúin ghnómacha seo:

§6. 12–15, mar fhreagra ar an gceist, cad iad na tréithe is dual
do fhlaith?

Rop fili,	Bíodh sé ina fhile,
Rop fénech,	Bíodh sé oilte sa dlí,
Rop gáeth,	Bíodh sé críonna,
Rop gartaid . . .	Bíodh sé fial . . .

§13. 6–9, i bhfreagra na ceiste, conas a idirdhealaíonn tú idir
daoine?

Gáeth cech fossaid,	Gach duine atá seasmhach bíonn sé críonna,
Fírén cech fíal,	Gach duine atá fial bíonn sé ionraic,
Fedil cech ainmnetach,	Gach duine atá foighneach bíonn sé buan,
Fissid cech foglaintid . . .	Gach duine atá tugtha don léann bíonn sé foghlamtha.

§16. 115–119 i bhfreagra ar an gceist, conas a idirdhealaíonn tú
mná óna chéile?

At tonna not·báidet,	Tonna iad a bhánn tú,
At tene not·loisc,	Tine iad a loisceann tú,
At airm defháebracha	Airm dhéfhaobhracha iad a
not·chloidmet,	ghearrann tú,
At legaim ar lenamain,	Leamhain iad a ghreamaíonn ionat,
At nathracha ar túaichli . . .	Nathracha nimhe iad le gliceas.

Seo a leanas na patrúin eile is suntasaí i d*Tec. Corm.*:

a) Ba-sa coistechtach caille 'B'éisteoir i gcoill mé' §7.4–15;

b) Ba-sa oirgnech i mbsa dechenborach 'Bhí mé ar tí slada nuair a bhí mé ar bhuíon deichniúir §8.6–8;

c) Nírba lesc 'ná bí leisciúil' §12.11–16;

d) Nírba crúaid ar ná ba áertha 'ní raibh mé crua ar eagla m'aortha' §7.16–21, 23;

e) Nírba úallach minba trebthach 'ná bí díomasach mura bhfuil gabháltas agat' §11.4–8;

f) Ní cuitbe/ nach sen ciarba óc/ ná bocht ciarba shoimm etc. 'ná caith anuas ar sheanduine is tú óg, ná ar bhochtán is tú saibhir' §12.3–10;

g) Ní aiscinn is no·molainn 'ní fhaighinn locht, ach mholainn' §7.25–6;

h) Ferr a mbúalad a mbuidechas 'is fearr [na mná] a bhualadh ná iad a shásamh.' §16.106–112;

i) Sampla ar dhrochthíos: *uic/tuic/beir/tabair!* 'faigh! tabhair i leith! tóg! tabhair!' §18.

Ní sraitheanna aon mhúnla na hailt go léir ina dhiaidh sin. In §7 tá múnlaí *(a)*, *(d)*, *(g)* eagraithe i ndiaidh a chéile in aon sraith amháin. Is léir go bhfuil na múnlaí seo comhghaolmhar agus go n-glacann an teanga leo i malairt a chéile. In §12 tá múnlaí *(f)* agus *(c)* san aon sraith, agus in §11 tá an múnla *nírba lachtmar cen bú* 'ná bí fial le bainne gan ba bainne agat' i dteannta múnla *(e)*. In §6 (féach na samplaí thuas) modh foshuiteach, 3ú p. uath. sea *rop*; ach glactar leis an uimhir iolra *ropat* ina theannta (47–9) agus leis an modh ordaitheach nó an modh foshuiteach uath. de bhriathra eile (e.g. *mestar cách íarna thochus* 'measadh sé cách de réir a dhleachta' 43, *bíathad cach ndíllechta* 'tugadh sé bia do gach díllechta' 29). Mar sin, ní hé an t-eochairfhocal *rop* a chinneann an tsraith, ach an teagasc i gcoitinne, á léiriú in abairtí comhchosúla, comhghaolmhara. Ní gá an múnla ceannann céanna iontu. Modh ordaitheach + cuspóir an t-eagar atá ar §2.4–17, leis: mar shampla, 4–7:

Congbad máru,	Coisceadh sé na daoine móra,
Marbad ulcu,	Maraíodh sé coirpigh,
Mórad maithi,	Móradh sé dea-dhaoine,
Tróethad foglaide . . .	Cuireadh sé lucht foghla faoi chois.

An múnla bunaidh *ainm* + *forlíonadh*, cuid mhór, atá ar fáil in §§1, 3, 4, 14, 16 i riochtaí éagsúla, go háirithe sa riocht *ainm* + *aidiacht* nó *gin. ainm* (féach §1.13–14; 16–18 thuas mar shampla) nó sa riocht *aidiacht* + *gin. ainm* (e.g. *báetha comairle* 'místuama chun comhairle' i dtaca le tréithíocht na mban, §16.6).

Casaimis anois ó struchtúr an *Tecoisc* is an ailt chuig struchtúr an natháin aonair dá bhfuil an t-alt comhdhéanta. Conas tá an nathán curtha le chéile, an cheist atá le cíoradh. Léiríonn na samplaí thuas gur *abairt dhébhéimeach* an nathán, i bprionsabal: tá lé leis an abairt dhébhéimeach ar fud an chnuasaigh. Mar sin, nuair a bhuailimid le habairt de dhéanamh eile, is ceart a fhiafraí, an bhfuil aon bhaint idir í agus an abairt dhébhéimeach?

Nuair a scagtar an cheist go mion, feictear go bhfuil na cineálacha seo nathán[9] le hidirdhealú i dTec. Corm.: A) An nathán aonbhéimeach. B) An nathán débhéimeach; C) An nathán débhéimeach a bhfuil comhuaim ann; D) An nathán sínte; E) An nathán cothrom.

Samplaí:

A) §6.3 *Rop sogeis* 'bíodh geasa maithe aige'. Struchtúr: Copail + aid. Tá an cineál seo gann.

B) §1.4 *Ainmne cen debaid* (thuas).

C) §1.7 *Frithfholad fír* (thuas).

D) Tá sé éasca bun-abairt de shórt (A) nó (B) a shíneadh trí bhíthin cónaisc mar *cen* 'gan', *ocus* 'agus', e.g. §26.6 (An phléadáil is measa:) *Tacra cen toga/, cen chuindrech/, cen astud, /cen airbert* 'pléadáil gan togha, gan srian, gan ghreim, gan chleachtadh'. In §5 míníonn Cormac bunús flaithiúnais do Chairbre. Faigheann clanna is ciníocha áirithe an ceannas:

---

9. Cf. an téarma *metron* (meadrann) ar an mbunaonad ceapadóireachta ag Seán de Búrca (*Éigse* XIV 131 ff.).

A feib chrotha/ ocus cheneóil/ ocus érgnai,
    A gaís/ ocus ordan/ ocus eslabrai/ ocus indraccus,
A feib dúthchusa/ ocus airlabra/,
    A nirt imgona/ ocus sochraite/ gaibther.

'De thairbhe deilbhe agus cine agus eolais; le gaois is le huaisleacht is le féile is le hionracas; de dhroim dúchais agus so-labharthachta; le neart comhraic agus le harm a ghabhtar flaithiúnas.' Eiseamláir mhaith an t-alt seo ar *chomhthreomhaireacht* na n-abairtí agus ar an *dúnad*, nó athghairm an téama – trí bhíthin *gaibther (flaithemnas)*, chomh maith le bheith ina eiseamláir ar an síneadh le *ocus*.

Cineál tábhachtach sea síneadh le comhuaim, mar shampla §2.18–19: *Lándílse/ ḍo cach ḷáim/ḷa fíachu* 'forghéilleadh iomlán do gach lámh, le fíneálacha'. *Comḷáithre/ ḷánfíachaib fis, /ḷethfhíachaib anfhis* 'comhchoir fhiosach le lánfhíneálacha, comhchoir ainbhiosach le leathfhíneálacha'. Cúraimí dlíodóra iad seo má bhaineann siad le cóir reachta rí féin. Tá síneadh gan uaim cheangail in §2.22 agus in áiteanna eile leis. Samplaí inspéise de shaghas atá an-choiteann i *Senbr. F.* sea §15.1–2:

Dligid ecna airmitin	'dlíonn eolas urraim',
Ar·fich gaís gail	'treascraíonn gaois crógacht'.

Síneadh le huaim cheangail é seo. Tá na patrúin a leanas ó *Shenbr. F.* i gceist:

§1:8 *Tossach féli forsinge* 'tús na féile an raidhse';

§2:3 *Ad·cota cíall caínchruth* 'gineann ciall scéimh';

§5:14 *Dligid dall dítin* 'tá dídean ag dul don dall';

§4:4 *Ferr dál debech* 'is fearr comhdháil ná comhrac'.

Descaid serce sírsilliud 'comhartha seirce síoramharc', an patrún i *Br. F. F.* §4, ach go bhfuil an uaim cheangail in easnamh ar chuid de na samplaí. Ina theannta sin tá an patrún *Gáeth cách/co reic a fhorbbai* (= *Tec. Corm.* §31.2) 'is críonna cách go ndíolann a oidhreacht' mar a bhfuil uaim cheangail idir *co* is *cách* tríd síos.

Mar sin baintear an-leas as an uaim cheangail chun natháin a chumadh. Is í an chuid is inspéise de ná go ndéanann na natháin seo línte filíochta gan cháim. Línte ar 7³, 6², 5² agus 4², faoi seach, na 4 nathán as *Senbr. F* thuas ag tosú le §1.8. As 21 nathán i *Senbr. F.* §1, línte ar 7³ sea 17 acu! Mar sin, tá an líne seo fréamhaithe go daingean sa ghnóimic agus is inmheasta gur ón ithir sin a d'fhás an líne ar 7^3 chomh tréan sin ar fad sna dlíthe: is é líne na véarsaíochta ársa dlí *par excellence* é. Líne shínte é; tá dhá chomhartha air sin, caesúr, agus uaim cheangail idir an dá fhocal deiridh de.

E) An nathán cothrom: nathán (sínte) é seo a bhfuil cothrom (i.e. contrárthacht + comhchosúlacht) idir a dhá mhír; mar shampla, patrún *(e)* thuas: *Nírba úallach, minba trebthach* 'ná bí díomasach, mura bhfuil gabháltas agat' (§11.4). Tá contrárthachtaí i gceist sa dá mhír; ag an am céanna tá an dá mhír comhchosúil san fhoirm (*Nírba* + aidiacht: *Minba* + aidiacht) agus coinníonn sin an chodarsnacht sa dearcadh i bhfócas.

Baineann patrúin *(b)*, *(e)*, *(f)*, *(g)*, *(h)* thuas leis an sórt seo. Cineál gnómach amach is amach é a oireann don chodarsnacht, agus ní bhaineann an fhilíocht mórán leasa as.

Is é a deir Thurneysen faoi údar *Thec. Mor.* (ZCP XI 78) gur dóichí gurbh fhile agus breitheamh é. Ar cheartbhreithiúnas, ar shíocháin is ar shuaimhneas atá a aire; níl aon aird aige ar dhualgais mhíleata an fhlatha. Má fhágann sin gaolmhar le *Tec. Corm.* ina mheon is ina dhearcadh é, tá difríochtaí eatarthu sa chur chuige is sa struchtúr. Ó tharla cur síos ar *Thec. Mor.* i gcoitinne agus ar a stíl in EECL 104–110, féadfaimid ár n-aire a dhíriú ar ghnéithe eile de anseo.

I bhfoirm comhairlí ón mbreitheamh Morand dá theachtaire Nere le tabhairt don rí óg Feradach Find Fechtnach ('F. Fionn seansúil') atá *Tec. Mor.* leagtha amach. Mar sin, tosaíonn cuid de na hailt sa dá leagan A agus B le *Apair fris* 'Abair leis . . .'. Ceart is cóir flatha atá i gceist iontu. Trí alt is trí fichid atá sa leagan is sine agus is fairsinge B. Comhairle nó teagasc gearr ar nós an natháin aonair a bhformhór; mar shampla, §16 *Is tre fhír flaitheman cech comarba cona chlí ina chaīnorba clannus* 'Is trí chóir flatha a chuireann gach comharba a chuaille tí ina chaoinoidhreacht'. Teanga thagrach fhileata í seo; 'ó chóir rí a eascraíonn rath gach teaghlaigh' atá i gceist leis.

Struchtúr Thec. Mor. B: Tá brollach faoi bheatha is faoi theacht i gcoróin don rí Feradach le leagan B. (ZCP XI 56 ff.; EECL 105). Tá *dúnad* idir §2 agus deireadh an dréachta, §63, sa mhéid go dtosaíonn an dá alt sin le *At·rā tochomla, a mo Nere núallgnāith* 'éirigh (agus) imigh, a Nere a bhfuil cleachtadh na gairme agat'.

Sraith I: §§4, 6–11: Patrún: *Comad mo chosc* 'leanadh sé mo chomhairle'. Gríosú don teachtaire sea §5.

Sraith II: §§12–21, 24–28: Patrún: *Is tre fhīr flaitheman cech comarba cona chlí ina chaīnorba clannus* (16, thuas).

Sraith III: 32–52: Patrún: *Ad·mestar asa t[h]oirthib talmain* 'is cóir dó talamh a mheas óna thoradh' (33). An forrán céanna ar Nere in §53 is a bhí in §2; ansin:

Sraith IV: 54a-n: Patrún: *To·llēci dorche do shorche* 'géilleann an doircheacht don ghile' (a).

Sraith V: 55a-o: Patrún: *Ba trōcar* 'bí trócaireach'.

Sraith VI: 59–62, ar na cineálacha flatha; Patrún: *fīrfhlaith cētamus, luithir side fri cach fō* 'An fíorfhlaith ar dtús: bogann seisean i dtreo gach maith'. Críoch an dréachta ansin (63).

Struchtúr an Ailt i dTec. Mor.: Tá sé feicthe againn gur comhairlí nó moltaí gearra ar nós an natháin aonair formhór mór de na hailt i dTec. Mor. agus go bhfuil siad eagraithe ar bhonn na comh-threomhaireachta ina sraitheanna. Ní fúthu sin atá aon trácht le déanamh anseo ach faoi na cinn eile a bhfuil téagar iontu is tógáil dá gcuid féin orthu. Tá §§54–5 pléite thuas. Níor mhór féachaint ar §§59–62 anseo, leis, mar tá téagar is castacht i gcuid acu. Tosóimid le §22:

	Apair fris	Abair leis
	osé oec,	is é óg
	oec a flaith;	go bhfuil a ríghe óg;
	ardos·ēcath aride sencharpait.	féachadh sé ara seancharbaid.
5	Ar·ní·caīnc[h]otli are senfonnith,	Ní chodlaíonn ara seancharbaid go sámh,
	remi·déce	féachann sé roimhe,
	iarmo·dēce	féachann sé ina dhiaidh,
	tair sceo desiul scēo tuathbi[u]l do·féce,	féachann sé siar, ar deis, is ar clé,
	im·dīch	caomhnaíonn sé,
10	im·dīthnathar	scaoileann sé,
	arnap co faill	sa tslí nach le faillí
	na forran	ná le forneart
	fonnaith fod·rethat.	a rithfidh a charbad faoi.[10]

---

10. Féach *Ériu* XX 220–1, 227–8.

Is léir (ón aistriúchán, leis,) go bhfuil prionsabal na comh-
threomhaireachta go láidir ann, cé nach ráiníonn comh-
threomhaireacht iomlán na foirme i gcónaí ina theannta i ngeall ar
an gclaochlú a dhéanann ord na bhfocal (3), nó síneadh (8) etc.
Ina dhiaidh sin déanann na míreanna a leanas grúpaí eatarthu féin:
2–3, 4–5, 6–8, 9- 10, 11–12. Seo a leanas §56:

Ar atāt a deich	Mar tá deich (ní)
ara·bādat goí	a bhánn gó
cach flaitheman,	gach flatha,
fomnas arnach·derna so,	Fainiceadh sé an ndéanfadh sé sin,
5 fomnas huile,	Fainiceadh sé gach uile rud
a uile flaithemna;	is gach uile fhlaith;
Fasaich uaim a deich:	Fógair uaim na deich gcinn:
Flaith ocus febas,	Ríúlacht is feabhas,
cluith ocus coscar,	Trealamh is caithréim,
10 cland ocus cenēl,	Clann agus cine,
sīd ocus saegal,	síocháin is saol,
toceth ocus toatha.	cinniúint is pobail.

Déanann 4–6, 8–12 grúpaí comhthreomhara. Tá uaim cheangail
de shórt amháin nó de shórt eile idir 1–2 (d/-d-), 2–3 (g/c), 3–4,
9–10. Mar mhalairt air sin tá comhuaim istigh i míreanna 8–12.
Mar bhuille scoir tógfaimid §62:

Tarbfhlaith,	Tarbhfhlaith,
do·slaid side do·sladar,	buaileann sé, buailtear é,
ar·clich ar·clechar,	coisceann sé, coisctear é,
con·claid con·cladar,	pollann sé, polltar é,
5 ad·reith ad·rethar,	ionsaíonn sé, ionsaítear é,
do·seinn do·sennar,	tóraíonn sé, tóraítear é,
is fris	is é
con bithbūirethar bennaib.	a bhíonn á shíoradharcáil.

Is é an *tarbhfhlaith* an cás deireanach den bhaint idir an *rí* agus
cóir rí anseo in §§58–62. Míreanna comhthreomhara sea 2–6, iad
bunaithe ar an malairt in infhilleadh an bhriathair (féach EECL
107).

Struchtúr an natháin i dTec. Mor. Is iad na cineálacha céanna
natháin atá i gceist go bunúsach is a bhí i gcás *Thec. Corm.*:

A) An nathán aonbhéimeach, mar shampla §55a *ba trōcar* 'bíodh
sé trócaireach'. In §55 amháin atá a leithéid le fáil.

B) An nathán débhéimeach. Tá siad seo níos flúirsí i Leagan A
de *Thec. Mor.,* mar shampla

§38   Fingal nīs·nderna.   Ná déanadh sé fionghal;
       Mairg fors·ndōirter,   Is mairg a ndoirtear (i.e. a ndéantar) air é,
       Mairg ō·ndōirter!   Is mairg a dhoirteann!

§40   Gonas géntair,   An té a mharaíonn, marófar é,
       marnas mērthir.   an té a bhraitheann, braithfear.

Mar mhír den abairt agus ní mar nathán aonair is mó a bhaintear
leas as an mbloc débhéimeach i Leagan B. Míreanna a bhfuil
neamhspleáchas áirithe iontu sea §57:

       fo·bā fo·beba,   An té atá díomuan, básóidh sé!
       do·rá do·rera,   An té atá le himeacht, imeoidh sé!
       co·buī co·bía . . .   Mar a bhí, mar a bheidh (sin é a fhógrófar).

Sampla eile sea §62, míreanna 2–6 (thuas). In §56 tá sraith uam-
ach dhébhéimeach ar an bpatrún *flaith ocus febas*. Tá §3 bunaithe
ar bhloic dhébhéimeacha á nascadh le huaim cheangail:

Ma thēisi co-*rr*īgu,   Má théann tú fad le ríthe
*r*eisi co *F*eradach/ *F*inn *F*echtnach Deifrigh chuig F. F. F.
*f*ōbéo; *b*id   dea-bheathach; beidh sé
*s*īrfhlaithech,   buanfhlaitheach,
*s*uide *l*ānflatha,   (is) áit lánfhlatha (aige);
*l*uifith il*t*uatha/ *t*áthat   Díbreoidh sé ciníocha
co muir,   bradacha go farraige,
*m*oaigfid a *ch*omarpa   Méadóidh sé a chomharba
*c*omlān co ngreit.   le lánchumhacht.

C) An nathán sínte. Nathán tríbhéimeach an cineál is flúirsí i
d*Tec. Mor*. Samplaí: §§33, 37, 38: *Ad·mestar asa t[h]oirthib talmain* 'is
cóir dó talamh a mheas ar a thoradh'; *Ad·mestar asa hūaisli ith* 'is
cóir dó arbhar a mheas ar a bhreáthacht', *Ad·mestar sruthu slāndiunuch*
'is cóir dó sruthanna a mheas ar a bhfeidhm chun níocháin iomláin';
§54a *To·llēci dorche do shorche* 'géilleann doircheacht do ghile'. Tá
síneadh le huaim cheangail sna ceithre shampla seo: in §38 le *s*-
Ad·mestar s̠ruthu/s̠lāndiunuch; in §37 le guta: *Ad·mestar asa h̠uaisli/i̠th*;
in 54a *To·llēci d̠orche/d̠o shorche* déanann *do* uaim le *dorche*; ceangal
eile sea an rím *sorche:dorche*; teipeann an dá cheangal sin i gcuid
de na samplaí 54a–n.

Mar sin, tá a rian ar an nathán tríbhéimeach i d*Tec. Mor*. gur
nathán sínte dáiríre é is go bhfuil sé bunaithe ar an mbloc débhéim-
each. Tús sínte an chéim seo; tá an síneadh faoi lánréim sna natháin
fhorbartha a leanas: §§44, 47: *Ad·mestar caercha asa cottuge do thlach-
taib tuath teclannar* 'is cóir dó caoirigh a mheas ar a lomra mar

roghnaítear chun éadaigh na dtreibheanna é'. *Ad·mestar doeru drungu fognama fognat biathat toimdet taibret tar flatha fírfholta* 'Is cóir dó lucht freastail a mheas mar dhaoir; déanaidís freastal, cothaídís, riaraidís, tugaidís isteach, in aiseag a gceart ón bhflaith'. Mar a leanas a cuireadh na nathanna le chéile:

> *Ad·mestar ç̣aercha + asa ç̣ottuge + ḍo thlachtaib tuath teclannar.*
> *Ad·mestar ḍoeru + ḍrungu fognama + 4 bhriathar + t̩ar flatha fírfholta.*

Bun débhéimeach atá leo; tá uaim cheangail idir na míreanna (agus na 4 bhriathar in §47 san áireamh). Tá uaim istigh sna míreanna, go háirithe ag deireadh abairte. Tréithe eile struchtúir sea bá na gcónasc agus comhthreomhaireacht na bhfocal (mar shampla, na 4 bhriathar).

An nathán forbartha fíorshínte seo a dheighleann *Tec. Mor.* amach ó *Thec. Corm.* Idir eatarthu a sheasann na natháin sínte i SC §25; mar shampla, línte 263, 275:

Nírbat taerrechtach debtha déne dóergairce 'ná bí ar thóir dianachrainn bharbartha'; *Gairter bí, béoaigter fri óethu airm irro trebsat mairb* 'glaoitear ar na beo, athbheoitear na mairbh trí bhíthin móideanna san áit ar mhair siad'. Tá an déanamh céanna ar na natháin seo is atá ar na cinn thuasluaite; míreanna á gcomhcheangal le huaim:

> *Nírbat taerrechtach + debtha déne + dóergairce.*
> *Gairter bí + béoigter fri óethu + airm irro trebsat mairb.*

Tá mianach an natháin ghnómaigh i 263 agus mianach an natháin dlí i 275. Is é mianach an natháin fhileata gona chúram is a shlacht a fhanann mar shainchomhartha ar chuid mhaith de *Thec. Mor.*

Le bheith críochnúil, ní mór tagairt anseo leis do chineál (*E*) *an nathán cothrom.* Bíonn dhá dhearcadh dhifriúla i bhfócas iontu seo, mar shampla §40 A *gonas géntair* 'an té a mharaíonn, marófar', B6 *Comad fírinni, cot·n-ōfathar* 'cosnaíodh sé an fhírinne, cosnóidh an fhírinne eisean'. Tá samplaí eile ar nós §6 i d*Tec. Mor.* A §§37, 38 agus i B §§57, 62. Bloic dhébhéimeacha iad agus dá bhrí sin tá siad áirithe faoi (*B*) thuas; mar mhíreanna natháin a áirímid iad. Tá samplaí eile ar nós §6 in §§7–11, 23: natháin sínte iad seo agus ar an ábhar sin baineann siad le (*C*) thuas.

Is mithid anois ár n-aire a dhíriú ar an nathán dlí. Bhí na dlithe go mór i dtuilleamaí na nathán, rud a léirítear go minic iontu: *Ised is brethemnus .i. roscad ⁊ fásach ⁊ teistemain* 'Is éard is breithiúnas ann, roscadh nó maxim agus fásach nó precedent agus fianaise' (*Cóic*

Con. F. 59 §139). Agus in áit eile *it fāsaig ⁊ roscaid berthe (leg. bertae) bretha; nī brithem lasnā·furecar* 'Fásaigh agus roscaidh a dhéanann breithiúnas, ní breitheamh an té nach mbíonn siad aige' (ZCP XI 89 §21).

Cuma an tseanfhocail a bhíonn de ghnáth ar an roscadh, mar shampla *Cach breithemain a baegul* (A.L. iii 304) 'caithfidh gach breitheamh feidhmiú ar a phriacail féin'; baol góbhreithe atá i gceist. *Cach meic a macslabra* (A.L. iii 308) 'Tá an ceart ag gach mac ar a bhronntanas (óna athair)'. *Cach athair a cēt coibche* (A.L. iii 314) 'Is leis an athair an chéad íocaíocht chleamhnais (ar gach iníon)'. *Bla drū[i]th dīburcud* (A.L. iii 206)/ *cach drūith a diubriucud* (Arch. iii 226) 'Maithiúnas don óinmhid sa teilgean/ maitear teilgean don óinmhid'. *Andsum dīre treibdīre* (A.L. iii 458) 'An éiric ar ghoid as teach is é is deacra (a mheasúnú)'. *Cin cētmuinntiri for macu* (A.L. iii 398) 'A clann mhac atá freagrach sa chéad chéile'. *Nī bi caithech nach cuitech* 'An té nach bhfuil rud i bpáirt aige, níl sin le caitheamh aige' (A.L. iii 460). *Indēirceach cach mōrcuitech* (A.L. iii 462) 'An té a bhfuil an mhórchuid i bpáirt aige atá freagrach'.

Tá príomhairíona na roscaí le léamh ar na samplaí seo. Ar an gcéad dul síos tá siad bunaithe ar ainmfhocail, is é sin, ar choincheapa. Is annamh briathar iontu, agus an briathar *tá/is* féin, fágtar ar lár formhór an ama é. Tá siad gonta, tearcfhocail agus fágtar na cónaisc ar lár iontu. Tá siad fuinte fileata agus is fíorannamh uaim cheangail in easnamh orthu. Tá claonadh chun doircheachta iontu sa mhéid nach dtugann siad ach nod nuair is míniú a d'iarrfá; don eolach a ceapadh iad, ní foláir.

Tá an gaol idir roscadh agus fásach á léiriú ar A.L. iii 286 sa phlé a dhéantar ar an roscadh *bla tuath tre-ag* 'neamhfhreagracht phobail na dtrí ionsaí, i.e. tá an pobal sin neamhfhreagrach sa dream a ionsaíonn iad nuair is chun capaill nó airm nó daoine atá na foghlaithe'. Leanann an tráchtaire air, 'i.e. daoine iad sin a tháinig go mídhlisteanach chun foghla agus bhí siad ag tabhairt maoin na críche leo . . .' I bhfoirm teagmhais atá an míniú aige mar is amhlaidh is nithiúla leis é. Nithiúlacht ar fad atá sna fásaigh ar nós *Cuirm lium, lemnacht la cat* (A.L. iii 532) mar a bhfuil freagracht as tógáil maoine i gceist agus *Grāinde luid lat, a Lugaid* (ibid.) mar a bhfuil trácht ar fhreagracht treaspháirtí i gcás fuadach mná. Tagraíonn na fásaigh seo do na teagmhais as ar fuineadh iad. Tuilleadh samplaí, A.L. i 64, 250.

Tugaimid faoi deara go mbíonn an fhrámaíocht chéanna in úsáid sna dlíthe is a bhíonn sa litríocht ghnómach, fráma an *Speculum Principis,* an breitheamh léannta ag tabhairt comhairle don rí óg, mar shampla, A.L. iii 106–166, mar a mbaintear feidhm as an bhfoirmle *A meic ara feiser* . . . 'sa chaoi go mbeidh a fhios agat, a mhic . . .' lena roscadh a thabhairt uaidh.

Nuair a chasaimid ón nathán aonair go dtí an sliocht leanúnach dlí, feicimid gur minic *feidhm liosta* leis. Seo píosa as A.L. iii 536 mar a bhfuil leagan amach na filíochta ag na heagarthóirí air:

Tuirim crip coicertad	Inis láithreach an bhreith,
Cia dlig duine dūil	cad a dhlitear do dhuine
Di cach fogail indeithbire	as gach foghail éagórach
Fo·fechar fris.	a dhéantar air.
Teora ēirci airliter;	Trí fhíneáil a ghearrtar:
Aithgin ōg in[d] āragar,	tá lánchúiteamh dlite dó,
Sceo coirpdīre comindraic,	agus corpéiric chothrom,
Ocus enechlōg.	agus eineachluach.
Iar slechtaib saer sernar	Eagraítear de réir aicmí na n-uasal iad
Ind in araill.	as ceann a chéile.

Ls. E. 3. 5 lch 60; Líne 5 *airliter* sic ls., *airleter* A.L. Líne 6 *in*[d] *āragar,* ls. *iaragar,* A.L. *ina nagar* (cf. *Celtica* V 77 n. 1). Líne 7 *sceo coirpdire,* ls. *sceoco* . . *coirp̄i,* A.L. *sceo coir coirpdire.*

Tagairt do ghnás na huaime ceangail é seo, dar liom, amhail a deirtear in *Beowulf 870–871 word ōþer fand/sōþe gebunden* 'chuir an file focail eile le chéile is iad faoi chónascadh go cuí'; nó an tagairt in *Gawain* 35 don scéal fileata atá faoi chónascadh trí bhíthin na litreacha córa (*wiþ lel letteres loken*). Tá an uaim cheangail in úsáid sa chuid a leanann é seo thuas ar A.L. iii 536, ar aon nós.

Ach an bhfuil aon tórmach chun filíochta sa sliocht trí chéile? Comhthomhas siollaí agus comhthitim dheirí na línte a chinneann rithim sa chineál seo filíochta. Tá an rithim bacach anseo mar gur corrlínte leo féin sa tomhas is sa titim atá iontu. Tríd is tríd níl aon fhilíocht sa sliocht de bhreis ar an nathán aonair dá bhfuil sé comhdhéanta. Ba chirte prós a thabhairt air; níl foirm ná éifeacht filíochta ann. Ar leor snoí foirme chun dán a dhéanamh de? Is fíor go bhfuil mórán véarsaíochta sa Ghaeilge nach filíocht í, ach gur glacadh léi toisc gur cheartchleachtadh de réir rialacha í. Tharlódh sin nuair is é an véarsa gnáthmheán cumarsáide ábhar nach litríocht, nó

nuair a bhaintear leas go minic aisti, faoi mar a tharlaíonn sa dlí.[11]
Ach fágfaidh an fear ceart loinnir na filíochta sa liosta féin, dá
leimhe é. Seo a leanas deismireacht as na *Bretha Nemed*[12] air sin.
Clár tuarastail na ndánta atá á thabhairt. Bhí seacht ngrád ar na
filí, a shaindán féin le gach grád acu agus a dhuais féin le gach dán.
Teagasc oifigiúil é sa mhéid gur i mbéal Athirne a leagtar é i bhfian-
aise a mhic léinn Amorgein. Féach nach *ánmoltach* ach *ăn-* is cóir a
léamh i líne 1 in oiriúint don chomhthéacs seo:

A Amorgein anmoltaig,	A Aimhirghin ró-inmholta,
ara·fesser	Le go dtuigfidh tú na
mārḟodla	príomhranna—
ferba filed feth:	focail na bhfilí oilte:
fuirim sensamaisc	cuir ceartaos
5 ar déin co ndronchōri;	ar *dhian* teann críochnúil;
dligid boin mbānindlaeg	is é a cheart bó bhán ionlao
ar maīn soīr setnatha;	ar *shétnath* den scoth;
sia[i]s lulgaig lānmessaib	Éileoidh sé loilíoch lánmheasa
ar ler loīd léirigther;	ar *loíd* a chumfar os comhair uisce;
10 ech dā bō	luach dhá bhó bhleacht
billathach	rathmhara de chapall
luath a réim ar ardemain;	mear ar *emain* bhreá;
biaid bō fó chaīnchethair	Beidh ceithre bhó
ar anair n-irchoraig;	ar *anair* chruinn;
cúic bae cacha mōrnatha	ar gach *nath* taibhseach cúig bhó
15 natat cressa caramna.	nach tanaí corp.
Carpat cumaile cachae	Carbad cumhaile ar gach *anamain*.
anamna.	

Foirceann na línte a chinneann an rithim is an méadar; ⩽ ‿ ‿ a
chruth cés moite de líne a 3. Ní filíocht shiollabach í; sé shiolla is
coitianta inti ach tá véarsaí ar 7, 5, is 10 siolla leis inti. Is é a fhear-
acht chéanna ag an líne nó an véarsa gnómach é. Tóg mar shampla
Senbriathra Fíthail §1, seanfhocail le *tosach* ar nós *tosach eitig airlicud*
(=tosach eitigh iasacht, is é sin, is é deireadh a bhíonn ar iasacht
ná an t-eiteach.)

Anois, as seanfhocal ar fhichid san alt sin, níl ach ceithre cinn nach
bhfuil seachtsiollach agus an foirceann ⩽ ‿ ‿ acu. Mar sin, déan-

---

11. Cf. ráiteas Sheáin de Búrca, *Éigse* XV 53: 'Verse in oral tradition was equivalent
to the written word in modern times, and hence important records were taken
out of ordinary speech and enshrined in verse.'

12. Cf. *Ériu* XIII 25,222; IT iii 50, 93; *Misc. Hib.* 21–2; *Celtica* VI 233; A.L. v 58 ff.
H. Wagner a chéadléirigh líne 9 den dán go sásúil.

amh bunúsach sa ghnóimic agus sa dlí is ea an líne 7³, de réir dealraimh.

Luíonn sé le gnás na teanga gurbh é foirceann an véarsa nó na líne a chinnfeadh a chruth. Féach A.L. iv 50:

> Sīr cach sendliged
> cacha crīche coindelg,
> *In tan is* dīchoindelg cach crīch
> *is and berar cach* dícenn co rīg.
> 5 Ni rī(g) la(i)s-nā-bid gēill i nglasaib,
> *do-nā-tabar* c(h)īs flatha,
> *do-nā-eirenedar* fēich c[h]āna.
> *In tan geibes in* rī(g) inna māma seo
> Is and do·ranar dīre rīg
> 10 cen goī cen esbrath
> cen eisinnracus fri a thuatha.

Tá dhá chineál líne anseo, (a) an seandéanamh 1–2, 10–11, é gann ar chónaisc; agus (b) an fuílleach, cuid léirithe é seo, é foclach fairsing. Más aontréimhseach don dá shórt ní aonstíle. Tríd síos áfach is é an foirceann tromán na líne, láthair brí is béime, ceann scríbe an tsrutha. An chuid de línte 3–4, 6–8 atá i gcló reatha ní thagann béim an ghutha air.

Tá nádúr an liosta sa sliocht seo, agus liostaí a leanann é, A.L. iv 52:

Atāit secht fiadnaise	Tá seacht gcineál fianaise
fo·gellat goī cach rīg:	a léiríonn gó gach rí:
senad do soud as a n-airlisi	sionad á dhíbirt as a n-ionad
cen fīr cen dliged,	go héagórach, neamhdhleathach,
5 dīte aīre inge mad tar cert,	cosaint aoire nuair nach bhfuil údar léi,
maidm catha fair,	maidhm catha air,
nūna inna flaithius,	gorta ina ríocht,
dīsce mblechta,	ba seasca,
milled mesa,	smoladh mesa,
10 seol netha.	ganntanas arbhair.
It é secht mbeo-chaindle	Sin iad na seacht gcoinnle
in so	adhainte
for·osnat goī cach rīg.	a léiríonn gó gach rí.

Tá an sliocht seo cumtha ar mhúnla atá buan go maith sa Ghaeilge: leathrann tionscnaimh mar a luaitear an t-ábhar; corp an tsleachta mar a léirítear é (3–8), liosta, sa chás seo; agus deireadh an tsleachta, i bhfoirm achoimre ar a éirim, mar a bheadh ath-

I

ghairm ar a thús. Níl sa *dúnadh* ach criostalú ar an luí seo chun cruinne, rud a bhaineann go dtí an lá inniu féin le gnás na Gaeilge labhartha agus le Béarla na hÉireann. Ní hin é le rá nach mbeadh teannta eile leis an *dúnadh* chomh maith. Féach chomh pras is a théann modh na comhthreomhaireachta do chorp an tsleachta, modh atá bunaithe ar ainmfhocail is ar choincheapa.

Tá mianach an *ranna* san fhuíoll ar A.L. iv 52:

Teora gua atā moam	Na trí ghó is mó
do·fich Dia for cach tuaith:	go ndíolann Dia ar gach tuath iad:
fuillem gū-nadma,	brabach míchómhaill,
forgell gū-fiadnaise,	fianaise bhréige,
gū-breth ar fochraic.	góbhreith ar airgead.

Féach an patrún céanna go minic san Fhiannaíocht ceithre céad éigin bliain ina dhiaidh seo:

Trí tuile	Trí thuile
tascnat dún Arda Ruide:	ag déanamh ar dhún Ard Ruide:
tuile ócán, tuile ech,	tuile óganach, tuile capall,
tuile mílchon mac Luigdech.	tuile cúnna le mic Lú.

Tá leagan den rann seo i LL 206 a 31 agus leagan níos sine fós sa liric iomráiteach *Buí Bérri* (féach EIL 80 §27, *Stories fr. Acallam* 235).

Achoimre is Athbhreithniú

Críonnacht machnaimh agus slacht foirme na tréithe is suntasaí sna gnóim. Tá gontacht leis iontu. Nuair a bhaintear leas astu chun *roscaid* is *fásaig* breithiúnais, géaraíonn ar an ngontacht acu – ar nós na haille a chuireann an forchraiceann di le síonchaitheamh. (Ní cuid iontais dá réir sin má ba théarma teicniúil dlí *ail* 'bun nó dúshraith an dlí; fianaise.')

Motháilt nó mothúchán, mar a thuigimidne é, an tréith is lú atá le sonrú sa chineál seo. Níor mhór dúinn a fhiafraí, gan amhras, an bhfuil mothúchán de chineál eile i gceist a bhfuilimidne dall air; nó cad a chinneann féith na filíochta sna dánta a fáisceadh as an ngnóm is a dhéanann freastal ar an dlí. Breithnímis 'A Amorgein anmoltaig' (112) ós é is gaire dúinn. Tugann línte 1–3 le fios go neamhbhalbh gur le caolchomplacht na héigse – an chuid is oirirce di go fiú – a bhaineann an dréacht. (Ag cúléisteacht atáimidne!) Níl aon amhras ná gur chaint fhuinte fhite atá sna línte seo, caint fhoirmiúil. Bíonn claonadh chun *foirmle* sa chaint fhoirmiúil.

Foirmle is ea *ara·fesser mārfodla* (2), i.e. múnla a bhfuil briathar buan agus malairt cuspóra ann. Tá ráite cheana againn (111) go bhfuil an fhoirmle seo in úsáid sna dlíthe, A.L. iii 106–166; m.sh. *ara·feiser urrad for tīr ndeorad* (126), *ara·feiser fer recht[g]a i n-ēcosc dīlsi* (136) ⁊rl. Baintear leas aisti sa ghnóimic leis.

Léiríonn na trí líne tosaigh, mar sin, nach é gnáthfhorrán an phróis atá á dhéanamh ag an bhfile. Urlabhra fhoirmiúil atá i gceist, í á fí ag comhuaim is rithim is ag comhthitim chinn na línte. Fairis sin, *ferba filed* nó focail fhileata in úsáid, rud a dheighleann ón bprós amach é. Lé leis an bhfoirmle inti chomh maith, mar is dual don fhilíocht bhéil. Liosta atá sa chuid eile den dréacht, agus baineann na comharthaí sóirt céanna leis.

I líne 5 *dian co ndronchōri* an t-éileamh, is é sin dán dlúth daingean ceartchumtha. Seasann na téarmaí *maīn, sēt-* (Nua-Ghaeilge *maoin, séad-*) don ardchaighdeán i líne 7, ach níl aon chruinnfhaisnéis iontu. Tugann líne 9 siar go foinse an traidisiúin sinn nuair ba phríomhfheidhm don fhilíocht fionnachtain is foilsiú feasa, cúram a bhláthaigh láimh le huiscí; féach lgh 49 ff. thuas. Meabhraíonn líne 9 dúinn go bhfuil an dán ársa. Tá an focal *irchorach,* recte *airchorach* (: *airchor,* Nua-Ghaeilge *urchar*) déchiallach is níl aon chabhair ann ná sna línte a leanann é chun aigne an fhile i leith a chúraim a nochtadh. Chuige sin ní foláir casadh chuig tuarascálacha bunúsacha na bhfilí.

Tá sin á dhéanamh ag an bhfile sa *rosc* faoin gcoire breithiúnais seo a leanas. – Samhail thorthúil sa litríocht ba ea an coire. Bhí coire an Dagda ann, coire na féile nach ndeachaigh riamh i ndísc is nach ndeachaigh aon dámh riamh díomúch uaidh (RC XII 58); thugadh a leithéid a chothrom do gach aon duine gan chur leis ná baint uaidh (RC XXI 314, 397; A.L. i 48). Bhí *coire fíra* ann le duine a chur ar a thriail; ina dteannta sin bhí coire breithiúnais, coire éigse agus coire sainte ann, agus bhain siad seo leis na filí. Seo é an riaradh a dhéanann an coire breithiúnais de réir *Bretha Nemed* (*Ériu* XIII 26.9–13):

	An ccualae coire breth?	Ar chuala sé breith an choire?
	Bru con·berbha búas,	Broinn a chomhbhruitheann fios,
	Con·berbha bretha	Comhbhruitheann an broinnchoire
	Brúchaire breithemhan,	Breitheanna breithiún,
5	Buanchaire	Buanchoire
	As ná berar úidhbhreth	Nach mbeirtear úthbhreith
	Na oimbreth,	Ná amhbhreith as,

In·oimbligh fíor,   Go mblíonn sé fírinne isteach ann,
I bfairben gaoí,   Go dteascraíonn sé bréag ann,
10 Gaibidh dhe triochtach   Baineann sé as faoi thríocha,
Go treisibh do nemthibh;   agus cumhachtaí, leis, do na huaisle;
Naomhchaire   Naomhchoire
Con·dáile osgura   a roinneann lucht aineolais
Fri hégsi,   le lucht feasa,
15 In eatla,   in íonacht,
In ennge,   i neamhurchóid,
In óighe . . .   i ngeanmnaíocht.

Coire na mbreitheanna é seo agus bíonn sé ar suanbhruith dó féin mar a bheadh coire cois tine. Fios nó eolas toradh na bruithe sin. Ní fada ó shamhail an choire a bhruitheann an bia go samhail na *broinne* (*brúchaire* 4) a dhíleánn é agus a chabhraíonn ar a shlí féin leis an aigne chun an breithiúnas a chur ar fáil. Luaitear an fhírinne mar chomhábhar i gcoire an bhreithiúnais (8); blitear isteach sa choire ón mbó féin í, ach más ea, níl blas an útha ar an mbreithiúnas, ná rian na faillí (7). Báitear an bhréag istigh sa choire agus dáiltear an toradh fónta ar shaoi is ar dhaoi. Is geall le deasghnáth creidimh riaradh na bhfíorbhreithiúnas agus an dream ar a ndáiltear bíonn siadsan leis ar staid na ngrást (15–17). I dtaca le samhlachas is déchiall, féach gurb í an *brú* (2 thuas) láthair mhachnaimh an bhreithimh de réir A.L. i 24·18. I dteannta a bhrí réadúil i líne 8 tá brí theicniúil ag *in·omblig*: 'fíneáil a ghearradh ar (dhuine)/ mulct'. *Inbleogan* a ainm br. 'athghabháil an urra/distraint of the surety' agus 'an t-urra/the (kinsman-) surety'.

Prós agus Véarsaíocht sa Saga

I

Ar lch 8 thuas thagraíomar do shamhail an fhile ina sheasamh i gceartlár ghréasán na litríochta, agus i gCaibidil X phléamar an pháirt a bhí ag na filí i múnlú na ndlíthe. Ba dheacair aon lámh a dhéanamh den scéalaíocht gan a thuiscint gurbh iad na filí a bhí ina bun sin leis. Cabhróidh an tuiscint sin linn chun ciall a bhaint as comhimirt is cumascadh an phróis is na véarsaíochta sna scéalta is ársa. Dar linn go bhfuil tuairim mhaith againn ar cad is prós ann; d'aithneoimis gan dua é. Ach cad mar gheall ar an bhfilíocht? – Más í gnáthfhilíocht na Sean-Ghaeilge í ní bheidh aon mhoill orainn í a aithint: beidh sí cumtha i gceathrúna nó ranna, beidh líon áirithe siollaí sa líne, rím nó comhardadh agus uaim inti. Ní hin í atá ar ár n-aire anseo ach an sórt a chuaigh roimpi. Sna seanscéalta atá an véarsaíocht ársa neadaithe, í níos seanda ná an prós timpeall uirthi agus a comhartha lena cois uaireanta, i.e. an litir *.r. (rosc* nó *roscad),* nó *l.r. (laíd roscadach).* Bhí an téarma *roscad* i gceist cheana againn (lch 110) i dtaca le dlí. D'fhéadfadh dán den sórt a bheith 300–400 éigin bliain níos ársa ná saothar an athscríobhaí a chuir *.r.* sa ls leis, faoi mar a rinneadh go minic i LU thart faoi 1100 A.D. Ní deimhin go dtuigfeadh seisean an dán sin; ach ba chóir go dtuigfeadh sé níos fearr ná mar a thuigimidne é. Is iondúil gur forrán nó faisnéis béil ag uasphointí drámata an scéil an *rosc.* I mbéal duine eile a chuirtear le rá nó le canadh é, rud a bhaineann le

---

1. Féach P. Mac Cana, *On the Use of the Term Retoiric, Celtica* VII 65–90, agus na saothair atá luaite ar lch 142 i dtaca le Caib. XII. Baineadh leas as na heagráin a leanas: E. Windisch, *Táin Bó Cúalnge* (LL), Leipzig 1905; C. O'Rahilly, *Táin Bó Cúalnge* (LL), B.Á.C. 1967; J. Strachan, J. G. O'Keeffe, *Táin Bó Cúailnge* (YBL, LU), B.Á.C., 1912; R. I. Best, O. Bergin, *Lebor na hUidre* (LU), B.Á.C. 1929; E. Knott, *Togail Bruidne Da Derga* (BDD) B.Á.C. 1936; W. Stokes, BDD: LU, *Revue Celtique* XXII, 1901; G. Henderson, *Fled Bricrend* (FB) I.T.S., Iml. II, 1899; R. Thurneysen, *Scéla Mucce Meic Dathó* (Sc. M.), B.Á.C. 1935; M. Dillon, *Serglige Con Culainn* (SC), B.Á.C. 1953; E. Windisch, Irische Texte, Leipzig 1880 (Sc. M., SC, FB); W. Stokes, J. Strachan, *Thesaurus Palaeohibernicus II,* Cambridge 1903 (dánta); D. Greene & F. O'Connor, *A Golden Treasury of Irish Poetry,* Macmillan 1967 (GTIP). Cf. leis D. A. Binchy, Varia Hibernica I (=*Indo-Celtica* 29–38, eag. H. Pilch, J. Thurow, München 1972).

sinsearacht is le seandacht. Beimidne ag iarraidh prós a idirdhealú
ó véarsaíocht is ó fhilíocht anseo. Ceann de na deacrachtaí, nach
féidir aois mhór a lua leis an ngnáthphrós mar is féidir le cuid den
fhilíocht a ghabhann leis. Ar an taobh eile de is deimhin nach é an
sliocht próis féin ár gcúram ach an sliocht mar chineál scríbhneoir-
eachta. D'fhéadfadh an cineál a bheith seanda agus an sliocht óg
féin.

Tá dráma ag baint le mioneachtra Shualtaim sa *Táin*. 'Buan-
rabhadh Sualtaim' atá air. De réir an leagain in YBL (TBC² 2976)
nuair a chuala Sualtaim gleo an chatha éagothrom idir a mhac
Cú Chulainn agus an trí dhuine dhéag is é a dúirt sé

I 1   In nem maides,   An í an spéir atá á réabadh,
            fa muir thar crīcha,   nó an mhuir ag teacht thar scríob,
            fa thalam con·scara,   nó an talamh ag scoilteadh,
            fa gāir mo maicse, (olse),   – nó glao mo mhic (ar seisean)
            re n-ēccomlonn?   faoi éagóir chatha?

Cén sórt próis é sin? Prós foirmiúil reitrice nach fada ó fhilíocht.
Prós fileata é mar gur prós file é. Cad ina thaobh ar cuireadh *olse*
isteach san áit sin go díreach? – Dá n-áireofaí leis an líne dheireanach
é thabharfadh sé dhá bhéim don líne sin faoi mar atá ag an gcuid
roimhe.

'Éirigh go dtí na hUlaid,' arsa Cú Chulainn leis, 'agus iarr orthu
teacht agus cath a thabhairt.' Nuair a shroich Sualtaim Emain
scread sé amach faoi thrí

I 2   fir gontair,   tá fir á marú,
            mnā brattar,   tá mná á bhfuadach,
            baī agtar.   tá ba á dtiomáint.

an chéad uair in aice an bhalla, an dara huair le taobh an dúna, an
tríú huair istigh ar Thulach na nGiall. Níor fhreagair aon duine é.
Ba gheis do na hUlaid labhairt roimh Chonchobor; ba gheis do
Chonchobor labhairt roimh na draoithe. (Bhí an *ches* nó an lagaíocht
ar na hUlaid i rith an ama. Féach Caib. III).

Trí abairt comhthreomhar lena chéile sea caint Shualtaim. Dhá
bhéim i ngach abairt acu faoi mar a bhí sa chéad phíosa foirmiúil
aige, i.e. **I 1**.

Chas an draoi chuig Sualtaim agus d'fhiafraigh de cé a bhí ag
marú, ag fuadach, is ag tiomáint. (Cad ab áil leis an bhfear seo ag
callaireacht i láthair rí, draoi, is pobail!) Mhínigh Sualtaim éigean-

dáil an chúige faoi ionradh na gConnachtach agus géarchéim Chú Chulainn á gcosaint.

'Tá an bás tuillte ag an té a sháraigh an rí,' arsa an draoi.

'Tá, leis,' arsa Conchobor agus na hUlaid. 'Ar ndóigh,' arsa Conchobor, 'tá an ceart aige sa mhéid a deir sé faoin ionradh.'

Ba bheag le Sualtaim an freagra a fuair sé, is seo leis de sciuird amach an doras. Thit sé ar a sciath, áfach, sa dóigh gur bhain sceimheal na scéithe a cheann de. Nuair a tugadh an ceann ar ais ar an sciath go hEmain dúirt sé arís:

> Fir gontair,
> mná brattar,
> baí agtar.

Arsa Conchobor (TBC² 3005):

I 3   Ba romōr a núallsa, tra,
             Muir ara cendaib,
             in nem hūasa mbennaib,
             talum foa cosaib.
             Dobērsa cech mboin ina hindis dīb
             ocus cach mben ocus cech mac dia tig,
             iar mbuaid chatha.

Ní léir gur baineadh an bhrí cheart as an eachtra seo fós. Is é an chúis go luann Sualtaim spéir, muir agus talamh ag a thús mar gurb iad na dúile seo a théann i mbannaí ar na conarthaí a dhéanann daoine lena chéile. Conradh amháin díobh sea cothrom féinne sa chomhrac, nó *fír fer* mar a tugadh air, agus thug na hUlaid géilleadh dó seo, mar léimid i bh*Fled Bricrend* §94. D'fhéadfaí a bheith ag súil le díoltas ó na dúile as iad a shárú nuair a bhíonn siad i mbannaí le conradh. Is é a deir Conchobor ar deireadh gur glór mór ar bheagán cúise síorchasaoid Shualtaim mar go bhféachfaidh sé féin i ndiaidh na rudaí sin go léir atá cearr. Luann seisean spéir, muir agus talamh chomh maith; tá siad ina n-ionad féin, a deir sé, rud a chruthaíonn nach bhfuil aon éagóir mhór déanta aige sin ná ag na hUlaid ar aon duine. Idir an dá linn bhí Sualtaim é féin tar éis geis a shárú; dhaor siad uile idir rí, dhraoi, is phobal chun báis é, agus maraíodh ar an láthair é i ndíol a choire.

An gheis aithnidiúil ar labhairt le linn deasghnátha draíochta, is í a choill Sualtaim. Bhí cumas chun oilc is chun maitheasa san fhocal labhartha mar is léir dúinn ón tsaoithiúlacht chlasaiceach, áit a raibh an gheis seo i réim chomh maith: 'So-labhra, caint rathúil' a bhí i gceist ar dtús le εὐφημεῖν na Gréigise agus *favēre linguis* na Laidine; ansin an tost a d'fhógrófaí roimh dheasghnáth d'eagla na míchainte a d'fhéadfadh an draíocht a mhilleadh.

In Orthaí an tSean-Bhéarla tá cosc ar chaint le linn luibheanna leighis a bhailiú uaireanta; nuair a bhíonn capall síghonta á leigheas; is nuair a bhíonn focail an chumais á scríobh. Ní mór tost, leis, le linn deasghnátha saorghlanta.[2]

Measann Thurneysen gur breis leis an saga bunaidh mioneachtra Shualtaim (*Heldensage* 105). Más ea, ábhar cianársa atá mar bhun leis, i.e. ráthaíocht na ndúl. Tá cuma ársa ar an bprós foirmiúil thuas, e.g. *fir gontair, mná brattar, baí agtar;* caint í sin a leagtar i mbéal Chú Chulainn in LU 5563. Déanann na habairtí débhéimeacha seo bunvéarsa sa mheadaracht agus is orthu a bhraitheann struchtúr an mhéadair ársa go bunúsach. Sa scéal ar bhás Chonaire Mhóir, i.e. *Togail Bruidne Da Derga* §81 tá bunvéarsaí a bhfuil an chuma ársa chéanna orthu. Tá an stíl fhoirmiúil an-léir sa sampla a leanas. Lomna atá ag cur síos ar an bhfogha cinniúnach atá le tabhairt faoi Bhruidin Da Derga:

Mairg no·thēt,	Mairg don té a rachaidh ann,
Mairg lasa·tíagar,	mairg don té a rachfar ann leis,
mairg cos·tíagar,	mairg dóibhsean a rachfar chucu,
It troich no·thíagat.	Tá an bás i ndán dóibh siúd a rachaidh.
It troich cussa·tíagat.	Tá an bás i ndán dóibh siúd a rachfar chucu.

Tá cur síos ar an stíl fhoirmleach seo i dtaca le litríocht ghnómach na Sean-Ghaeilge in EECL 107.

B'fhiú d'aon duine leagan LL ar chaint Chonchobair thuas a léamh; – tá sé aistrithe ar lch 41 againn. Ní hí stair an phróis ach fréamhacha na filíochta sa phrós atá faoi chamáin anseo againn, áfach. Casaimis mar sin chuig *Togail Bruidne Da Derga*. Seo a leanas dhá chur síos ar dhaoine as: Ar dtús an t-arracht gránna ar leathshúil, ar leathchois is ar leathláimh a chuaigh lena bhean thubaisteach roimh Chonaire sa bhruíon; roinnimid an sliocht ina míreanna de réir mar a oirfidh sé dúinn (§38):

2. Cf. Cockayne, *Leechdoms* I, London 1961, lch xxviii; J. H. Grattan, C. Singer, *Anglo-Saxon Magic & Medicine*, OUP 1952, lgh 31 ff.

I 4

Méit mulaig for gut	Chomh mór le meall cáise ar ghad
cach mell do mellaib a dromma.	gach ceann dá mhása,
Gabollorg iairn inna láim.	Cuaille iarainn gabhlach ina lámh,
Muc máeldub dóthi fora muin	Muc cheanndubh bharrloiscthe ar a dhroim,
5 ocus sí oc sírēgim,	agus í ag síorscréachadh,
ocus ben bélmar már/	agus bean bhéal-leathan mhór
dub dúabais dochraid ina díaid.	dhubh dhuairc ghránna ina dhiaidh.

Ansin an cur síos ar Chormac Connloinges (§75):

At chonnarc and, ol se,	'Chonaic mé ann,' ar seisean,

I 5

fer gormainech már,	fear mór a raibh aoibh uasal air,
rosc nglan ngleórda lais,	súil ghlan lonrach aige,
Dēitgen cóir,	déad breá fiacal aige,
Aiged focháel forlethan,	aghaidh caol in íochtar is leathan in uachtar,
5 Línfholt find forōrdae fair,	órfholt fionn buíbhán aige,
Fortí chōir imbi,	is fleasc chuí uime,
Mílech airgit inna brut	dealg airgid ina bhrat,
ocus claideb órduirn inna láim,	is claíomh órdhoirn ina lámh,
Scíath co cóicroth óir fair,	sciath chúig chiorcal aige,
10 Sleg cóicrind ina láim.	sleá chúig rinn ina lámh.
Coínso chóir chaín chorcorda lais,	Cuntanós cóir taitneamhach lasta aige,
os é amulach.	is é amhulcach.
Ailmenmnach in fer sin.	Fear cúlánta é siúd.

Faisnéis bunaithe ar bhuafhocail/*epithets* atá sa dá shliocht. Níl aon bhriathra iontu, go fiú an briathar is/*tá*. Sraitheanna abairtí ar chomh-dhéanamh comhréire iad; is é sin, tá siad *comhthreomhar*. Óna dó go dtí ceithre aiceann atá sna habairtí is níl aon rithim rialta iontu ná uaim cheangail idir línte, ná gnáthuaim rialta; ach tá lé le huaim leanúnach iontu, m.sh. **I 4**:7, **I 5**:4–5. Tá comhthréithíocht ag an sórt seo próis agus ag na cineálacha filíochta faoi II–V thíos.

Dhá shampla eile as an scéal céanna: Sa chéad cheann (§28) tá Conaire ag cur síos ar an gcomaoin a bhí curtha aige ar Dha Derga, a chara i Laighnibh: 'thug mé céad bó as an tréad dó, céad muc méith etc.'

I 6

    Ra·n-írusa im chét mbó bóthána.
    Ra·n-írusa im cét muc muccglassa.
    Ra·n-írusa im chét mbrat cungás clithetach.
    Ra·n-írusa im chét ngaisced ngormdatha ngubae.
5 Ra·n-írusa im deich ndeilci derca diorda.
    Ra·n-írusa im deich ndabcha déolcha deich donnae.
    Ra·n-írusa im deich mogu.
    Ra·n-írusa im deich meile . . .

agus leanann sé air tamall eile: abairtí comhthreomhara, iad ar aon
tús, agus feidhm liosta leo; a ndeireadh amháin atá inathraithe ó
thaobh rithime de. Reitric fhuinniúil í seo: tá an reitric i dtús is
an fuinneamh i ndeireadh abairte. Níl aon amhras ná go bhfuil
cúram á dhéanamh den uaim i ndeireadh líne. Is é déanamh rithim-
iúil atá ar na habairtí gearra (7–8): bunvéarsa dhá aiceann (i.e.
deich mogu/ deich meile) á chomhtháthú leis an tosach comhchoiteann,
chun línte trí aiceann a dhéanamh.

    In §66 cuireann Fer Rogain síos ar fheabhas réimeas Chonaire in
Éirinn go dtí sin i bprós foirmiúil:

I 7

    Is ina flaith atát na tri bairr for Ērind,
    .i. barr días ocus barr scoth ocus barr messa.
    Is ina flaith as chombind la cach fer guth araile
    ocus betís téta mendchrot
5 ar febas na cána ocus in tsída ocus in chaínchomraic
    fail sechnōn na Hērend.
    Ni thucca Dia and innocht in fer sin,
    is líach a orgain,
    Is mucc remi·thuit mess,
10 Is noídiu ar aís,
    Is líach garsécle dó.
    'Ina réimeas sin atá na trí bharr ar Éirinn,
    barr arbhair is barr blátha is barr measa (ar chrainn).
    Ina réimeas sin leis is comhbhinn le cách guth a chomharsan
    agus téada mionchláirsí,
    ar fheabhas an dlí is na síochána is na comhthuisceana
    ar fud na hÉireann.
    Nár thuga Dia an fear sin ann anocht!
    Is diachair a mharú!
    Is muc a thitfeadh roimh mheas an Fhómhair,
    Is leanbh ar aois é,
    Is trua a bheith gearrshaolach!'

Leagan amach comhthreomhar atá ar na habairtí. Tá mothú sa sliocht agus claonadh chun filíochta ina dheireadh; féach an dán aithnidiúil Sean-Ghaeilge *Is én immo·niada sás* (Thes. Pal. II 294) atá bunaithe ar rithim is ar dhéanamh líne 9 thuas. Braitheann déanamh rithimiúil na línte thuas ar an mbunvéarsa dhá aiceann, mar shampla

Líne 1: fócas nó eithne: (*na*) *trì bàirr*. Déanamh an líne: ⏑ ⏑ ⏑ ⏗ / ⏑ — ⏑ ⏗ ⏗ / ⏑ ⏗ ⏑. Is é sin, bunvéarsa débhéimeach + béim ina dhiaidh + béim roimhe, mar aon le siollaí gan aiceann.

Líne 2: fócas: trí bhunvéarsa dhá aiceann + dhá shiolla gan aiceann (*ŏcŭs*) eatarthu.

Líne 3: fócas: an bunvéarsa débhéimeach *as chòmbind le cach fèr* + bunvéarsa débhéimeach ina dhiaidh + tomhas aon bhéime (*Is ina flàith*) roimhe.

Saothair ilstíle *Fled Bricrend* agus *Togail Bruidne Da Derga*. Is éard a dhéanann chomh hinspéise iad seo na stíleanna a bheith fite ina chéile iontu. Má lorgaíonn tú gnáthphrós scéalaíochta i FB §1, m.sh., gheobhaidh tú ann ag an tús é; ach ní gnáthphrós an píosa a leanas as §1. Míníonn sé an chaoi ar sháraigh teach Bhricriu i nDún Rudraige tithe na haimsire sin i ngach a bhain le hábhar, le healaíon, is le tógáil:

(ro·derscaigestar a tech so) (Sháraigh an teach seo)

I 8

eter adbur ocus elathain,	ar ábhar is ar ealaíon,
eter chaími ocus chumtachtae,	ar áilleacht is ar chóraí,
eter úatni ocus airinigi,	ar a cholúin is ar a éadain,
eter lígrad ocus lógmaire,	ar thaibhse is ar mhaisiú,
eter sochraide ocus súachnide,	ar bhreáthacht is ar oirirceas,
eter irscartad ocus imdorus	ar shnoíodóireacht is ar fhardoras
(do thigib inna hamsiri sin uli).	(tithe na haimsire sin ar fad).

Tá an píosa seo fite isteach sa phrós timpeall air. Is éard atá ann sraith d'abairtí dhá aiceann comhthreomhar le chéile, ainmfhocail faoi bhéim is faoi uaim i ngach abairt acu, agus lé le foirceann trí-shiollach sna habairtí. Tá samplaí inspéise ar chumascadh na stíleanna le fáil i d*Togail Bruidne Da Derga*. Tuairisc ó fhear an fhad-radhairc, Mane Andoe, do na foghlaithe eile ar mharcra Chonaire sa siúl chun na bruíne an ceann seo a leanas (§50). Tá sé scríofa mar ghnáthphrós sna heagráin (LU 6901, BDD, BDD²):

(At·chíusa and, for se) ('Feicimse ann,' ar sé)

I 9

echrada ána aurardai,
āilde āgmara allmara,
foshenga scítha sceinmnecha,
fégi faebardae femendae,
5 fo réim fo·crotha mōrcheltar talman.
Do·ríadat il-ardae
uscib indberaib ingantaib.

marcraí taibhseacha buacacha,
áille, cogúla, uaisle,
fochaola, cortha, éasca,
díocasacha, géara, breátha,
go réimeach ag croitheadh mórstráice talún.
Marcaíonn siad go hilaird
mar a bhfuil uiscí is inbhir iontacha.

(Cit n-ē úsci ocus ardae ocus indbera do·riadat? – Ni handsa:)

('Cad iad na huiscí is na haird is na hinbhir a mharcaíonn siad? – Ní doiligh sin:)

I 10

Indeóin, Cult, Cuilten,
Máfat, Ammat, Íarmáfat,
3 Finne, Goiste, Guistine.

(Logainmneacha iad seo)

Gaī glais úas charptib,

calga dét for slíastaib,

scéith airgdidi húas uillib,

leth ruith ocus leth gabra,

8 ētaige cech óendatha impu.

Gathanna liatha os cionn na gcarbad,
claimhte eabhardhoirn ar cheathrúna,
sciatha airgid os cionn uillinneacha,
A leath i gcarbaid is an leath eile ar chapaill,
éadach gach datha orthu.

(At·chīusa iar sin sainslabra sainigthi remib .i. tri .lll. gabur ndubglas. It é)

(Feicimse ansin saintréad suntasach rompu amach i.e. 150 each dúghlas, is iad)

I 11

cendbeca corrderca,
biruich baslethain,
bolcsróin bruinnideirg béolaide,
20 saitside sogabaldai crechfobdi,
fégi fáebardae femendae,

ceannbheag, béaldearg,
biorchluasach, crúbleathan,
bolgshrónach, uchtdearg, beathaithe,
so-stoptha, so-ghreama, foghaltach,
díocasach, géar, tréan,

(cona trib cóectaib srían cruanmaithne friu).

(agus 150 srian deargchruain orthu).

Tongusa a toinges mo thúath   Mionnaím dar mionn mo
                            mhuintire

(for fer ind ro-deirc)   (arsa fear an fhadradhairc)

is slabra nách suthchernai insin. eachra boic mhóir éigin iad sin.

Línte ar 8^3 (6^3) siolla atá i **I 9** gan uaim cheangail bhuan eatarthu. Ach tá uaim leanúnach ó litir go litir ann, féach go háirithe línte 1–2, 4–5. Tá **I 11** ar an dul céanna: línte ar 5^3, 6^3, 8^3, 10^3, siolla gan uaim cheangail bhuan ach tréanuaim ó litir go litir.

Ba dhóigh le duine nárbh aon chabhair i bplé bhuntús na prosóide ársa, liosta ainmneacha dílse faoi mar atá i **I 10** thuas. A mhalairt atá fíor! Tá an file níos neamhspleáí ar an teanga sa chás seo: tig leis ainmneacha a thoghadh nó a chumadh agus iad a eagrú faoi mar a oireann dó. Léireoidh a chleacht ansin dúinn cad a oireann dó. Féach **I 10** líne 1: *C*ult/*C*uilten; líne 2: *A*mmat/*I*armafat; líne 3: *G*oiste/*G*uistine. Sin uaim cheangail a léiríonn déanamh na líne: i línte 1–3 tá foirceann curtha le bunvéarsa dhá aiceann. Sin í tuiscint an fhile, leis: chun línte ar 5^2 siolla nó 7^3 siolla a chumadh is éard a dhéanann tú, foirceann oiriúnach a chur le bunvéarsa.

Tá an ceacht céanna le foghlaim ó na hainmneacha dílse as béal an arrachta mhillteanaigh a d'fhógair léirscrios ar Chonaire i mBruidin Da Derga (§62). Ainmneacha uirthi féin iad, a deir sí, i bhfreagra ar Chonaire. Bhí sí ina seasamh ar chos amháin, a leathlámh ardaithe aici agus a deilín le cur di ar aon anáil (féach lch 55 thuas). Tá na hainmneacha sin eagraithe ina línte. Seo dhá líne acu:

I 12   Gním, *C*luiche, *C*ethardam . . .
                  Huaet, *M*ede, *M*od.

Léiríonn an uaim an áit a bhfuil comhpháirteanna na líne ag teacht lena chéile. Is inmheasta gur déantús Ceilteach nó oidhreacht Iar-Eorpach an córas meadarach a thógtar ar bhonn dá léitheid seo. Tá sé gaolmhar leis an gcóras meadarach Gearmánach is ní gá aon hipitéis Ind-Eorpach lena mhíniú.

Tá sampla eile fós air seo i BDD §84: aithníonn Fer Rogain an naonúr píobaire darb ainm:

I 13   Bind *R*obind *R*íanbind,
                  Nibe *D*ibe *D*eichrind,
                  Humal *C*umal *C*íallglind.

Línte ar 5^2 is 6^2 siolla iad seo. Gné shuntasach an *rím* iontu, í á húsáid chun an chéad chuid de gach líne a chumadh agus arís chun na línte a cheangal le chéile, rud a thabharfadh le tuiscint go bhféadfadh an rím teacht chun cinn gan chabhair ón Laidin. Cf. leis línte 71–72 as an dán ársa dlí, *Celtica* IX 158=**II 4** thíos, lch 144:

Fothlae, tothlae,   Stealthy penetration, stealthy intrusion,
tán, án . . .   driving to and fro.

Is í an *uaim* a cheanglaíonn an chéad chuid de gach líne i **I 13** leis an bhfoirceann.

Sampla maith den phrós tomhaiste formiúil sea BDD §102a: Aithníonn Fer Rogain an té a chan laoi **I 26**:

I 14

    (Is é) rí as ānem ocus as ordnidem,
        ocus as chaínem ocus as chumachtom
        (thánic i ndomon uli.)
    (Is é) rí as bláthem ocus as mínem,
5   ocus as becdu dod·ánic,
        .i. Conaire Mór mac Etersceóil,
        (is é fil ann),
        ardrī Hērend uli.

    (Nicon·fil locht and isind fir sin,)

10   eter chruth ocus deilb ocus dechelt,
        eter méit ocus chórae ocus chutrummae,
        eter rosc ocus folt ocus gili,
        eter gaís ocus álaig ocus erlabrae,
        eter arm ocus erriud ocus écosc,
15   eter āni ocus immud ocus ordan,
        eter ergnas ocus gaisciud ocus cenēl.

Comhthreomhaireacht a bhall an tréith is suntasaí sa sliocht trí chéile. Ar an bhfócas dhá aiceann (*rí as ánem*/ *rí as bláthem*) atá 1–5 tógtha. Cuirtear mír aon aicinn leis sin (*ocus as ordnidem . . .*) chun an líne a chríochnú agus leantar den slabhra chun líne a chur leis. Tá uaim éigeantach sna línte seo; ní aon eisceacht *bláthem 4; mláthem* an fhoirm Sean-Ghaeilge de.

Síneadh ar na línte i **I 8** sea na línte fada 10–16 anseo; 10–12 siolla atá iontu agus 2–3 siolla san fhoirceann. Tá a leithéidí le fáil *i* **I 21** agus i **I 28**. Bunvéarsa dhá aiceann + foirceann ⌣ ⌣ ⸚ ⸝ (⸚) atá i ngach líne acu. Ní gnách uaim istigh sa bhunvéarsa (eisceachtaí 14, 15), is ní gnách an foirceann gan uaim (eisceacht 12). Déanann *g-* agus *c-* uaim le chéile i 16. Féach go bhfuil uaim cheangail i bhfoirceann na gearrlíne i **I 8** leis, faoi mar atá i **I 12, I 13.**

An té ar mhian leis léargas a fháil ar dhúshraith na véarsaíochta ársa, b'inmholta dó, gan amhras, an sága breá úd *Fled Bricrenn* (FB) a iniúchadh go grinn. Sa scéal seo agus i *Scéla Mucce Meic Dathó* tá magadh cliste éifeachtach á dhéanamh ar cheann de bhunghnéithe an laoch-chórais, mar atá, an *churadhmhír*. Ceart an phríomhghaiscígh chun na míre is fearr den fheoil atá i gceist leis sin. As an gcoire mór aíochta a thógtaí an fheoil. Tá a leithéid casta linn cheana. Ar lch 74 chonaiceamar gurbh é an réiteach a dhein Cormac ar leagan amach Theach Midchuarta i dTemair, más fíor, mír faoi leith den ainmhí bruite a chinneadh le haghaidh gach grád sa chomhthionól. Tá trácht ar bhéas na curadhmhíre ní amháin i measc Ceilteach na Gaille ach fós in *Iliad* Hómair. Tabhair faoi deara gur briatharchath nó iomarbhá agus ní comhrac airm is mó a bhí i gceist sa dá shága Ultacha a luamar; is fearrde an *scéal* é sin a bheith amhlaidh.

Bricriu Biltenga/Nemthenga an cleasaí seiftiúil sa dá scéal. Ionann na buafhocail sin agus 'drochtheanga, nimhtheanga'. Níor leor le Bricriu na príomhghaiscígh a chur in adharca a chéile i *FB*, ghríosaigh sé na mná, leis, chun sáraíochta faoin tús bealaigh isteach sa halla. Tosaíonn an briatharchath eatarthu ansin (§§22–24). Mórann siad a dtréithe féin agus tréithe a bhfear i gcaint dhoiléir fhoirmiúil. Sa ls, *Lebor na hUidre*, tá an litir ·r· curtha leis na dréachtaí seo i gcomhartha *rosc* nó *roscad*. Nuair nár aontaigh Loegaire agus Conall gurbh é Cú Chulainn an laoch ab fhearr orthu, cinneadh ar dhul chomh fada le hAilill is Medb i gCruachain le go dtabharfaidís a mbreith sa chúram. Ansin in §§44–53 tá tuarascáil an triúr gaiscíoch i ngar do Chruachain á tabhairt ag Findabair ar iarratas a máthar, Medb. Is í an fhoirmle chéanna chainte atá i gceist i gcás gach aon duine den triúr:

'Feicim an cairpeach chugainn sa mhá,' a deir Findabair.

'Tabhair a thuairisc,' a deir Medb, 'a chuma, a chosúlacht, a iompar; cumraíocht an fhir, dath na n-each, is réim an charbaid.' Tá sin ráite chomh líofa rithimiúil ag Meidb go rachadh crot na filíochta thar barr di:

I 15

> A cruth,
> a écosc,
> a chongraim,
> Delb a fir,
> dath a ech,
> tochim a charpait.

'Feicimse an dá chapall atá faoin gcarbad,' a deir Findabair ansin agus tosaíonn sí ar a dtuairisc a thabhairt. Baineann sí leas as reitric fhoirmiúil phróis i gcás gach gaiscígh den triúr. Arís d'fhéadfaí an prós seo a thabhairt i bhfoirm véarsaí, mar a leanas, i gcás Loegaire (§45):

I 16

> (dá ech) brùthmara brècglassa | còmdatha còmchrótha,
>   còmmathi còmbúada | còmlúatha còmléimnecha,
>   bìruich àrdchind | àgenmáir àllmair,
>   gàblaich gùipchúil | dŭalaich tùllethain,
>   5   fòrbreca fòsenga | fòrlethna fòrráncha,
>   càssmongaig càsschairchig.
>   Càrpat fìdgrind fĕthaidi.
>   Dà ndroch dùba tàirchisi,
>   Dă n-all n-ăebda ìmnaissi,
>   10   Fèrtsi crŭadi còlgdírgi,
>   Crèt noĭthech nòiglinne,
>   Cùing drùimnech drònargda . . .
>   Fèr fìndchass fòltlebor (isin charput).

Ina gcúplaí atá na buafhocail/*epithets* eagraithe, i línte 1–6. Déanann gach cúpla acu véarsa dhá aiceann. Línte seachtsiollacha is foircinn thríshiollacha acu sea 7–10. Is iad na línte seo ar 7³ siolla is coitianta ar fad sa véarsaíocht ársa, cf. lch 105. Línte ar 6³ siolla sea 11–13 agus tá a leithéidí coitianta go maith leis. Tabhair faoi deara a bhfuil d'aidiachtaí tríshiollacha sa liosta iomlán!

Seo a leanas tuairisc each Chonaill (§47): mar phrós atá sé sa téacs; ach dá scríobhfaimis mar a leanas é conas a bheadh aige?:

I 17

> Gàbur cènand crŏndatha,
> crŭaid dĭan dàigerda,
> bèdgach bàslethan ùchtlethan,
> bènas bùille bàlcbúada,
> 5 tar ăthu tar ìnberu,
>   tar àittiu tar ìmratiu,

tar màige tar mìdglinni
co ndàsaid iar mbŭaid mìdise
(a samlaib én n-etarlúamain . . .

Foirceann tríshiollach arís, agus formhór mór na línte ar 7 siolla.
Déanann na línte débhéimeacha (5–7) athrú sa rithim.

Nuair a bhíonn an cur síos cloiste ag Meidb bíonn sí ábalta a rá
gach uair: 'Aithním an fear sin óna thuairisc.' Ansin mórann sí an
laoch áirithe sin i *rosc* gairid, mar shampla, an *rosc* ar Chú Chulainn
(**I 24** thíos). Ina dhiaidh sin tarraingíonn Medb reitric laochta
phróis chuici chun a dhearbhú go n-imreoidh an gaiscíoch eirleach
orthu mura múchtar a bhruth cogaidh. I gcás Chú Chulainn (§52)
is é a deir sí:

I 18

    Tongu a toinges mo thuath (ol Medb),
    mád co féirg do·thí Cú Chulaind chucund,
    amal meles muilend deich forcél braich rocrúaid,
    is amlaid co·toméla-ni in fer sin a óenur ar úir ⁊ grían,
5   cía no·betis fir in chóicid uli immond hi Crúachain,
    mani·fochlither a bruth ⁊ a bríg.

    'Dearbhaím ar mhóid mo mhuintire
    más le fearg a thig Cú Chulainn chugainn,
    faoi mar a mheileann muileann deich spóca braich atá an-chrua,
    is amhlaidh a mheilfidh an fear úd ina aonar go cré is go grean sinn,
    fiú is dá mbeadh fir an chúige uile timpeall orainn i gCruachain,
    mura múchtar a ghal is a neart.'

'Cén siúl atá fúthu anois?' arsa Medb díreach ina dhiaidh sin (§53)
ag tagairt do na hUlaid trí chéile.

I 19			
Dóit fri dóit (or ind ingen),		Lámh le lámh (arsa an iníon),	
Leóit fri leóit,		Uillinn le huillinn,	
Fúamain fri fúamain,		Taobh le taobh,	
Gúalaind fri gúalaind,		Gualainn le gualainn,	
bil fri bil,		Sciath le sciath,	
Fonnad fri fonnad,		Bun carbaid le bun carbaid,	
Fid fri fid,		Ga le ga,	
Carpat fri carpat.		Carbad le carbad.	

Mar phrós atá sé sa téacs, ach bunvéarsa glan dhá aiceann sea gach
líne díobh, féach Caib. XII, lch 142. Mura bhfuil uaim cheangail
idir na línte, tá rud ina ionad: rím/comhardadh minic agus comh-
threomhaireacht. Pléitear na pointí teicniúla seo i Míreanna II-IV,

K

Caib. XII; is é ár gcúram anseo samplaí de na céimeanna éagsúla i bhforbairt na véarsaíochta a thabhairt le chéile.

Leanann *rosc* gearr ar réim mhórthaibhseach na nUlad an méid sin (§53). Ní raibh an dara suí sa bhuaile ag Meidb, dar léi féin, ach mná fornochta a chur amach i gcoinne na nUlad chun a mbruth cogaidh a mhúchadh, (faoi mar atá mínithe againn i gCaibidil III), agus an teach a réiteach rompu. De réir leagan amach an téacs is prós foirmiúil é seo:

I 20

Mnă fìnna fòrnochta frĭu (ol Medb),	Mná fionna fornochta ina gcoinne (arsa Medb),
aùrchíche aùrnochta ètrochta,	iad cíochnocht lomnocht lonrach,
co llĭn n-ìngen n-aùrlam n-ìnchomraic,	is buíon cailíní faoi réir chun comhraic.
lìss aùrslocthi,	Bíodh cúirteanna
5 bŭirg făenbéla,	is dúnta ar oscailt,
dàbcha ŭaruisci,	soithí fuaruisce,
dĕrguda ìndlithi,	leapacha réidh,
bìad glàn ìmda,	bia glan fairsing,
bràichlind mŭad mèscmar màith,	braichlionn breá meisciúil,
10 fĕinne fòthud,	cothú buíne,
fòchen in càth to·thŏet,	fáilte roimh an gcath atá chugainn,
bèss nín·òrtar tàiris.	b'fhéidir nach marófaí sinn ar a shon sin.

Línte ar 2/3/4 aiceann i ndiaidh a chéile atá anseo. Tá sraitheanna focal faoi uaim éagsúil ag leanacht a chéile, ach ní uaim rialta í is ní uaim cheangail í: ní nascann sí na línte le chéile.

Chuirfeadh sampla amháin den *rosc* mórtha as Briatharchath na mBan (FB §§22–24) an dlaoi mhullaigh ar an tiomsú seo as *Fled Bricrend*:

Asbert Emer . . . ben Con Culaind

I 21

Cotom·gabasa chéim cruth chēill congraimmim,
Coibliud búada báigthir cach delb chaín chucum,
Conid mo rosc sóer setta doíne dom gnúis gné,
Ní·fríth cruth ná córai ná congraim,

5   Ní·frīth gáes ná gart ná genus.
    Ní·frīth lūth seirce sóerligi/
    Na cēlle conom·thicse,
    Ar is immumsa ochsatar Ulaid uile,
    Is mé a cnú chridi glé,
10 Dia·mbése báeth fíad etarlu,
    Ni mmār mbith ben úadib lía céle
    Ōn trāth sa co alaile.
    Is Cū Chulaind mo chéle,
    Ní cú ches,
15 Crithir fola fora crund,
    Cobur fola fora claediub . . .

    'Arsa Emer, bean Chú Chulainn:
    Tugtar an tosach domsa ar áilleacht, ar dhiscréid, ar iompar,
    Ar a thréine a bhrúnn gach breáthacht sa choimhlint chun tosaigh
        chugam,
    Is é mo rosc uasal cruthúil a tharraingíonn súil daoine orm,
    Níorbh ann don áilleacht, ná don dea-chuma, ná don iompar,
    Níorbh ann don chríonnacht ná don fhéile ná don gheanmnaíocht,
    Ná ní raibh fuinneamh na tuisceana i ngrá an lánúnais uasail
        romhamsa,
    Mar is liomsa a bhí na hUlaid uile ag tnúth,
    Mise a muirnín gléigeal,
    Dá ndéanfainn gníomh baoth fiáin féin.
    Ar éigean a fhanann aon duine acu lena bhean
    Go dtí an taca seo amárach.
    Cú Chulainn m'fhearsa,
    Ní aon mheatachán é,
    Crithearnach fola ar sháfach a shleá,
    Cúrán fola ar a chlaíomh . . .'

Leanamar leagan amach eagarthóirí LU anseo ar na línte ach gur
cheartaíomar mídheighilt idir línte 9/10 acu. Ba chirte línte 6/7 a
scríobh in aon líne fhada amháin, faoi mar atá ag Windisch;
dhéanfadh sin líne 15². Línte ar 11³/11²/12¹ siolla faoi seach sea
1–3 is 5/5/6 aiceann iontu. Tá línte gearra leis ar dhá aiceann i
gcuid den rosc nár thugamar anseo.

Níl na línte fada ar 10–12 siolla coitianta sa Ghaeilge ársa; feic-
fimid go bhfuil riar díobh in *Amra Choluim Chille*. Gearrlínte is mó
atá sna samplaí a leanas. Ar dtús ceann as BDD §79 a bhfuil cuma
na seandachta dáiríre air. Níl sé críochnúil sa déanamh:

Is é comhairle Lomna Drúith (duine de na foghlaithe Éireann-
acha) nach cóir Bruiden Da Derga a chreachadh mar go bhfuil

daoine den togha istigh ann. Ach tá a chomhthírigh Gér, Gabar agus Fer Rogain i mbannaí le hIngcél na Breataine go gcreachfar an chéad áit a gcinnfidh Ingcél air. Mar sin, is é a deir Ingcél leis:

'Ní·chumci' for Ingcēl,   'Níl ar do chumas
                            (é a thoirmeasc)', arsa Ingcél

I 22

Néla fēmid	Néalta neamhbhrí atá ag
dofor·tecat,	tuirlingt ort;
Fīr nGér ngúasfes,	Rachaidh móid Ghéir i nguais;
Da ngrúad nGabhair gébthair	Beidh dhá ghrua (= eineach)
fris,	Ghabair
la lugi Fir Rogain ruidfes,	agus móid Fhir Rogain sa treis,
5 Ro·gab do guth maidm fortsu/,	(rud a bhainfidh lasadh as);
A Lomnae, ol	Tá tú cloíte ag do chaint féin,
Ingcél,	a Lomnae,
at drochlaechsu/	Meatachán tusa,
ocus rot·[f]etarsa.	agus tá aithne agamsa ort.
Néla fēmid dofor·tecat.	Néalta neamhbhrí atá ag
	tuirlingt ort.

Níl aon amhras ná gur aonad iomlán é seo i ngeall ar a thús is a dheireadh a bheith ionann. Tá blas na filíochta agus na cruth-aitheachta ar an teanga i 1–5 ach tá an rithim bacach go maith. Gabhann an file isteach ar raon an ghnáthphróis ar ais ag líne 5. Tá athrú treo san fhorrán ag an bpointe sin, crapann an stíl agus lagaíonn ar an 'líne'. Tá caint dhéchiallach i línte 1–4 den sórt atá coitianta i bhFilíocht Chúirte na hÍoslainne níos déanaí: *Gér* ainm duine/*'géar'* a mhóid, *Gabar* ainm duine/ *gabar*=capall; *grua*= leiceann/ *grua*=eineach (féach lch 36). Mar gheall air seo go léir tá airíona an phróis is airíona na filíochta i dteannta a chéile ar an rosc seo.

Seo a leanas ceann eile as BDD §35; tá a chomhartha *.r.* leis i LU, rud nach raibh leis an gceann deireanach. Ba gheis do Chonaire 'na trí Deirg' a dhul roimhe go teach Dha Derga. Ach tharla triúr roimhe ar an mbealach a bhí dearg iad féin mar aon lena gcapaill is a dtrealamh. Chuir Conaire a ghiolla ina ndiaidh le hiad a mhealladh i leataobh ón mbealach. D'fhan fad urchair idir iad agus é (mar ba ón sí iad sin). Ar deireadh chas duine acu siar agus labhair leis an ngiolla. Tá cur síos roimhe sin ar conas mar a bhí gaol ag Conaire le treabhchas na n-éan. Déantar tagairt dó seo sa chéad líne a leanas:

I 23

Én a měic,	A mhic na n-éan!
mŏr a scěl,	Mór an scéal!
scìtha èich	Is traochta iad na heich a
imda·rrĭadam;	mharcaímid;
Im·rĭadam eòchu Dùind	Marcaímid eich Dhuind D.
Dětscoraig a sĭdib.	ón sí.
5 Cíammin bĭ amin màirb,	Cé go mairimid táimid marbh.
Mŏra aìrdi,	Manaí móra!: –
Aìrdbi săegail,	Giorrú saoil,
Sàsad fĭach,	Lón don fhiach dubh,
Fòthad mbràn,	Cothú brain,
10 Brèsal aìrlig,	Gleo an eirligh,
Aìrlíachtad făebuir,	Faobhrú claímh,
Fèrna tùlbochtaib tràthaib	Sciatha cabhradhbhriste ar
iar fùin.	dhul faoi don ghréin.
Én .a.	A [mhic na n-]éan.

Línte gearra ar dhá aiceann a bhformhór, is é sin, bunvéarsaí. Dhá bhunvéarsa atá i líne 12; i líne 4 tá dhá bhunvéarsa + an foirceann ⏑ ⏥ ⏑. I Líne 3 tá an foirceann ⏑ ⏑ ⏥ ⏑ curtha leis an mbunvéarsa. Tá uaim cheangail rialta ann. Mar sin tá cruth i bhfad níos míne, níos forbartha ar **I 23** ná mar atá ar **I 22**. Ach fós féin is reitric laochta próis agus ní filíocht é. Níl sé meadarach agus tá míchothrom rithime ann. Mar sin níl an rosc seo ag braith ar chóras fite foirmiúil filíochta chun a chúram a dhéanamh dó. Is é cúram é, brí agus braistint an bhirt laochta, nó deilbh is gaisce an laoich, nó guais na beatha, nó fraoch na cinniúna a fhógairt gach aon uair a shroichfidh an dráma buaic. Cf. Caib. XIV. Fágann sin go bhfuil fuascailt faidhbe ann: labhraíonn an guth ársa, míníonn sé cé tá i gceist, cad a dhéanfar is cad a thiocfaidh as, ar shlí a chuirfeadh an Cór Gréagach i gcuimhne do dhuine ar uaire.

Seo a leanas anois an *rosc* ar Chú Chulainn a chuirtear i mbéal Mheidbe i FB §52:

I 24

Bráo mara,	Foghar farraige,
Bara bledmaill,	Fraoch muirphéiste,
Blog dergthened,	Spréach deargthine,
Tond mairnech	Tonn fhealltach, í taibhseach
mathrúamdae,	mar mhathúin,
5 Mórbruth mborrbíastae,	Tréanbhruth mórphéiste
Brisiud múad mórchatha,	i maidhm mhórchatha.
com·boing tar écrait	Buann sé ar an namhaid in

	n-écomlund,	ainneoin a lín,
	Allbach mbrātha brógene,	Mórchath léirscriosta,
	Bruth matho	Fíoch mathúna
10	Murt chét,	i gcoscair na gcéadta,
	for crethaib ·cuirethar,	faoi imeagla á gcloí,
	Glond ar glond,	Éacht ar éacht,
	Cend ar chend,	Ceann ar cheann,
	Canaid cóir,	Canaigí go cóir,
15	Cosrach cridemail,	Caithréimeach croíúil,
	frisin Coin Culaind	Mar is dual do Chú
	comhchosmail.	Chulainn.
	Cutan·méla mulend	Meilfidh sé sinn mar a mheileann
	múadmraich.	muileann braich mhaith.

Tá an rosc seo ar aon chéim le **I 23** ach nach bhfuil thar thrí aiceann in aon líne ann. Léiríonn *mara* 1 / *bara* 2 go ndéanfaidh an rím ceangal chomh maith leis an uaim; léiríonn 11 *cuirethar* / 12 *glond* go ndéanfaidh *c-/g-* uaim cheangail lena chéile.

I bhfoirm roisc leis a labhraíonn Bricriu le Loegaire is le Cú Chulainn, á ngríosú chun coimhlinte faoin gcuradhmhír (§§8, 11). Tá an dá rosc ghiortacha fite isteach go maith sa phrós timpeall orthu; seo ceann acu:

I 25

(Do·lluid co mboí i mbudin Lóegaire Búadaig . . . Maith sin, trá,)	(Chuaigh sé a fhad le buíon L.B. . . . Tá go maith, mar sin,)
a Loegairi Buadaig (or se),	a L.B., (ar sé),
a balcbullig Brég,	a bhéimnigh Bhreg,
a bráthbullig Midi,	a threascraigh na Mide,
a bethir breóderg,	a mhathúin chraoraig,
5 a búaid n-óc nUlad,	a bhláith laoch na nUlad,
(Cid dait-siu nábad lat in curathmír Emna do grés?)	(Cad ina thaobh nár leatsa curadhmhír na hEmna i gcónaí?)

Bhí ógánach ina shámhchodladh i mBruidhin Da Derga, a cheann in ucht duine amháin is a chosa in ucht duine eile, stiúir a thabharfadh Math uab Mathonwy na Breataine chun cuimhne. Dhúisigh sé trína thaibhreamh gur chan sé an laoi a leanas; – ba é Conaire féin an t-ógánach (§101):

I 26

Gáir Ossir,	Tafann Ossair (gaidhrín Chonaire),
Ossar chumall,	eirleach gaiscíoch,

Cath ro·ndlom,	D'fhógair cath,
Doerad túathe,	Daoirse pobail,
5 Togail Bruidni,	Creach na Bruidhne,
Bróncha fíanna,	Dobrónach fianna,
Fir guíti,	Fir gonta,
Goíth imómain,	Gaoth imeagla,
Imórchor sleg,	Teilgean sleánna,
10 Sáeth écomluind,	Léan foréigin,
Ascuir tige,	Creachadh tithe,
Temuir fás,	Temair bánaithe,
Forba n-aniúil,	Oidhreacht dheoranta,
Comgné caíniud Conaire,	A shamhail féin ag caoineadh Chonaire,
15 Coll etha,	Milleadh arbhair,
Līth ngaland,	Sásamh namhad,
Gáir égem,	Glór screadaí,
Orgain ríg Hērend,	Marú rí Éireann,
Carpait hi cucligi,	Carbaid á dtuairteáil,
20 Dochraite ríg Temrach,	Rí Temrach díthreorach,
Fessat guil gāire	Cloífidh gártha goil gártha catha.
Gáir Ossair.	Tafann Ossair.

Tá blas na heipice, leis, ar an dá dhán ársa dhiaga atá luaite le N.
Pátraic. Tá sé féin á agairt i gceann acu; sa cheann eile tá Dia á
agairt ina ainm:

Ortha nó briocht sea *Iomann Phátraic* nó *Fáeth Fiada* (Thes. II
354–8). De réir an scéil is é Pátraic féin a chum an briocht mar
chosaint dó féin is dá mhanaigh ar chluain is ar chalaois draoithe,
daoine is deamhan. Dhein muintir Loegaire luíochán roimhe ar a
shlí go Temair chun an creideamh a chraobhscaoileadh. Ar chanadh
an bhriochta do Phátraic, chonacthas don dream ina oirchill gur
thréad fianna muintir Phátraic, is tháinig siad slán dá bharr. 'De
sin an t-ainm Fáeth Fiada.' Briocht (*féth*) a dhéanann an duine
dofheicthe bunús an ainm *Fáeth Fiada*, de réir dealraimh; níl an
t-ainmhí (i.e. an fia) i gceist san ainm bunaidh ar aon chor. Aon
duine a déarfadh an briocht le staidéar gach uile lá dhéanfadh sé
cosaint dó, abhus agus thall. Sin é an chúis go dtugtar *lúirech*
'lúireach' air, ón Laidin *lorica*. – Is cóir an dán a mheas ann féin
ar dtús, áfach, gan spleáchas do na traidisiúin a ghabhann leis.

Tá an dán roinnte ina mhíreanna agus *Atom·riug indiu* i dtosach
a bhformhóir. Tá sé seo ciallaithe ar dhá bhealach 1) 'I arise, or I
raise myself today (with or through a mighty strength etc.) 2) 'I

gird myself today (with a mighty strength etc.)'.[3] Is é an chiall chéanna atá leis an dá leagan seo ar deireadh thiar: achainí ar na cumhachtaí osnádúrtha agus ar na dúile faoi mar atá i gcuid mhaith dánta eile, teacht i gcabhair ar an b*persona*. De bhrí go mbaineann *iltagairt* le nósmhaireacht na luathlitríochta (cf. lch 24) is cóir glacadh leis an dá dhearcadh seo i dteannta a chéile: tar éis an tsaoil, ní gan tuiscint ar an tSean-Ghaeilge a chum an file an dán. Is í mír thosaigh an dáin atá ina dheireadh leis.

Seo a leanas Míreanna I, II, IV:

I 27

I

Atom·riug indiu	Éirím inniu/(Cuirim umam etc.)
Niurt trīun	trí bhíthin tréanchumhachta,
Togairm trīndōite,	trí agairt na Tríonóide,
Cretim treodatad,	trí chreideamh sa Tréidhe,
5 Foīsitin oendatad	Trí admháil Aontachta
in dúleman dail.[4]	an Chruthaitheora dhil.

II

Atom·riug indiu	Éirím inniu
Niurt gene Chrīst cona bathius,	trí neart breithe is baiste Chríost,
Niurt a chrochtho cona adnacul,	trí neart a chéasta is a adhlactha,
10 Niurt a essérgi cona	trí neart a aiséirí is a
fresgabáil,	dheascabhála,
Niurt a thoīniuda fri	trí neart a thuirlingthe don
brithemnas mbrátho.	bhreithiúnas deireanach.

IV

Atom·riug indiu	Éirím inniu
Niurt nime,	trí chumhacht neimhe,
Soilsi gréne,	trí sholas gréine,
15 Ētrochtai ésci,	trí lonradh gealaí,
Áni thened,	trí niamhracht tine,
Déni lóchet,	trí luas tintrí,
Lúaithi gaīthe,	trí mhireacht gaoithe,
fudomnai maro,	trí dhoimhneacht farraige,
20 Tairismigi thalman,	trí dhaingne talún.
Cobsaidi ailech.	trí dhiongbháilteacht carraige.

---

3. Cf. *Ériu* XX 224, 232.

4. Léann E. Knott *i ndúleman dáil=i ndáil dúleman* 'with' or 'towards (the) Creator' (*Ériu* VII 239) agus glactar leis sin go coitianta. Tá dhá rud ina choinne, viz. ní thagann sé go maith le líne 1, fiú amháin nuair a aistrítear . . .' [on my way] to meet the Creator' (*Ériu* XX 234); ina theannta sin ní oireann an bhrí seo don chás dáiríre, mar níl aon choinne den sórt i gceist. Malairt ar *coem* 'dil' sea an focal *dail* RC XX 146.

Bunvéarsaí ar fad sea Míreanna I, IV; trí is ceithre bhéim atá sna línte i Mír II. Mar a leanas atá siad curtha le chéile:

Líne 8: Bunvéarsa: *Niurt gene + Chrīst + cona bathius*. Tá uaim idir *g-/ĉ-/c-* anseo.

Líne 9: Bunvéarsa: *Niurt a chrochtho + cona adnacul*.

Le sraitheanna abairtí nó véarsaí comhthreomhar lena chéile a tógadh an dán, rud a mhíneodh an easpa uaime idir na línte i gcásanna áirithe: ní bheifí ag súil le huaim cheangail, cuir i gcás, áit a mbeadh an tosach céanna ar línte (8–11). Dá réir sin níl mórán leasa á bhaint as an uaim cheangail i bprionsabal, cé go bhféadfaí samplaí go leor a chur ar fáil ach na rialacha a bhogadh.

Tá Míreanna I, II an-Chríostaí, an-cheartchreidmheach. Blas an Chreidimh Réamh-Chríostaí atá ar IV. Na dúile, a bhfeidhm is a dtréithíocht atá á n-agairt ansin; *neart neimhe* 13 a bhí i gceist ag Conchobor ar lch 41 thuas nuair a labhair sé faoin spéir gona frasa réaltaí ag titim ar dhromchla na talún. *An ghrian* ansin (14): tabharfaidh sí solas is teas uaithi, ach loiscfidh sí ina bheatha an té a agróidh san éagóir í, faoi mar a dhein an rí Loegaire (LU 118b). Iarrann an file cabhair ar Dhia is ar na dúile in áit eile sa dán *fri brichtu ban ocus gobann ocus druad* 'in aghaidh briochta ban agus gaibhne agus draoithe', dearcadh a bhaineann le cúlra fíorársa.

Tá déanamh an-simplí ar Mhír V: is bunvéarsaí na línte ann nó is bunvéarsaí sínte iad; mar a leanas a thosaíonn sí:

Atom·riug indiu	Éirím inniu
Niurt Dé dom lúamaireacht ...	Trí chumhacht Dé do mo stiúradh ...

Tá deich líne den déanamh seo i ndiaidh a chéile ann, bunvéarsa mar (*Niurt*) *Dé+dom+*ainm briathartha. Tá uaim i ngach líne idir *Dé/d*om ... Leanann seacht mbunvéarsa eile na deich líne sin.

Dréacht gairid ceithre líne dhéag sea *Ortha NínÍni* (Thes. II 322) nach bhfuil an chuma ársa chéanna ar fad uirthi:

I 28

> Ad·muinemmar noeb Pātraic,
> Prímapstal Hérenn;
> Airdirc a ainm n-adamrae,
> Brēo baitses genti;
> Cathaigestar fri druidea dúrchridi,

> Dedaig dīumsachu
> la fortacht ar Fíadat findnime,
> Fo·nenaig Hérenn íathmaige,
> Mór gein,
> Guidmi Pātraic prímapstal,
> Don·esmart i mBráth a brithemnacht
> Do mídúthrachtaib demnae ndorchaide.
> Dia lem
> La itge Pātraic prímapstail.

Prós foirmiúil é seo. Níl meadaracht ná rialtacht na filíochta ann cé go bhfuil uaim cheangail rialta ann. Tá na línte éagsúil le chéile i líon na n-aiceann is i líon na siollaí: ceithre cinn acu ar dhá aiceann is an chuid eile ar thrí cinn.

Seo a leanas dhá rosc as *Serglige Con Culainn* a bhfuil malairt aicinn is rithime iontu ar nós **I 28.** Forrán fáilte i mbéal Lí Ban, banríon na sí, roimh Chú Chulainn tar éis dó éachtaí a dhéanamh ar pháirc an áir an chéad cheann acu (§38):

I 29

Fochen Cū Chulaind,	Fáilte roimh Chú Chulainn!
Torc torachtaide,	An torc ruathair,
Mál mór Maigi Murthemni,	Mórfhlaith Mhagh Muirtheimhne,
Már a menma,	Mór a mheanma,
5 míad curad	(Is é) urraim chaithréimeach an
cathbúadach,	laoich (é),
Cride níad,	Croí an ghaiscígh,
Nertlía gaíse,	Cloch chumasach na críonnachta,
Flandrúad ferci,	An cródhearg fraochmhar;
Aurlam fri fīr	Ullamh chun catha in aghaidh
ēcrat	namhad,
10 Lāth ngaile Ulad,	Laoch cróga Ulad,
Ālaind a lí,	Álainn a chruth,
Lí sūla do andrib,	Amharc aoibhinn do mhná.
Is fochen.	Fáilte!

Línte ar 2 is 3 aiceann atá ann cés moite do línte 3 is 13: 4 aiceann is aiceann amháin faoi seach atá iontu sin. Tá an uaim cheangail in easnamh ar riar mhaith línte ach tá uaim leanúnach istigh sa líne.

Nuair a chuaigh Cú Chulainn go hIubhair Chinn Trá i gcoinne Fhand, bean Mhanannáin Mhic Lir, lean a bhean féin, Emer, é, i dteannta leathchéad eile ban a raibh sceana i bhfearas acu don ócáid. Bhí Cú Chulainn ag imirt fichille lena ara, Loeg, is níor airigh siad na mná chucu. Is ansin a labhair Fand (§40):

I 30

Fég, a Loíg, dar th'ēis.	Féach siar, a Loíg,
Oc coistecht frit/	Ag éisteacht leat
filet mná córi ciallmathi	Tá mná córa ciallmhara
Co scenaib glasgéraib	A bhfuil sceana glasa géara sa
ina ndeslāmaib,	lámh dheas acu,
5 Co n-ór fria n-uchtbrunnib.	Tá ór ar a mbrollach acu,
Cruth caín atchíchither,	Taibhseoidh siad chomh breá le
Amal tecait láith gaile dar	gaiscígh
cathchairptiu.	ag teacht thar cathcharbaid.
Glé ro·soí gné Emer	Tá aghaidh Emer iníon Fhorgaill
Ingen Fhorgaill.	éirithe geal.

Tá línte ar 2/3/4 aiceann i dteannta a chéile anseo agus uaim cheangail idir a bhformhór. Tá ceangal comhthreomhaireachta idir 4/5 agus seans go ndéanfadh an *Co* i dtús na línte sin cúis chun ceangail le líne 6. Samplaí den líne fhada ar 11^3 siolla sea línte 4, 7.

Achoimre

1) Is é an bunvéarsa dhá aiceann bunchloch an phróis fhoirmiúil agus bunchloch na véarsaíochta Gaeilge. Sampla: **I 5**:3 *dēitgen cóir*.

2) Baintear leas as uaim cheangail chun an bunvéarsa a shíneadh sa phrós foirmiúil. Sampla: **I 5**:4 Aiged *f*ocháel *f*orlethan. An líne áirithe seo (ar 7^3 siolla) is coitianta sa véarsaíocht ársa. Míníonn an prionsabal seo déanamh na línte i **I 20**, m. sh.: Líne 1: *Mná finna* + (*fornochta*) + (*friu*). Líne 3: *Co lín n-ingen* + (*n-aurlam*) + (*n-inchomraic*). Líne 9: *Braichlind muad* + (*mescmar*) + (*maith*).

3) Tá an líne fhada ar 11–13 siolla ann chomh maith leis an ngearr-líne. De réir pointe 2) is le huaim a shíntear í. Míníonn sin an t-uaim-shlabhra. Tóg m. sh. an líne **I 21**: 1 *Cotom·gabasa chéim cruth chēill congraimmim.* Ar an mbunvéarsa *Cotom·gabasa chéim* atá sí bunaithe. Chun fad a chur léi cuirtear focail nó aicinn faoi uaim léi. Is é an prionsabal céanna é i **I 23**: tá uaimshlabhra á chomhshnaidhmeadh agus tá an líne dheireanach (12) á chomhshnaidhmeadh ina chéile (i.e. patrún na huaime le *f- t- t-f-*, agus an comhcheol idir -*bochtaib*/ *trāthaib*). An uair a bheidh *dúnadh* (i.e. comhcheangal túis is eireaball dáin) slachtmhar ann beidh comhshnaidhmeadh ciorclach iomlán ann.

4) Déanfaidh rím nó comhthreomhaireacht cúis chun línte a chomhcheangal in ionad uaime. Samplaí: **I 13, I 14**:10–16, **I 19, I 24**:1–2.

5) Tá liostaí buafhocal faoi uaim eagraithe i línte againn i **I 9, 11, 16, 17.** Gnáthlínte véarsaíochta cuid mhaith acu. Tá an líne ar 7^3 siolla coitianta orthu i **I 16** (:7–10) agus i **I 17.** Bhí ardmheas ag scéalaithe ar an stíl ornáideach seo síos go dtí an Nua-Ghaeilge féin. Chuir siad in áirithe í do théamaí taibhseacha ar nós theacht nó feistiú an ghaiscígh, cúrsa an chatha, nó turas farraige, mar atá, cuir i gcás, i g*Cath Maighe Léna* §§32, 56, 81, 94–96.

6) Ceithre líne is daichead atá sna trí rosc **I 24–26;** níl iontu ach seacht bhfoirm fhinideacha den bhriathar: ar ainmneacha is aidiachtaí is mó atá na roisc seo bunaithe. Eisceacht ilmhianaigh sea **I 22.**

7) Tá samplaí thuas a bhfuil rialtacht aicinn is rithime istigh iontu, mar atá **I 8, I 13, I 14**: 10–16, **I 15, I 16, I 19.** An deilbh atá ar chuid acu, e.g. **I 13,** is gar do dheilbh na filíochta í, nó do phatrún fileata na Sean-Ghaeilge, ach go háirithe. Ach i ngach cás acu is foirmle nó imeartas focal nó aistíl reitrice faoi deara sin; patrún teoranta é, ní dán iomlán aon cheann de na samplaí sin. Cad é, mar sin, bun-chomhartha an chineáil seo déantúis ar fad? – *Éagsúlacht na míreanna* dá bhfuil an t-aonad comhdhéanta. Más aonad giortach é, ar nós **I 22,** ní bheidh i gceist ach na línte. De ghnáth níl sé deacair na línte a aithint is a scaradh ó chéile, m. sh. **I 22:** 1–4. Tá marc leo (/) má tá an deacracht ann. Sampla maith ar *Ildéanamh a Línte* sea **I 30:** tá línte ar 4^1, 4^2 is ar 11^3 siolla iontu, iad ar 2 is ar 4 aiceann, faoi seach. I **I 28** tá línte ar dhá shiolla aiceanta agus ar 10 siolla faoi thrí aiceann. Más aonad fada ar nós **I 27** an dán beidh Mír-eanna eile i gceist, leis: cnuasaigh línte. I **I 27** níl na Míreanna seo ar chomhfhad ná ar chomhdhéanamh.

Níl aon dán ná dréacht iomlán ar na samplaí a thugamar atá inchurtha le **I 26** ar rialtacht na línte ann. Bheadh sé níos rialta fós dá nglactaí le leagan Eg. 1782 ar líne 14: *Caíniud Conaire.* Tá mí-chothromaíocht i ndeireadh an dáin, áfach, cibé acu a nglacfaimid le línte 21–22 as Eg. mar dheireadh nó nach nglacann. Sin é an chúis is mó go bhfuil an sampla seo faoi I in ionad II againn.

8) Is é an leagan amach a bheidh againn ar fhorbairt na filíochta sa chéad Chaibidil eile:

II. An Bunvéarsa mar líne filíochta.

III. Bunvéarsa is Lánlíne á meascadh le chéile.

IV. An Lánlíne mar aonad filíochta.

V. An Líne Fhada mar aonad.

VI. An Rann.

N.B. Is cóir tagairt anseo do *Immacallam in Dá Thuarad* (lch 49) mar gur aighneas é idir beirt fhile i bprós foirmiúil den sórt atá á iniúchadh againn. Más de chuid an 9ú céad an téacs ina iomláine (*Heldensage* 520), tá cuma na hársaíochta ar a chroílár. Bhain Cormac leas as an *Immacallam* ina *Shanas* agus tá sé luaite in A.L. i 18. Gabhann gluaiseanna leis an téacs tríd síos agus tá cuid mhaith lsí de ar fáil. Léiríonn croílár an téacs pointí 1, 2 thuas agus feidhm na huaime agus na comhthreomhaireachta chun comhcheangail, go háirithe.

XII

Bunús is Forbairt na Filíochta Ársa[1]

II. Tá an Bunvéarsa i Réim; Dréacht aon mhíre an Dán

I *Scéla Mucce Meic Dathó* tá cur síos ar an gcaoi a ndeachaigh Cet mac Mágach agus Conall Cernach in iomarbhá le chéile faoi cé a roinnfeadh an mhuc. Roimh dhul sa choimhlint dóibh, áfach, chuir siad forrán foirmiúil ar a chéile (§15):

Arsa Cet:

II 1

Fochen Conall,	Fáilte roimh Chonall,
Cride licce,	Croí leice,
londbruth loga,	Deargfhiuchadh lincse,
luchair ega,	Drithle an oighir,

---

1. *Über die Älteste irische Dichtung* (ÄID) I, II, Berlin 1913–14 le K. Meyer an saothar bunúsach ar fhorbairt na prosóide sa Ghaeilge ársa: léiríonn sé gur forbairt Iar-Eorpach ag Gearmánaigh is Ceiltigh an fhilíocht uamach. Níor léir dó feidhm na huaime chun línte a dhéanamh/nó a shíneadh, áfach, féach lch 139, pointí 1, 2 thuas. Níor éirigh le haon duine leagan amach Mheyer a bhréagnú, rud ba ghá lena easáitiú. Dá réir sin, níl thar céim hipitéise bainte amach ag C. Watkins, *Indo-European Metrics and Archaic Irish Verse, Celtica VI* 194–249. Más ag cur an ghaoil isteach é, ní foláir sainmhíniú an-chruinn ar *Indo-European* (metrics), agus níl sin déanta aige. Cad is fiú cosúlachtaí fánacha idir ilchórais phrosóide i dtaca le gaol de? Cad ina thaobh nár thug sé faoi Mheyer a bhréagnú – go mion? Tá lagiarracht air seo ag M. Dillon, *Celtica X* 9–12: is deacair d'aon scoláire cur in aghaidh teoirice nó hipitéise a oireann dá dhearcadh chomh maith is a oireann an hipitéis Ind-Eorpach dá lán: dá tharraingtí de hipitéis faoin tsaoithiúlacht Ghaelach trí chéile í, caithfear a cheart a thabhairt don fhorbairt réigiúnach leis. Tá seo déanta ag H. Wagner i saothar tábhachtach dar teideal *Zur unregelmässigen Wortstellung in der altirischen Alliterationsdichtung,* Festschrift Pokorny, Innsbruck, 1967 (faoi léirmheas in *Celtica IX* 334–6). Tá staidéar inspéise tábhachtach ag J. Carney in *Ériu XXII* 23–80 a shíneann i bhfad amach thar réimse a theidil, *Three Old Irish Accentual Poems.* Tugann sé a ceart do rithim na línte san fhilíocht ársa.

Baineadh leas sa chaibidil seo, leis, as na saothair a leanas: D. A. Binchy, *Bretha Nemed, Ériu XVII* 4–6. Tá ábhar as *Bretha Nemed* in eagar ag E. J. Gwynn, *Ériu XIII* 1–53. Tá dánta in eagar ag R. Thurneysen, *Colmán mac Lénéni und Senchán Torpéist,* ZCP XIX 193–209. *Eagráin eile:* R. Thurneysen, *Scéla Mucce Meic Dathó,* B.Á.C. 1935; K. Meyer, ÄID; *Miscellanea Hibernica,* Illinois 1916; G. Murphy, *Early Irish Lyrics,* Oxford 1956; W. Stokes, *Amra Choluim Chille,* RC XX (agus ailt ar an ábhar seo le scoláirí eile, féach lch 191, n. 1); V. Hull, *Longes mac n-Uislenn,* N.Y. 1949 (: cf. *Celtica VI* 221–3); D. Greene, *Fingal Rónáin,* B.Á.C. 1955 (lgh 23 ff.). M. A. O'Brien, *Corpus Genealogiarum Hiberniae,* B.Á.C. 1962 (*Corp. Gen.*). I dtaca le dán **IV A 2,** féach, leis, R. Thurneysen, *Mittelirische Verslehren,* (*Irische Texte* III I, in eagar ag W. Stokes, E. Windisch 1–182, Leipzig 1891) 51. Tá na dánta **II 2–3, IV B 1–2, IV C 1–4** in eagar ag C. Watkins *Celtica VI* 221 ff.

5   guss flann ferge/   Fraochneart feirge
    fo chích curad/   faoi chliabh gaiscígh
    crēchtaig cathbuadaig.   créachtmhair, caithréimigh:
    At comsa mac Findchoīme   Is tú fear mo dhiongbhála,
    frim.   a mhic F.

Arsa Conall:

II 2

    Fochen Cet,   Fáilte roimh Chet,
    Cet mac Māgach,   Cet mac M.,
    Magen curad,   Láthair gaiscíoch,
    Cride n-ega,   Croí oighir,
5   Ethre n-ela,   Foirceann eala,
    Err trén tressa,   Tréanchairpeach comhraic,
    Trethan ágach,   Muir anfach,
    Caíntarb tnúthach,   Tarbh taibhseach formadach,
    Cet mac Māgach.   Cet mac M.

Dhá aonad iomlána ó thaobh ábhair is foirme iad **II 1** is **II 2.** Ó thaobh ábhair, is forrán gaiscígh gach ceann acu. Tá cónascadh de dhá shórt ar na véarsaí: uaim cheangail eatarthu, e.g. Conall/Cride **II 1**:1/2; agus ceangal cinn is eireabaill orthu, e.g. an t-ainm Cet ag tús is ag deireadh **II 2.** *Dúnad* a thugtar air seo.

Dhá phríomhaiceann atá i ngach véarsa, ach amháin **II 1**:5 agus **II 2**:6; véarsaí sínte iad seo. I véarsa **II 1**:8, *comsa, Find-* atá faoi lánbhéim. Tá samplaí eile den fhorrán eipiciúil le fáil i SC §§17–18.

Sampla den déanamh céanna taobh amuigh den eipic sea forrán an fhile ar Bhé na hÉigse i m*Bretha Nemed* XIII 39.10–40.2. Mír de dhréacht fadanálach é agus tá sé fadanálach ann féin, ní ionann is **II 1, II 2.** Seo a leanas smut den téacs:

II 3

    Fochen aī,   Fáilte roimh an Éigse,
    Ingen soïs,   Iníon an léinn,
    Sïur chēlle,   Deirfiúr na céille,
    Miadach mōrdae,   Uasal céimiúil,
5   Moigthech mainbthech,   Ollmhór, saibhir,
    Moiges drucha   A thugann an fhilíocht chun cinn
    Dlūthaib cerda,   i ndlúthmhogaill na héigse,
    Cerd coīm coïr,   Ceird bhreá chóir,
    Con·can bretha,   Tugann sí breitheanna,
10 Berid darba,   Faigheann sí raidhse,
    Mūchaid ainbis,   Múchann sí ainbhios,

In·fét anba,   Insíonn sí mórán,
In·sluinni cach rán, cach   Léiríonn sí gach feabhas, gach
    recht,   reacht,
cach miad, cach mes,   gach onóir, gach breithiúnas
15 cach saer, cach soiféthad,   gach uasal, gach dea-shonrú,
cach suidigud,   gach eagar,
cach n-ord, cach n-ard,   gach ord, gach ardchéim,
cach n-áirim, cach n-airenach   gach comhaireamh, gach tosach
i Tig medrach Midchuarta.   i dTeach meidhreach
    Midchuarta.

Ls: líne 6 *drucha,* leg. *drúchta* (?); líne 15 *soiféthadh,* leg. *sofhégad* (?).

Achoimre ar na reachtanna comhthionóntachta dar teideal *Bretha Comaithchesa* (AL IV 68–158) sea an dán aithnidiúil *Ma be rí rofesser.* Nádúr an liosta dlí atá ann dá réir, má tá tosach móiréiseach féin leis. Tá sé in eagar ag D. Binchy in *Celtica* IX 156–9. Bunvéarsaí thart faoi $\frac{3}{4}$ de na 105 línte ann, véarsaí trí aiceann an fuílleach. Seo a leanas línte 1–11, 32–43:

II 4

Ma be rí   Más rí thú ba chóir duit a bheith
    rofesser   eolach ar
Recht flatho,   Reacht rí,
Fothuth iar miad,   Cothú de réir céime,
Mesbada slóg,   Aighnis idir sluaite,
5 Sabaid cuirmthige,   Maidí theach leanna,
Cuir mescae;   Conartha lucht ólta,
Mess tíre,   Meastóireacht talún,
Tomus forrag,   Tomhas de réir pollaí,
Forberta díri,   Méadú fíneálacha,
10 Díthle mesraid;   Goid meas na gcrann,
Mórmaín mrugrechto: Príomhábhar reachta talún: . . .
Cia annsom   I dtaca le baint na gcrann cé acu
    fidbéime   (cásanna) is troime
Fiachaib baeth?   (go luíonn a) bhfiacha ar na baoith?
Briugid caille,   Óstóirí na coille,
35 Coll eidnech,   An coll eidhneach:
Esnill bes díthernam   Guais dosheachanta
Díre fidnemid   An fhíneáil (ar bhaint) an
    náir   naomhchrainn uasail.
Ni bie fidnemed   Ní bhainfidh tú naomhchrann
Fiachaib secht n-airech,   Ar fhiacha na seacht (gcrann) n-uasal,
40 Ara teora bú   Mar gheall ar (an bhfíneáil) trí bhó
Inna bunbéim bís.   Ar ghearradh a bhuin;

Biit alaili secht	Bíonn seacht *séoit* eile
Sétaib losae.	(Fíneáil) ar an scrobarnach (a bhaint).

Ceann de chúig phríomhchrann na hÉireann ba ea Eo nó Iúr
Rossa agus is léir ón dán seo i mo dhiaidh go n-oirfeadh an teideal
fidnemed 'naomhchrann' go maith dó, mar atá i **II 4:37** thuas. Tá
cur síos sa *Dindshenchas* (RC 16: 277=LL 200 a) ar mar a thit na
crainn seo, agus is inmheasta gur tagairt shamhaltach é do mheath
na págánachta is d'fhorbairt na Críostaíochta, mar go raibh na
crainn seo á n-adhradh roimhe sin.

II 5

	Ēo Rossa,	Eó Rossa,
	Roth ruirech,	Rí clúiteach,
	Recht flatha,	Reacht flatha,
	Fuaimm tuinne,	Glór toinne,
5	Dech dúilib,	Rogha na ndúl,
	Dīriuch dronchrand,	Crann daingean díreach,
	Dia dronbalc,	Dia teann láidir,
	Dor nime,	Doras neimhe,
	Nert n-aicde,	Tréanurra,
10	Fó foirne	Flaith na droinge,
	Fer ferbglan,	Duine briatharghlan,
	Gart lánmar,	Féile fhairsing,
	Trēn trīnōit,	Tríonóid chumasach,
	Dam toimsi,	Eaglais ar mhéid,
15	Maith máthar,	Leas máthar,
	Mac Maire,	Mac Mhuire,
	Muir mothach,	Muir thorthúil,
	Miad maisse,	Onóir na córa,
	Mál menman,	Flaith na tuisceana,
20	Mind n-aingel,	Coróin na n-aingeal,
	Nuall betha,	Glór na beatha,
	Blad Banba,	Iomrá na hÉireann,
	Brīg búada,	Fuinneamh chun buaite,
	Breth bunaid,	Breithiúnas bunaidh,
25	Brāth brethach,	Brách na breithe,
	Brosna suad,	Aiste bairdne,
	Saeriu crannaib,	An crann is uaisle,
	Clū Gálion,	Cáil na nGálion,
	Caemiu dossaib,	An crann is áille,
30	Dín bethra,	Caomhnóir an uisce,
	Bríg bethad,	Fuinneamh na beatha,
	Bricht n-ēolais,	Briocht eolais,
	Éo Rossa.	Eó Rossa.

L

Duine de na luathfhilí is mó a chuir snoí is snas ar an mbunvéarsa
ba ea Colmán mac Lénéni (+ 604). Dá réir sin níl aon chuma an-ársa
ar a dhéantús is níl sé chomh seanda leis na cineálacha eile atá faoi
chaibidil anseo. Mar sin féin is caothúla tagairt anseo dó ná in áit
eile, mar gheall ar a dhéanamh. Is é an trua nach bhfuil thar 20
líne dá chuid ar fáil againn. Véarsaí dhá aiceann á nascadh le
huaim atá aige. Seo a leanas dán molta ar Dhomnall, rí Temra, in
aiseag claímh a bhronn an rí air (ZCP 19, 198)

II 6

Luin oc elaib,	(Mar a bheadh) lonta dubha le hais ealaí (ann),
Ungi oc *dirnaib*,	Unsaí le hais mórmheáchain
Crotha ban n-athech	Deilbh ban tuaithe
Oc rōdaib *rignaib*,	Le hais banríonacha breátha.
Rīg oc Domnall,	Ríthe (eile) le hais Dhomnaill,
Dord oc *aidbse*,	Dordán le hais cantaireachta,
Adand oc caindill,	Coinneal fheaga le hais coinnle,
Calg oc mo *chailg-se*.	(Amhlaidh sin) gach claíomh le hais mo chlaímhse.

Nuacht shuntasach an rím/comhardadh idir révéarsaí anseo ag tuar
na nuachruthanna filíochta a bhí le teacht. Is léir gurb é an véarsa
dhá aiceann bunchloch na véarsaíochta sa sórt seo. An claonadh
chun ranna le lánlínte sna *Dlíthe* agus san fhilíocht eipiciúil (**IV B,
VI** thíos), tá a mhacasamhail le sonrú i gcás na mbunvéarsaí, cf.
II 4, línte 94 ff. (*Celtica* IX 159)

Cid ag con·ranna fri ét?	Cé acu damh atá comhfhreagrach leis an tréad (ar fad)?
95 Cid airlimm n-oénoircc con·ranna fri trét?	Cé acu foghail aon mhuice atá infhíneáilte i dteannta an scata?

Fráma comhthreomhar atá ar na línte agus tá a *dtús* faoi uaim
cheangail dá réir. Tá rím/comhardadh idir 94, 96. Líne shínte (cf.
lch 139.2) sea 95. Línte 3 aiceann 7 de na 8 línte a leanann 96 ag
deireadh an dáin. Cuma dhá rann atá orthu, rann acu ar 7^3 siolla
agus an ceann eile i ngearrlínte ar fhoirceann déshiollach.

Bhíodh na filí ar cuairt ag Fergus Tuile, rí Uí Liatháin i ndeisceart
na Mumhan. Seo mar a chuireann Colmán síos ar sheal dár thug
sé ina theannta (ZCP 19, 200):

II 7

Indlith dūn,	Cuingir dúinn
Drūb iar *mār,*	Tar éis moill fhada
Mag feda dian	An má adhmaid (=carr) mear
Dian cuillian *clār;*	gur de chuileann a chlár,
5 Cāch dia eol,	(Téadh) gach aon duine abhaile,
Imglan *rois,*	Glaneolach,
Ropo doim	Teach sosa dúinn
Dūn Fergus *fois.*	Ba ea Fergus.

Níl aon amhras ná go mbraitheann véarsaí 7–8 ar a chéile is go ndéanann siad lánlíne dhlúth lena chéile. Is é a fhearacht chéanna ag **II 1**:5–7 é: aonad céille é sin; ach más ea féin léiríonn an uaim cheangail sa dá chás gur ar shraitheanna véarsaí atá na lánlínte le tógáil.

III. Forbairt ar Míchothrom: Línte ildéanaimh á gcur i gceann a chéile; An uaim *i réim istigh sa líne agus idir línte*

I luathfhilíocht eipiciúil na Laigen, e.g. dánta ar nós *In trí Fothaid,* is *Moen Oen,* feicimid an bunvéarsa á ionramháil is á shaoirsiú chun ildeilbhe is ilfheidhme na héigse. Ag seiftiú rompu atá na filí. Feictear dóibh gur fearr a d'oirfeadh an rann ná an dréacht do léiriú an ábhair fhileata, mar go bhfuil an t-ábhar sin ilghnéitheach, soroinnte. Ach tá deacrachtaí teicniúla le sárú acu. Sa chéad rann de dhán acu tá ginealach na bhFothaid á rianadh siar go Nuadu Necht (ÄID II 14=*Corp. Gen.* 99):

III 1

Na trī Fothaid.	Na trí Fothaid,
Firsat Maicnia/ Lugdach	Mic le Macnia, mac L.L., mac D.D.
Luind/ Dāre De[i]rg;	iad sin;
Daig garg	Bladhm dhíocasach (ba ea)
Gnāthaltach,	Gnáthaltach,
Gāir nīth Nuadu Necht.	Scréach chatha Nuadu Necht.

Tá an uaim cheangail in easnamh idir na hainmneacha dílse i líne 2. Tá na línte éagsúil lena chéile sa déanamh, sa rithim is san fhoirceann. Tá 2/6/3/4 aiceann sna línte, faoi seach. Bunvéarsa amháin sea líne 1; trí bhunvéarsa atá i líne 2; bunvéarsa +forlíonadh sea líne 3 (féach lch 139); is é an dála céanna é ag líne 4 ach gur bunvéarsa an forlíonadh. Buafhocail/epithets sea 3a, 4a (*Daig garg, Gāir nīth*); laochainm an dá fhorlíonadh (3b *Gnāthaltach,* 4b *N. Necht*).

Véarsaíocht trialach sea *Moen Oen* chomh maith, rud a léiríonn an rím i línte 1, 2 (*Moen/oen/noed/*) agus an mhalairt líne i rann 2 (ÄID II 10=*Corp. Gen.* 1):

III 2

Moen oen,	Móín, aonarán
Ō ba noed,	Ó bhí sé ina leanbh –
Nībud nōs ardrīg,	Rud nár nós d'ardrí –
Ort rīga,	Mharaigh sé ríthe,
Rout ān,	Binn an cor!
hUa Luirc Labraid.	Labraid mac mic Lorc.
Lāithe gaile Galian	Thóg gaiscígh Laigen
Gabsat inna lāmaib laigne,	Lansaí ina lámha.
Lagin de sin slóg Galian	Is de sin an t-ainm Gálioin
glonnach.	ar shlua Laigen.

Bunvéarsaí atá i rann 1, línte ar 3/3/ is 4 aiceann faoi seach i rann 2. Níl aon chúram faoi leith á dhéanamh fós den troigh chinn líne. Tá tábhacht an ionaid chinn líne i bhfilíocht na Gaeilge léirithe againn ó shliocht as na dlíthe ar lch 113 agus tá Colmán mac Lénéni ag eagrú na dtroithe cinn líne de réir líon na siollaí iontu agus ag baint leas as rím/comhardadh, faoin gceathrú deiridh den 6ú céad. Tá an chuma ar fhilíocht seo Chúige Laighean go bhfuil sí cuid mhaith níos ársa ná déantús Cholmáin. Ní theipeann ar an uaim cheangail (cf. rann 1) ná ar an uaim inmheánach (rann 2).

Tá an éagsúlacht chéanna struchtúir sa dán ar mharú thriúr mac Chairbre Lifeachair ag Cath Cnámhroiss (ÄID II 18=*Corp. Gen.* 72):

III 3

Māra mairb, māra	Daoine móra marbh, daoine
mairtt,	móra ídithe,
Trī meic, trī mārrīg.	Triúr mac, triúr mór-rí.
Meic Cairpri, caīne ānrīg	Mic Chairbre, bláth na ríthe:
Eochu, Eochuid drauc	Eochu; an dragún Eochaid
Domplēn.	Domplen;
5 Deilmruire ruad Raiphtine	Rí clúiteach dian Fiachu
Fiachu, fothath fechair	Raiphtine, bun forránta
forbdine.	oidhreachta.

Bunvéarsaí á gcónascadh chun línte filíochta sea línte 1–3. Tá na 6 véarsaí seo i gcomhaisnéis lena chéile, nó *comhthreomhar*. Sa mhéid go dtagraíonn línte 2–3 do na mairbh i líne 1 tá *breachnú/variation* in úsáid ag an bhfile iontu. I líne 4, áfach, feicimid an choimhlint idir comhréir is meadaracht a chruthaíonn go bhfuil a chéim féin bainte amach ag an lánlíne filíochta: is neamhspleáí an lánlíne áirithe seo ná a comhpháirteanna. Tá comhtháthú den chineál céanna ar línte 5–6: aonad amháin comhréire sea *Fiachu Ruad Raiphtine* a dhéanann aonad amháin den dá lánlíne seo. Is cosúil go bhfuil comhardadh i gceist idir foircinn línte 5/6 (*Raiphtine: forbdine*), faoi mar atá idir 2–3 (*márríg: ánríg*). Mar sin tá gach uile cheann de na deilbheacha bunúsacha véarsaíochta le feiceáil sa dán seo: an bun-véarsa, e.g. véarsa 1a; an lánlíne, e.g. líne 4; an rann bunaidh: dhá lánlíne ag tagairt don aon ábhar is iad faoi cheangal comhréire is comhardaidh, e.g. línte 5–6.

Ar an mbunvéarsa atá an dán seo a leanas ar Labraid Longsech bunaithe (ÄID II 23 = *Corp. Gen.* 19):

III 4

Lug scēith,	Lincse le sciath,
Scāl find,	Laoch lonrach,
Fo nimib ni raibe	Ní raibh aon duine faoin spéir
Bid mac Āine aidblither.	Chomh cumasach le mac Áine.

5	Airddiu dēib doen,	Duine níos airde ná déithe,
	Dron daurgrāinne,	Dearcán daingean,
	glan gablach	Uasal sliochtmhar
	Hua Luirc Loegaire.	Mac mic Loegaire Lorc.

Tá trí aiceann i línte 5, 8: bunvéarsaí á síneadh trí uaim cheangail iad, féach *d*eib/*d*oen, *L*uirc/*L*oiguire. Tá an déanamh seo leis ar 4 (*Á*ine/*a*idblither) mura bhfuil an tríú haiceann féin ann.

IV. Filíocht a bhfuil an lánlíne mar bhun aici

Tá sé le sonrú ar chuid mhaith den luathfhilíocht gurb í an lánlíne an príomhaonad céille, comhréire is meadarachta inti. Ní gá go bhfágfadh sin bacach gan chomhghreamú gan leanúnachas í. Is iad na cineálacha atá i gceist, dáin a bhfuil

A) Línte ildeilbhe iontu;

B) Línte ilsiollacha ar aon fhoirceann;

C) Línte comhshiollacha ar aon fhoirceann.

A) Sampla maith ar an sórt seo *Amra Choluim Chille*, féach Alt **II** ar lch 192 agus plé na meadarachta ansin. Ní gá anseo ach gearr-thagairt dó ar bhonn beagán línte as Alt **II**:

IV A 1

Nī dīscéoil duĕ Nēill,	Ní díscéil teach Néill,
Nī huchtat óenmaige,	Ní mion-osna aon mhá,
Mór mairg, mōr deilm,	Mór an mhairg, mór an chreach,
Dīfulaing ris ré aisneid	Dífhulaing a fhaisnéis
Colum cen beith cen chill.	Nach maireann Colum ina chill.

Línte ildeilbhe iad seo (6^1, 6^3, 4^1, 7^2, 6^1): níl tomhas siollach orthu is níl siad ar aon fhoirceann. I bprionsabal, cumasc dhá bhunvéarsa a bhfuil uaim cheangail eatarthu an lánlíne anseo, agus mar sin bheifí ag súil le 4 aiceann láidir iontu, rud atá, leis, i línte 1, 3, 4. Tá aiceann lag amháin i línte 2b agus 5b. Tá línte fada (nó forlínte) in Alt **II** chomh maith le línte trí aiceann.

Tá sé maíte ar fhilí na Gaeilge gur uathu a d'fhoghlaim na hĪoslannaigh conas achainí fhileata a chumadh. Seo a leanas anois sampla gearr den chineál seo: (*Misc. Hib.* 23; MV 51; *Ériu* XIII 40, 229):

IV A 2

Āiliu tech midchuarta,	Iarraim proinnteach,
Milscothaib fiath fāth,	Amhrán fáilte le briathra meala,
Fossud mainbtech a imbel	Socair saibhir a imeall
ngarb n-ochrach,	dochtsleasach,
Blāithi bith a chrann mbī,	Mín a mhaidí tairsí,
Cōiri a di ursainn,	Cruinn a dhá ursain,
Irard aircsinech a fhordorus,	Buacach feiceálach a fhardoras,
Luachid a shoillse,	Lonrach a sholas,
Dronchael a comla,	Daingean caol a chomhla,
Berrtha bir a glas,	Líofa mín bior a ghlas,
Altach a airide.	Altach a tholg.

'Maireann an chuaille chré chríonna, ach faraor ní mhaireann an lámh.' Is iomaí trácht ar an téama seo sa Luath-Ghaeilge, leis, e.g. (*Bruchst.* 59, EIL XVI etc.):

IV A 3

Ind rāith i comair in dairfhedo,	An dún ar aghaidh an doire –
Ba Bruidgi, ba Cathail,	Ba le Bruidge, ba le Cathal,
ba hAedo, ba hAilello,	Ba le hAed, ba le hAilill,
ba Conaing, ba Cuilīni,	Ba le Conaing, ba le Cuilíne,
5 Ocus ba Maele Dūin.	Agus ba le Mael Dúin;
Ind rāith d'ēis cach rīg ar uair	Maireann an dún i ndiaidh gach rí acu,
Ocus int shluaig foäit in n-ūir.	Agus na hairm ina suan faoin bhfód.

Línte ar 9^3, 6^2, 7^3, 6^1, 7^1, 8^1 siolla iad seo. Tá rím idir *dairfhedo* 1/ *hAilello* 3, idir *Dūin* 5/ *n-ūir* 7 agus idir *uair* 6/ *shluaig* 7. Tá déanamh comhthreomhar ar an dán agus ní léir mórán gá le huaim cheangail mar gheall air sin. I leaba gnáthuaime istigh sa líne tá comhuaim idir na siollaí laga a chónascann míreanna na líne, e.g.

*I*nd rāith/ *i* comair/ *i*n dairfhedo
*B*a *B*ruidgi, *b*a Cathail etc.

Is amhlaidh a *fhuann* na siollaí laga seo na míreanna le chéile chun líne a dhéanamh. Sin é is brí, leis do *uaim*: *fuáil* a deirimid inniu.

B) Línte ilsiollacha ar aon fhoirceann: Níl siad seo an-líonmhar. Tá dhá shampla anseo síos as an téacs dlí *Din Techtugud* 'Mar gheall ar sheilbh a ghlacadh (ar thalamh)' – rud ar bhain rialacha leis (A.L. IV 1–64). Tá sé le tabhairt faoi deara ar na samplaí seo agus ar shamplaí nach iad in *Din Techtugud* go bhfuil claonadh chun an t-ábhar a eagrú ina 4 líne iontu, is é sin claonadh chun ceathrún/ ranna. Maidir leis an dá shampla seo féin, bhí trácht thuas againn ar chumhacht an réamhshampla agus ar a bhrí osnádúrtha nuair a dhéanfaí aithris chruinn chóir air (lch 63). Is é an dála céanna díreach ag an dlí é: réitíonn an réamhshampla an chonair dóibh siúd ar mhaith leo a mhacasamhail a dhéanamh agus má bhaineann blas den smachtbhanna fileata leis an gcúram ní lagóidh sin é. Ciannacht a thugann eiseamláir ar conas seilbh a ghlacadh ar thalamh sa chéad sampla (8):

IV B 1

To·combaig Ciannacht cianmruige,	Ghlac C. seilbh ar chiantailte,
Di ai and sin samaigas,	Chuir sí dhá chaora ann,
Do·luid tar fert a céttellug,	Thar chlaí teorann a tháinig sí den chéad dul isteach,
Ba-ch for fine a forcomal.	Agus ba ar a fine (féin) an fhorghabháil.
Im·ana iarum ar féinechas	D'fhan sí ann, de réir an fhéineachais,
Co hocht lae indnidi	tréimhse ocht lá
Fiadnaise ban a céttellach	le banfhinnéithe céadghabhála
Nad renat a cétrusa.	Nach ndíolann a n-óighe.

Línte ar 8^3 siolla i dteannta na corrlíne ar 7^3, 6^3, is 9^3 atá anseo. Eagrú de réir na céille is ní de réir na foirme atá ar na ranna seo. Ach sa sampla a leanas tá siolla breise sa cheathrú líne i gcomhartha deireadh ranna. Sa chás seo leis is í an bhean a léiríonn ceart dlí. Góbhreith ba ea céadbhreith Shencha, nuair a leag sé dlí na bhfear

faoi theacht i seilbh ar na mná. Tháinig bolscóidí aithise ar a
aghaidh dá barr. Ba thráthúil mar a thug a iníon Brig breith na
fírinne ina dhiaidh sin; tá cumas chun birt is chun leighis san
fhírinne (A.L. IV 14):

IV B 2

Bertai Sencha cétbrethach	Bhreithnigh Sencha ar dtús
Bantellach ar	Forghabháil ag bean mar a bheadh
fertellach,	forghabháil ag fear ann.
Comdar ferba fulachta	Gur fhulaing sé bolscóidí
Fora gruaidib iar cilbrethaib.	Ar a ghruanna i ndiaidh
	góbhreithe.
Ícsi Brige fírinne,	Leigheas fírinne Bhrige é,
Sí con·míduir	Ise a bhreithnigh forghabháil ó
bantellach	bhean
Comdar ferba	I gcaoi is gur ceileadh na
falguide	bolscóidí
Fora gruaidib iar fírbrethaib.	Ar a ghruanna i ndiaidh
	breith na fírinne.

Línte ar $7^3 + 8^3$ siolla iad seo. Tá comhthreomhaireacht idir gach
aon líne i rann 2 agus a comhpháirtí i rann 1, rud a léiríonn gur
idirchineál é.

 In BDD §100 tugann Ingcél tuairisc fhoirmiúil dá chomhleacaithe
ar Chonaire, is é ina sheomra i mBruidin Da Derga roimh an ion-
radh. Idirchineál eile é seo. Tá 59 líne sa tuairisc agus 30 acu ar 7^3
siolla; línte 8^3, 6^2, 10^3, 9^3 siolla (mar aon le samplaí fánacha eile)
an fuílleach. Tá 11 rann ar líon difriúil línte (ó 3 go 8) sa dán,
deich gcinn acu ag tosú le *At·chíu* 'feicim'. Seo a leanas an chéad
rann agus an chéad leath de 'rann' 8:

IV B 3

At·chíu flaith n-ard n-airegdae	Feicim flaith ard uasal
As bithbuillech búredach,	bithbhéimeannach, ardghlórach,
Brūchtas roimse robartae,	a bhrúchtann sruthlinn rabharta,
Rechtbruth caín- cruth	Is breá mar a chuireann
·ciallathar.	fraoch aoibh air.
At·chíu a léine līgdae līnide	Feicim a léine álainn lín
Conid fri sreband sirechtach,	Lena fhallaing síoda,
Scáthderc sceo deilb ildathaig,	Scáthán agus deilbh ildathach:
Ingelt súile sochaide . . .	Innilt súl (i.e. radharc breá) do
	shlua.

C) Línte comhshiollacha ar aon fhoirceann. Filíocht shiollach gan rím í seo is níl aon ghannchúis samplaí ann. Seo a leanas samplaí ar 7³, 6², is 7² siolla.

Sa dán seo a leanas tá *Echtra Fergusa Maic Léti* á ionramháil chun réamhshampla dlí ag dlíodóirí, le gradam is údarás a thabhairt dá dteagasc ar fhorghéilleadh is ar aisghabháil talún: achoimre ar an saga sea an dán (*Ériu* XVI 46):

IV C 1

Tír boíe Chuind Chétchoraig,	Tír ba le Conn an chéad conradh,
Asa·ngabtha ilbenna,	As ar tógadh mórán eallaigh
	(ina dhiaidh sin),
Bertai Fergus Ferglethech	Ghlac Fergus F. seilbh air
I ndígail a thromgreise	I gcúiteamh ar shárú a einigh
Di guin Echach Bēlbuidi.	Trí Eochu B. a mharú.
Brethae Dorn i n-ansoīri,	Tógadh Dorn i mbraighdeanas
	(chomh maith),
Do·cer inna fīrinni	Cailleadh í i ngeall ar an bhfírinne
Seiches i ngnūis Fergusa.	A nocht sí i ngnúis Fhergusa.
Ferais Fergus ferfhechtas	Chuaigh Fergus ar eachtra
Finech i loch Rudraige	Ina thír féin i Loch Rudraige,
Dia·marbad i mārchinta.	Áit ar maraíodh trína chionta é.
Taisic a tīr immurgu	Chuaigh an talamh i bhfrithdhílse, áfach,
Fo selba Cuind comorbae.	Chuig oidhrí Chuind.

Sampla eile anseo síos ó *Longes mac n-Uislenn:* Nuair a scréach Deirdre i mbroinn a máthar sa tslí gur chuir sí scéin ar a raibh i láthair i dteach Fheidlimid, scéalaí Chonchobair, is é a dúirt Feidlimid léi

IV C 2

Cia deilm dremun derdrethar,	Cén tréantormán búirigh
Dremnas fot broinn búredaig?	A réabann i do bhroinn ghlóraigh?
Bruïth cluasaib cluinethar	Bascann sé cluasa an té a chluineann,
Gloim eter do dā thoíb,	Is ard a ghéimeann an glam
trēntormaid.	idir do dhá thaobh,
Mór n-uath ad·n-āigethar	Is mór an t-uamhan atá ar
Mo chride crēchtnaigedar cruaid.	Mo chroí istigh is é á ghéarghoin.

Ansin rith sí go Cathbad, mar b'fháidh eisean:

Cluinid Cathbad cóemainech,	Cluinigí Cathbad gnúischaoin,
Caínmál, mind mór mochtaide,	An t-uasal breá, an mórmhionn éachtach
Mbrogthar tre druidechta druad,	Is é á threisiú ag draíocht druaga,
Ōr nad·fil lem féin findfocla	Nuair nach bhfuil focail feasa agamsa

Fris·mberad Feidlimid
Fursundud fiss,
Ar nád·fitir banscál
Cia fo brú bī,
Cid fom chrïol bronn bēcestar.

Óna bhfaigheadh Feidlimid
Léargas,
Mar nach bhfeadair bean
Cé faoina broinn bheo
Ná cad a scairt faoi áras mo
bhroinnese.

Arsa Cathbad:

Fot chrïol bronn bécestair
Bē fuilt buidi buidechass,
Ségdaib súilib sellglasaib,
Sian a grúade gormchorcrai,
Fri dath snechtai samlamar
Sét a détgne dïanim,
Niamdai a béoil partuingdeirg,
Bé dia·mbiat ilardbe
Eter Ulad erredaib.

Faoi áras do bhroinne scairt
Bean fholtbhuí chatach,
A súile liathghorm álainn,
Mar mhéirín púca a leicne gormchorcra,
Mar dhath an tsneachta samhail
A huasaldéada gan mháchail,
Lonrach a béil chorcairdhearga,
Bean a ndéanfar eirleach i ngeall uirthi
Idir cairpthigh Ulad.

Sampla ar an líne le 7^2 siolla as *Din Techtugud* (A.L. IV 16) anseo síos. Leanann sé **IV B 2,** cás Bhrig, sa téacs. Bean eile atá i gceist anseo agus réamhshampla luaite léi mar an gcéanna. Den aicme uasal í ach nach raibh talamh aici. An uair go raibh sí éirithe cortha den anró is den bhóthar ghabh sí seilbh ar thalamh a bhí faoi réir a fine. Thug siadsan ceart di mar go raibh sé de réir dlí.

IV C 3

In·lolaig Seithir selba
Techtas a cond a cenēl,
Ba-ch bē degabail chinnes,
Ba rechtaid crīche corsir,
Ni biad bēsaib moga
Na fondaid rāite.
Saertha la fine a forcomol
Fo bīth ba n-adba taisic.

Ghabh Seithir seilbh ar thailte
Ba le codhnach is le fine,
Shíolraigh sí ó dhá chine,
Ceannaire críche faoi bhuanchonradh í
Nach mairfeadh mar ba dhual don mhogha
Ná do charbad bóthair.
Mhaith a fine di,
Mar ba áitreabh athsheilbhe é.

Ní amhlaidh sin áfach don té a ghabhfadh seilbh ar thalamh daoine eile go raibh claíocha timpeall air, nó a chuirfeadh stoc ar iníor ann. Sampla ar 6^2 siolla é seo (ibid. lch 20):

IV C 4

Crui tīre do tellach
Ni aenan maīn moigther,
I sētaib di·rirther.
Mad la buar būirech,
Cumal a sē slaindter,

Seilbh a ghlacadh ar ghoirt le claíocha:
Ní hé an bealach céanna é le maoin a mhéadú:
Íocfar as le *séada.*
Más le heallach búirí é,
Cumal amháin as sé cinn acu a leagtar síos.

Munab fo seilb techtai,	Murar le teideal cóir
Tír cen cund cen coibne	Atá seilbh aige, gan codhnach gan fine,
Dilsi buair berar.	Caillfidh sé an t-eallach atá tugtha ann aige.

V. An Líne Fhada mar Aonad

In *Din Techtugud* (A.L. IV 36) leagtar síos nach cóir íocaíocht a éileamh ná a cheangal ar dhuine ach de réir acmhainn an duine sin:

V 1

> Ni nais uma nā hairget nā hōr acht for māl,
> Ni nais buar ba chindia for nech lasnā-biat baí,
> Ni nais tīr for imrumach mani·fotha selb,
> Ni nais ētach for nach nocht mani·torma tlacht.
> 5 Is ē grethe cen torad do·gnī rocholl mbreth,
> It ē messra ad·gella a chumung do chāch.

> 'Ná ceangail ar aon duine seachas flaith copar, airgead nó ór a íoc:
> Ná ceangail ar dhuine gan stoc ba ná laonna a íoc,
> Ná ceangail ar an bhfánaí talamh a thabhairt mura bhfuil sin ina sheilbh aige,
> Ná ceangail ar nocht éadach a thabhairt mura mbíonn breis éadaigh ar fáil aige,
> Cnó caoch sea an té a thugann claonbhreith.
> Sin iad na coinníollacha a dhlitear do chách de réir acmhainne.'

Ls. E.3.5 f. 9a: 2 *lasnā-biat,* Ls. *lais na biad;* 3 *mani·fotha,* Ls. *munas fotha;* 4 *mani,* Ls. *muna.*

Is léir gurb í an líne fhada an t-aonad céille is comhréire is go bhfuil an 'rann' tógtha ar an gcomhthreomhaireacht idir na línte fada, sé cinn acu. Línte ar 12^1 siolla iad seo: 7^{1-3} roimh chaesúr$+5^1$ ina dhiaidh. Ó tharla go bhfuil áireamh chomh cruinn sin cheana féin ar chodanna na líne faide, is léir nach fada uainn an rann 4 líne bunaithe ar dhá líne fhada (VI). Ar an líne fhada deighilte ag an caesúr atá *A Amorgein Anmoltaig* (lch 112) bunaithe: má fhágtar an chéad líne is an líne dheireanach as an áireamh, seacht líne den sórt seo atá ann (2–3):

> *Ara·fesser mārfhodla ferba filed feth*

i.e. líne fhada ar 12^1 siolla: 7^3 roimh chaesúr $+5^1$ ina dhiaidh sa chás seo.

VI. An Dá Lánlíne mar Aonad

Tá dhá chineál i gceist anseo, de réir mar atá rím idir an dá lánlíne (B) nó nach bhfuil (A). Sin é an leagan amach atá ag K. Meyer, leis, in *Über die älteste irische Dichtung* I, II. Dar leis go mbaineann cineál A leis an 6ú céad agus cineál B leis an 7ú. Ón saothar sin na samplaí a leanas (ÄID I 17=*Corp. Gen.* 8):

VI B 1

Soer cathmīlid coemfhata	Laoch uasal ard dóighiúil,
Moen Labraid *Longsech*	Labraid Moen Longsech,
Lēo nīthach nathchobbur	Leon fraochmhar a spreag dán,
Cathchobbur *coimsech*.	Cabhair chumasach chatha.

Níl a bhac orainn an dá lánlíne a scríobh i bhfoirm ranna chomh luath is atá comhartha meadarach éigin ar nós na ríme ann lena chur in iúl gur línte neamhspleácha iad b/d. Línte ar 7³, 6³, 5² iad seo. Nuair nach bhfuil comhartha meadarach ar bith ann táimid ag braith ar chiall is ar chomhréir chun an córas meadarach a léiriú dúinn, rud nach éasca. M. sh. tá an dán aithnidiúil ar orgain Dhenna Ríg² i riocht dhá lánlíne ag Meyer. Is inmheasta áfach gur bunvéarsaí+bunvéarsaí sínte na línte sa dán sin: *Dind Ríg/ Ruad tuaim tenbath/ Trícha fairech/ Fo brón bebsait/ Brúisius, bréosus/ bárnia lond Labraid/* etc.

Tá samplaí eile aige nach miste glacadh leo:

VI A 1 Labraid Laídech agus Énna Nia, beirt mhac Bhresail, rí Laigen, atá i gceist sna ranna seo (ÄID II 18=*Corp. Gen.* 72):

> *1)* Lāmair lergga lāna slōig slōgidach
> sceo lāthaib Laigniu Labraid.

> *2)* Līnais Nia nīthach sab slōgaib cach māirrīg ārchoin
> Combaig dorar ndian dā mac buadaig Bresuail.

> *1)* Leomh Labraid na sluaite (dul) ar thaoibh chnoic a bhí breac
> le cathláin is le gaiscígh in aghaidh na Laighneach.

> *2)* Flaith aighneasach ba ea Nia a líon árchú gach mór-rí le coirp
> namhad. Bhuaigh beirt mhac Bhressail Buadhaigh mórchath.

Tá rann *1* gafa idir an briathar *Lāmair* ag a thús agus an t-ainmní *Labraid* ag a dheireadh sa tslí gur aonad dlúth do-scaoilte é is nach rachadh eagar ceithre líne dó. I gcás rann *2* níl an critéar meadarach ar fáil ann a dhéanfadh bun d'eagar ceithre líne ann seachas dhá cheann.

---

2. Tá fadhbanna téacs á bplé ZCP 33: 304–5 ag H. Wagner.

Uair na cinniúna i bhforbairt na filíochta ársa í seo. Coimhlint atá ar bun idir an rann dhá lánlíne agus an rann ceithre ghearrlíne. Chomh luath is a chuirtear rím ar bun idir b/d faoi mar atá in **VI B 1** thuas tá aithint bhreise á thabhairt do na línte sin agus do a/c ina dteannta. Cuireann na línte atá bunaithe go daingean cheana féin ar nós 7^3, 6^2 leis an bhforbairt seo. Sa sampla a leanas feicimid cad é an dul chun cinn thar **VI B 1** amach a tharla sa tSean-Ghaeilge: i m*Brigit Bé bithmaith* (Thes. II 325) mar shampla, dán ar 5^2 siolla, sa mheadaracht *Rinnard bec*:

VI C 1

1)

Brigit bé bithmaith,	Bríghid an bhean shíormhaith,
Brēo órde oíblech,	Bladhm órga drithleach,
Donfé don bithflaith	Go dtuga sí chun na bhflaitheas síoraí sinn,
In grén tind toídlech.	An ghrian lonrach dhrilseach.

3)

Do·rodba indiunn	Go gcoille sí ionainn
Ar colno císu,	Cíosa na colainne,
In chroīb co mbláthib	An ghéag faoi bhláth,
In máthir Ísu.	Máthair Íosa.

I Rann 1 tá rím idir a/c chomh maith. I Rann 3 idir c/d atá an rím bhreise (*mbláthib:máthir*) is níl aon aithint mheadarach ar leith á tabhairt do a, c mar línte véarsaíochta. Tá an leagan amach i 4 líne ag trasnaíl ar chiall is ar chomhréir anseo gan barántas meadarach leis, dáiríre. Tuigimid do na heagarthóirí, dá bhrí sin, nuair a scríobh siad an dán i bhfoirm dhá lánlíne.

Na gearrlínte thuas a bhfuil trí aiceann iontu (1a, b, d, 3b) tá lorg a shaoirseachta fágtha ag an gceardaí orthu uile, mar is é an chaoi a ndearna sé iad, bunvéarsa dhá aiceann a shíneadh trí bhíthin uaime ar an sean-nós, féach *bé*/*bithmaith*, *órde*/*oíblech*, *tind*/*toídlech*, *colno*/*císu*. Tá uaim cheangail ag cur leis an rím chun an rann a fhí ina chéile.

Mar sin tá an sean is an nua in aontíos sa dán seo, iad ag cur in aghaidh a chéile scaití, is scaití eile iad ar comhtharraingt. Cé acu is mó a théann chun sochair don fhilíocht, an cuibheas nó an teannas?

In ZCP XI 108 ff. tá dán (I) le hOrthanach Ua Caelláma (+840) i gcló ag K. Meyer mar léiriú ar an gcomhuaim san fhilíocht ársa. Siúd is gur i Rannaíocht Mhór a cumadh an dán is go mbaineann sé leis na 'nua-chruthanna', is léir gur as an traidisiún ársa a fáisceadh é: tá uaim cheangail istigh sa véarsa, idir véarsaí, idir lánlínte agus idir ranna, agus glactar leis na péirí p/b, t/d, c/g chuige sin. Seo a leanas rann 4 den dán (cf. LL 7356–9):

Gabais Cobthach ciaso chian,	Ghabh Cobthach (dá fhairsinge é,
clandais sluago, sochla dál,	chuir sé airm ann, b'iomráiteach an scéal é)
degleth Ulad, errid uill	cuid mhaith d'Ulaidh, an taoiseach cumasach,
ēchtga Cuind co n-orddan már.	sleá choscrach Chuinn mhórchlúiteach.

> Gin. faisnéise sea *errid uill* (c) ag braith ar *dál* (b). Bhain Cobthach Cóel agus Conn Cétchathach le Gaeil Lár na hÉireann.

Dar le Meyer is é Orthanach a chum (II) *Slán Seiss, a Brigit co mbuaid* (LL 49b9 ff.) agus (III) *A Chóicid Chóem Chairpri Chruaid* (LL 43a) i ngeall ar an tréithíocht chéanna a bheith ag roinnt leo i dtaca le hábhar, le meadaracht is le stíl. Seo a leanas ranna 7, 21 as II:

Ailend aurdairc, álaind fál fuis,	Ailenn oirirc, fál aoibhinn buan,
fail mór flathi foa cnius;	is iomaí flaith faoina bharr;
ba mó foscnad tan atchess	ba dho-thomhaiste a réim san uair
Crimthan Cosrach ina crius.	chonacthas Crimthann Cosrach ina ucht.

Dūnlang Fornac[h]ta ba fíal,	Dúnlang F. bhí sé fial,
flaith fri Niall ro chathu -cloí,	flaith é a bhris cathanna ar Niall
ce adfeissed scēl do neoch,	– da n-insítí do chách féin é –
ni hé in bith ceta-boī.	ní hé an saol a bhí anallód é.

Déanann rím, comhthreomhaireacht, nó comhthosach cúis chun línte a chomhcheangal in ionad na huaime (cf. lch 139.4); samplaí ó II, LL 7148 ff.: *Slān seiss a Brigit co mbuaid/ for gruaid Lifi lir co tráig . . .; Currech Lifi lir co hor/ Currech Sétnai, síth co ler . . ./* Tá rím agus comhthreomhaireacht i dteannta a chéile i sampla mar *Bruth a fer fri comlund nglan/cruth a ban fri óenach n-ard.* Sampla ar chomhthosach línte in ionad na huaime ó I, LL 7460–1: *Aill is tóla catha cruach/ aill is cōra cacha crích . . .*

Dhá dhán as deireadh an 7ú chéad, de réir dealraimh, a bhfuil uaim cheangail docht ó líne go líne agus caesúr iontu, i dteannta gnáth-thréithíochta na 'nua-chruthanna' (i.e. rím agus líon áirithe siollaí) sea *Fo réir Choluim* (F) agus *Tiughraind Bhécáin* (T).[3] Tá uaim

---

3. Cf. ZCP VIII 197, GTIP 20, *Ériu* XXIV 14, XXVI 80. Féach, leis, *Gúaire & Marbán* ranna 13–33, ZCP III 456, EIL 12.

dhocht istigh sa líne i T chomh maith agus tá sé coitianta i F, e.g.
i rann 12:

Do·ell Ērinn/indel cor,	D'fhág sé Éire ar bonn conartha,
cechaing noïb/nemed mbled,	Thrasnaigh sé tearmann na míol i longa,
brisis tola/tindis fair,	Bhris sé dúile, bhí sé lonrach,
fairrge al druim/dānae fer.	An fear cróga thar droim na mara.

De dhá bhunvéarsa faoi uaim cheangail atá an líne comhdhéanta.
Nuair a chuirtear bunvéarsa faoi uaim cheangail leis, tá bunlíne
an dáin eile (T) ar fáil, e.g. rann 1:

> Do·fed andes/i ndáil fíadat/findá[i]l caingel,
> Columb Cille/cētaib landa/lethan caindel.

'C. Cille brings from the south to the Lord the holy assembly at chancels,
Churches for hundreds, (the) broad candle.'

XIII

Teanga is Stíl na Filíochta Ársa: an Chomhréir

Tá sé tugtha faoi deara againn go bhfuil dlúthbhaint ag córas meadarach na Gaeilge ársa le *rithim* na gnáthchainte agus le foghar is déanamh na bhfocal sa teanga. An rud is dual don teanga féin a fheicfear, leis, sa mheadaracht, cibé acu bunvéarsa é nó líne ar 7^3 nó ar 6^2 shiolla. Más é *deireadh* na líne is tábhachtaí sa ghnáthchaint, is é a chinnfidh meadaracht na líne, leis. Má bhaintear leas as an *uaim* le líne a chumadh, nó a shíneadh, nó chun comhcheangail, gheofar a macasamhail sa bhunabairt phróis, agus sa sloinne féin: ba ghnách comhainm uamach ag ríthe is mórphearsana i bhfilíocht ársa Chúige Laighean, mar is léir ó na samplaí seo i mo dhiaidh: Ross Ruad, Find Fili, Labraid Loingsech, Labraid Lorc, Labraid Laídech, Nuadu Necht, Fergus Fairrge, Cobthach Cael etc. Ar ndóigh, baineann sin le pearsana na *Tána* leis, mar shampla, Conall Cernach, Fergus Ferglethech agus le pearsana eile ar nós Feradach Finn Fechtnach, Eochaid Airem. Dhéanadh guta ar bith uaim le guta ar bith eile sa Ghaeilge. Ba é a fhearacht chéanna sa Ghearmáinis (agus sa Sean-Bhéarla) é. Le consan pléascach scornaí agus ní le guta a fhuaimnítear tosach na bhfocal sa Ghearmáinis a thosaíonn le guta sa litriú, rud a mhíneodh an uaim seo sa tSean-Ghearmáinis. Is inmheasta go bhfuil an míniú céanna ar an bhfeiniméan céanna sa tSean-Ghaeilge. Bíodh sin mar atá, is léir gur gné de ghnéithe na hurlabhra an mheadaracht is gur sa chomhthéacs seo is cóir í a mheas. Bunleibhéal na filíochta í; eagrú na bhfoirmeacha is na bhfuaimeanna a cúram.

Tá dhá leibhéal dhifriúla teanga os cionn na meadarachta le cur san áireamh, mar atá:

A) An Chomhréir, agus

B) An Stór focal, mar aon leis an gcóras céille, nó an córas séimeantach a ghabhann leis.

A) a bheidh á phlé sa chaibidil seo. Pléifear (*B*) i gCaibidil XIV.

I dtaca leis an gcomhréir de, tá an dá cheist chéanna le freagairt is a bhí á bplé thuas againn i gcás na prosóide: conas a chuirtear an

160

t-aonad meadarach (nó an t-aonad comhréire) i dtoll a chéile;
agus conas a chuirtear na haonaid mheadaracha le chéile chun
dán a chumadh. Níl an dá cheist seo le deighilt glan óna chéile ar
aon leibhéal. Ag an am céanna níl a bhac orainn tabhairt faoina
bhfreagairt san ord sin.

Fiafraímis dínn féin anois, an bhfuil córas comhréire dá chuid
féin ag an bhfilíocht ársa, in ACC, mar shampla. Caithfear a
admháil nár scrúdaíodh ACC fós ar a shon féin. Sa tóir ar an rud
ársa a bhíothas, ar mhaithe le teangeolaíocht nó prosóid, rud atá
an-cheart, ar ndóigh. Ach tá níos mó ná ársaíocht in ACC. Ó
thaobh na comhréire de tá gnás na Sean-Ghaeilge ann, agus ina
theannta sainghnás na filíochta ársa. Cé acu ag cur lena chéile nó
ag trasnaíl ar a chéile atá siad? An córas amháin comhréire nó dhá
chóras atá i gceist? Seo a leanas príomhairíona na comhréire ina
iomláine. Baineann pointe 1 leis an dá ghnás. Faoi 2 agus 3 tá
samplaí a bhaineann leis an ngnás ársa, ach tugaimid samplaí
den ghnáth-Ghaeilge ina dteannta nuair is gá. Feicfimid ar ball
cad ina thaobh ar ghá an dá ghnás a dheighilt. Ar phríomhairíona
na comhréire tá:

1) Lé le hainmfhocail (is aidiachtaí) de rogha ar bhriathra i
gcumadh na mbunabairtí. Tréith de thréithe na Gaeilge i gcoitinne
í seo. Sampla: **III 4**: *Lug scéith* (ainm+ainm sa ghin.) '(Tá sé mar
a bheadh) *lincse le sciath* (ann)'; *Scál find* (ainm+aidiacht) 'Laoch
lonrach (atá ann)'. Tá samplaí go deo, deo den mhúnla substain-
teach seo ann, féach **II 1–3, III 1, 3, IV A 2**: 2–11, **VI B 1.** Tá
tuilleadh fós ann má ghlactar leis an mbriathar 'is' iontu, ar nós
IV A 3.

2) Fágtar ranna cainte ar lár, mar atá: *a)* An Briathar, *b)* An
Forainm (pearsanta is sealbhach), *c)* An t-Alt, *d)* Cónaisc, *e)* Réamh-
fhocail. Seo a leanas samplaí as ACC (Tá samplaí as an téacs
gnómach *Tecosca Moraind* in EECL 109 ff.):

a) An briathar *is* is minice ar lár, e.g. ACC §93 *Cet cell custóid,/
Tonn fo ogi oiffrinn* 'Crann cosanta céad séipéal (ba ea é), deoch
chomhlánaithe an Aifrinn (ba ea é).', §94 *Ollnia,/ ni hidal* 'Mórlaoch
(ba ea é), ní íoltóir'. Briathra gluaiseachta is minice ar lár ina
dhiaidh sin: ACC §32 *De aingeil hir-re asid-rocaib* '(tháinig) aingil
Dé (chuige) an uair a d'éirigh sé'. Tá an briathar 'tháinig' ar lár
in §21, leis. §114 *Ar iffurn i n-Albu omun* 'Ar uamhan Ifrinn (a chuaigh
sé) go hAlbain.' Tá na briathra '(bia is deoch) a chaitheamh', '(rud

M

a) fhágáil' agus '(cath) a chur' ar lár sna samplaí a leanas: ACC §73 *Ceo ni coirm/ Ceo ni sercoll* 'Níor (chaith sé) leann ná sólas', §§109–110 *Ar chredlu cairptiu/, Cath sír* 'Ar chráifeacht (a d'fhág sé) cathcharbaid. (Chuir sé) buanchath (in aghaidh an oilc)'.

b) Tá an tagairt phearsanta nó an forainm pearsanta in easnamh ar gach sampla in (*a*), agus in §88 *Miad mar munimar manna* 'Urraim mhór (dó), manna neimhe, measaimid'. Bíonn an forainm sealbhach in easnamh go rialta, leis: §§24–25 *Boe saegul sneid;/ Boi seim sáth* 'Ba ghearr (a) ré, ba shuarach (a) sháith', §31 *Fó dibath* '(Ba) mhaith (é) (a) bhás', §44 *Ro·fess ruam,/ Ro·fess seiss* 'B'fheasach (a) chlú, b'fheasach (a) ghaois'.

c) Tá an t-alt in easnamh sna samplaí seo: §132 *Ecce aear* 'Féach! An spéir!' §34 *Ranic iath* . . . 'Ráinig sé (an) tír'. In §126 tá *cruchi cumne* 'cuimhne (na) croiche', in §131 tá *mac cruchi* 'mac (na) croiche'; §138 *Trom tuath* 'Is brónach (an) pobal.'

d) Fágtar an cónasc 'agus, acht' ar lár, féach §94 faoi *(a)* thuas, agus §135: *A rogu ro fer/ subai samsid* 'An rogha a dhein sé: aoibhneas (ar neamh) (agus) suaimhneas samhraidh', §33 *Ro·anic axalu la airbriu archangliu* 'Ráinig sé na haspail is na sluaite (is) na hardaingil', §47 *Ba eola axal n-angel* 'B'aithnid dó aspail (agus) aingil', §68 *Fri arthu ar chathru/ Co domun dringthiar* 'Ar dhréimirí (agus) ar thréanfhir (i.e. na naoimh) a dhreapann sé ar neamh', §113 *Ad·ranacht ria n-áes ria n-amniurt* 'Cuireadh é roimh chríne (agus) roimh anbhainne.'

Fágtar an cónasc pearsanta 'an té . . .'/ 'he (who)' ar lár, leis: §§13, 17. Tá sonrú áite in easnamh in §§34, 36, 37[1] agus sonrú ama in §§115, 127. Is fíor nach bhfuil an dul seo an-chontrártha le gnás na Gaeilge: samplaí: §34 *Ranic iath nad adaig aiccesdar* 'Shroich sé tír nach bhfeictear oíche (inti)'; §127 *Con·fig figlestar o gnim glinnistar* 'Rud a bheartaigh sé (nuair) a dhein sé a bhigil, chuir sé i bhfeidhm lena ghníomh é'.

e) Samplaí den tuiseal tabharthach gan réamhfhocal sea §4 *Dia már mo anacul* 'Dia uilechumhachtach do m'fhóirithint', §53 *Gais gluassa gle* 'Léirigh sé gluaiseanna le grinneas'. Ina choinne sin áfach, féach §42 leis an réamhfhocal: *Assa cheird cumachtaig* . . . 'Trí chumhacht a cheirde'.

---

1. Tá a mhalairt de thuairim ag V. Hull, ZCP 28, 245.

Léirmheas: Luíonn 2a go maith le nádúr na Sean-Ghaeilge; féach **I 4–5** (lch 121). Ach is léir, leis, ó §§21, 32, 114; 50, 68, 91 go bhfuil an rogha idir an briathar a fhágáil ar lár nó é a úsáid faoin bhfile féin. Níor mhiste a fhiafraí, mar sin, leis, i dtaca le 2b cad ina thaobh an forainm sealbhach in úsáid in §§102–3 *Tuil a chuirp cuilsius/ Cuill a neoit* 'Choill sé a dhúil chollaí/Choill sé a sprionlaitheacht'.

Maidir le *2e*, ba chúis iontais é dá mbeadh na réamhfhocail á bhfágáil ar lár, mar is orthu sin go minic a bhíonn cúram an bhriathair, go háirithe i gcóras atá gann ar bhriathra agus lé aige le hainmfhocail; m. sh. in §114 (faoi *2a*) tá feidhm briathair sa réamhfhocal *i.* Dá réir sin baintear leas go minic as na réamhfhocail: tá *de* faoi dhó in §105; tá *do* faoi dhó in §126. Féach leis §§40–1, 142. Tá an t-alt an-ghann in ACC, ceart go leor. Thráchtamar ar na cónaisc (*2d*) thuas.

3) Ord na bhfocal. Féach *Thurn. Gramm.* §513; EECL 108 ff.; H. Wagner, *Festschrift Pokorny* 289–314. Ní dhéanfar anseo ach na príomhphointí ó thaobh na stíle de a phiocadh amach. Baintear leas as gnás na Sean-Ghaeilge i gcoitinne agus as gnás na filíochta ársa chomh maith in ACC:

a) Ionad an bhriathair an pointe oird is suntasaí san fhilíocht ársa. Briathar/Ainmní/Cuspóir gnáthord na Gaeilge idir Shean is Nua di, mar shampla, §130 *Buich bron cerdd Cuind* 'Scoilt an léan Leath Choinn', §60 *Legais runa etc.* 'Léigh sé rúin', §55 *Sluinnsius leig libru* 'Mhínigh sé iad, na leabhair dhlí'.

b) Tá *mise en relief* i gceist nuair a bhrúnn mír éigin eile seachas an briathar chun tosaigh san abairt. Sampla: §19 *Huile bith ba hae he* (: Gnáth-Shean-Ghaeilge *Ba hae in bith uile*) 'Ba leis an domhan uile', §5 *Dia firién fírfocus cluines mo dónuaill* 'Dia fírean fíorchóngarach a chluineann mo nuallghol'. Foirm Choibhneasta sea *cluines* anseo. In §1 tá *Dia Dia do·rrogus ré tias inna gnuis* 'Dia, Dia, ba chóir dom é a ghuí'. Forrán sea *Dia, Dia* neamhspleách ón mbriathar; tá forainm ('É') ag freagairt don chuspóir (Dia) istigh sa bhriathar *do·rrogus.* Aidiacht atá chun tosaigh in §8 *Dífulaing ris ré aisneid . . .* 'Dofhulaingthe an scéala nuair a deir . . .'. Tá an dobhriathar chun tosaigh in §11 *Is nu nad mair* 'Anois beag a d'éag sé'.

Níl aon dul cainte díobh siúd nach gcasfaí leat sa ghnáththeanga (nuair a bheadh fo-dhifríocht mar *ní mair* in áit *nad mair,* §11, curtha san áireamh). Seo a leanas pointí a bhaineann le dul na filíochta ársa go speisialta:

c) An briathar i ndeireadh abairte: §56 *Catha gulae gailais* 'Bhris sé cathanna ar an gcraos'. Eisceacht ón riail (Thurn. Gramm. §513 b) é seo, sa mhéid gur foirm neamhspleách í *gailais*; bheifí ag súil le *·gail*; §57 *Libru Solman sexus* 'Leabhair Sholaimh, lean sé iad'.

d) An Fhoirm Choibhneasta den bhriathar i ndeireadh abairte is í ar scaradh óna réimír: §64 . . . *ro Columb o chille cualammar* 'chualamar ó Cholum Chille'; **ro·cualammar ó Cholumb Chille* a bheadh sa ghnáthphrós. Cé go bhfuil an dul ársa seo coitianta go maith in ACC tá an gnáthleagan coitianta leis: cuir i gcás *Ar nín·tathrith do·sluinned foccul fir* 'mar nach dtiocfaidh arís chugainn (an té) a labhraíodh focal fíor'; tá *do·sluinned* gan scaradh anseo, faoi mar atá *fris·bered* in §16 agus *for·canad* in §18.

e) An Ginideach roimh an ainm a rialaíonn é. Tá seo an-choitianta: §55 *leig libru* 'leabhair dhlí', §32 *De aingeil* 'Aingil Dé'. Tá an gnáthleagan coitianta, leis: §59 *eter libru leig* 'idir leabhair an dlí', §7 *uchtot oenmaige* 'mion-osna aon mhá', §71 *Rir accobur a sula* 'scar sé le mian a shúile'.

f) An briathar ar deighilt ón Ainmní: §52 *Faig feirb fithir* 'D'fhigh (*faig*) an múinteoir (*fithir*) an briathar (*feirb*).'

g) Ainmfhocal á scaradh ón ainmfhocal atá á rialú aige: §114 *Ar iffurn i n-Albu omun* 'Ar uamhan Ifrinn (a chuaigh sé) go hAlbain'; Sa ghnáth-Shean-Ghaeilge bheadh *Ar omun iffirn*. . . .

An File Agus an Chomhréir

Conas a chuirtear na haonaid mheadaracha/na línte le chéile chun dán a chumadh? Nó i bhfocail eile, cad iad na modhanna ar leibhéal na comhréire a fhreagraíonn don *uaim*, don *rím*, is don *dúnadh* ar an mbunleibhéal? Ní aon mhoill an cheist a fhreagairt i gcás **II 2** (lch 143) le sampla an-ghlan a ghlacadh: buafhocail ag tagairt do Chet atá i gcorp an dáin sin; tá na buafhocail comhthreomhar le chéile, is é sin, tá an déanamh céanna orthu, i.e. ainm+aidiacht/ ginideach ainm. Sampla eile den chomhthreomhaireacht sea **II 4**: abairtí gan briathra iad na línte sa chás seo, faoi mar atá sa phrós i sampla **I 5** (lch 121). Tá an chomhthreomhaireacht coitianta leis i ndánta a bhfuil briathra iontu ar nós **V 1** agus **IV A 1** (155, 150). Le scéal gearr a dhéanamh de, *is í an chomhthreomhaireacht sainmhodh cumtha nó ceapadóireachta na filíochta ársa.* Cuirtear i bhfeidhm ar aonaid neamhspleácha atá ar chomhchéim lena chéile í, i bprionsabal. Tá sé le tuiscint as go seasann an líne féin amach mar aonad bunúsach is nach bhfuil sí an-ghéilliúil dá timpeallacht: féach **III**, **IV** thuas (147–149). Déanta na fírinne, tá an tréith seo ag roinnt le gnáthfhilíocht na Sean-Ghaeilge, leis. Nach mbaineann sí le tréithíocht na líne siollabaí ann féin, is leis an rím? Féach *Brigit Bé Bithmaith* **(VI C I)**, agus an cheathrú aithnidiúil a leanas (Thes. *II* 296)

Teicht do Róim:	Dul chun na Róimhe:
Mór saído, becc torbai!	Mór an bráca, beag an tairbhe!
In rí chon·daigi hi foss,	An Rí atá á lorg anseo agat,
Mani·m-bera latt, ní fogbai.	Mura mbeirir leat é, ní fhaighir é.

Bhain údar ACC leas as comhréir na Sean-Ghaeilge, agus ina theannta sin, as córas níos ársa a bhfuil a phríomhthréithe – nó a phríomhiarsmaí – breactha thuas againn. D'fhiafraíomar thuas cad ina thaobh go dtoghfadh sé dul cainte amháin seachas an ceann eile, nuair a bheadh an rogha aige. Caithfimid tabhairt faoina fhreagairt anois.

Níl aon sampla den chónasc *ocus* 'agus' in ACC, agus níl ach cúig shampla dá leathcheann ársa *sceo* ann mar aon le sampla amháin de *ceo* 'agus'. I dtrí chás acu, §§61, 63, 122 tá *sceo* i dtús véarsa faoi cheangal comhuaime leis an véarsa roimhe; sa cheathrú cás (58) tá *sceo* idir dhá ainm is é faoi uaim cheangail leis an gcéad cheann acu. Sa chás deireanach (9b) tá *Sceo Nera* faoi cheangal stíle leis an bhfocal *duí* 'daoi' i 9a; *breachnú/variation* a thugtar air sin. Níl a mhalairt de cheangal idir 9a is 9b ná idir 9b is 10 ach go bhfuil an tagairt chéanna (*In faith Dé*) ina thús is atá i 9a (*dó*), agus leanúnachas ábhair ar an gcuma sin iontu.

I *2d* thuas tá cúig shampla den chónasc 'agus' ar lár. Fágann sin dul comhthreomhar ar gach abairt acu: *subai/samsíd* (135); *la airbriu/archangliu* (33); *axal/n-angel* (47), *Fri arthu/ ar chathru* (68); *ria n-áes/ ria n-amniurt* (113).

Is í an chomhthreomhaireacht an uirlis theicniúil *par excellence* ag an bhfile chun na línte a chur i dtoll a chéile, is é sin, chun an dán a chumadh. Cnuasaigh chomhthreomhara atá aige in ionad cheathrún na Sean-Ghaeilge. Seo a leanas na cnuasaigh ó §§1–38 (LU, RC XX):

1–5: Dia Dia do·rrogus. . .
      Dia nime nim·reilge . . .
      Dia már mo anacol . . .
      Dia firién fírfocus cluines . . .

6–7a Ni discéoil . . .
       Ni huchtat . . .

7b–8a Mór mairg
       Mor deilm
       Difhulaing riss . . .

8bc   Colum cen beith
       Cen chill

9   (Breachnú/Variation): Co india $\downarrow$ duí dó
                         sceo $\downarrow$ Nera
10a   In faith Dé
11   Is nu nad mair

11a   Ni marthar lenn
12a   Ní less anma

12c–15 Ardon condiath con·roeter biu -bath
       Ardon·bath ba ar n-airchenn adlicen
       Ardon·bath ba ar fiadait foidiam

16–18 Ar-nin-fissid fris·bered . . .
       Ar-nin-tathrith do·sluinned . . .
       Ar-nin-forcetlaid for·canad . . .

19–20 (Deireadh téama)

20a   Is crot cen cheis
20b   Is cell cen abbaid
21   (Téama Nua): At·ruic ro-ard tráth Dé do Cholum cuitechta
22   (Breachnú)   Finn-fhethal frestal
23   Figlis fut baí

24–27 Baí sáegul sneid
       Baí séim sáth
       Baí sab suithe cec[h] dind
       Baí dind oc libur leig docht

28–   Lassais tír túaith
       Leis tuath occidens
       Cotro·las Oriens

31–32 (Deireadh téama)

33   (Téama Nua): Ránic axalu la airbriu archangliu
34   Ránic íath . . .
35   Ránic tír . . .
36   Ránic maige mós nad genetar ciuil
37   Nad estet ecnaide

38   (Deireadh Téama)

Is léir ón méid sin go bhfuil leas á bhaint go leanúnach sa dán as comhthreomhaireacht agus as an mbreachnú. Caithfimid a bheith sásta le cúpla sampla eile as corp an dáin:

Mír VI (§§50–64): Aon phatrún amháin atá ann ó thús deireadh: A: Briathar san aimsir chaite (*rethes, fāig, glé* etc.)+B: Cuspóir (*rith, feirb, gluasa* etc.)+C: Sonrú (*Raith* 50, *Gais* 53, *léig* 55 etc.):

50	Raith rith rethes
51	Dar cais caīn-dēnam
52	Fāig feirb fithir
53	Gais gluasa glé
54	Glinnsius salmu
55	Sluinnsius léig libru
	libuir ut car Caseon
56	Catha gulae gaelais
57	Libru Solman sexus
58	Sīna sceo imrima raith
59	Rannais raind co figuir eter libru léig
60	Légais rúne ro·chúaid eter scolaib screptra /sceo/
61	Ellacht immuaim n-ēisci im rith
62	Rāith rith la gréin ngēscaig /sceo/
63	réin rith
64	(Deireadh téama: achoimre ar bhuanna Choluim)

Féach leis an patrún le *boí* i Mír VII (74–82), nó le *ba* (82–86):

74	Baī cath
	Baī cast
76	Baī carthait
77	clothond oc buaid
78	Boī les lán
79	Boī leor les oīged
80	Boī obeid
	Boī huasal
	Boī huas a bás
81	Boī lien
	Boī liaig la cride cech ecnada

Is mór mar a chuireann bá na ranna cainte [faoi (*2*) thuas] leis an gcomhthreomhaireacht: fágann sé abairtí is míreanna cainte scoite, oiriúnach chun ceangal ina slabhraí. I dteannta an chlaonta chun comhcheangail, tá claonadh chun cómhúnlaithe ar lúba an tslabhra, is é sin ar mhíreanna is ar abairtí, mar shampla, na habairtí fada 59/60; tá siad ag freagairt dá chéile sa rithim, leis. Tá uaim cheangail i 53–63. Sna slabhraí 24–27, 74–82 nuair a fhágtar an *baí* as an áireamh, is léir uaim ó mhír go mír faoi mar atá istigh san abairt fhada; mar shampla 24–27: uaim le *s*- (24–6) agus le *d*- (26–7) i gcóimheas le §55: uaim le *l*- agus ansin le *c*-.

Friotal na Filíochta Eipiciúla[1]

XIV

Ceist an-leathan í rogha na bhfocal san fhilíocht ársa. Dá bhrí sin b'inmholta cloí anseo le dúshraith na ceiste, i.e. an foclóir eipiciúil, maille leis na coincheapa a ghabhann leis; agus ina theannta sin, sracfhéachaint a thabhairt ar an bhfile féin, agus ar fhoclóir a cheirde mar fhile. Is é an dearcadh comparáideach a fhónann do phlé an fhriotail eipiciúil, mar gur taipéis amháin, dá ildathaí féin í, ar imeall Iarthar na hEorpa i dtrátha imirce na gciníocha é. Dá bhrí sin beidh trácht thíos ar an tSean-Bhreatnais, ar an Sean-Bhéarla, agus ar an tSean-Íoslainnis i dteannta na Gaeilge. Bhí an córas laochta ag braith ar uasalaicme arbh é an cogadh a slí bheatha is a spéis, agus arbh é an misneach chun troda agus an fraoch ar pháirc an áir a mbuaic. Ba é a mian clú agus cáil a bhaint amach agus an chéim síos a sheachaint, agus bhí fáilte acu roimh an mbás nuair a chuireadh sé lena n-iomrá. Féile agus flaithiúlacht na tréithe ba mhó acu in aimsir síochána.

---

1. Leabharliosta don chaibidil seo:

EDDA: F. Jónsson, eag. *Saemundar-Edda: Eddukvaeði*,[2] Reykjavík 1926. (Cuirimid tagairt i lúibíní d'eagrán Neckel-Kuhn, *Edda*[3], Heidelberg 1962 leis, nuair is gá.)
Egils Saga Skalla-Grímssonar: eag. G. Jónsson, Reykjavík 1945.
Hrólfs Saga Kraka=Fornaldarsögur Norðurlanda II 3–93 (eag. G. Jónsson, B. Vilhjálmsson, Reykjavík 1944).
Heimskringla: eag. B. Aðalbjarnarson, Reykjavík 1941.
J. de Vries, *Altgermanische Religionsgeschichte*[3] I, II. Berlin 1970.
R. W. Chambers–C. L. Wrenn, *Beowulf: An Introduction to the Study of the Poem*[3], Cambridge 1963.
F. Klaeber eag. *Beowulf*[3], Boston 1950.
E. V. Gordon, eag. *The Battle of Maldon*[2], Methuen 1949.
G. P. Krapp: eag. *Elene* (Anglo-Saxon Poetic Records II: The Vercelli Book 66–102).
Krapp-Dobbie: eag. *Widsith* (Anglo-Saxon Poetic Records III: The Exeter Book 149–153).
K. Meyer, A. Nutt, *The Voyage of Bran* I, II London 1895–7.
K. Meyer, eag. *Über die älteste irische Dichtung* (ÄID) I, II Berlin 1913–14.
A. G. van Hamel, eag. *Immram Brain (Immrama* 9–19, B.Á.C. 1941).
V. Hull, eag. *Longes mac n-Uislenn*. N.Y. 1949.
W. Stokes, eag. *Amra Choluim Chille* (ACC), Revue Celtique XX 1899.
GODODDIN: eag. I. Williams, Canu Aneirin (C.A.) Caerdydd 1938. aistr. K. H. Jackson, *The Gododdin*, Edinburgh 1969.
CANU LLYWARCH HEN (CLH): eag. I. Williams, Caerdydd 1953.
A. O. H. Jarman, The Heroic Ideal in Early Welsh Poetry (*Pokorny Festschrift*, eag. W. Meid, Innsbruck 1967, lgh 193 ff.).
M. Eliade, *Rites and Symbols of Initiation*, N.Y. 1958.
H. R. Ellis-Davison, *Gods and Myths of Northern Europe*, Penguin 1964.

169

Ar na gnásanna eipiciúla a bhí forleathan i measc na gciníocha seo bhí ar an gcéad dul síos an mhóid shollúnta ag dearbhú go gcuirfeadh an laoch éacht nó beart éigin áirithe i gcrích. I dtraidisiúin na Lochlannach agus go háirithe in *Edda* (i.e. tiomsú luathfhilíochta) na hÍoslainne, is fearr is féidir teacht ar bhunús an ghnáis seo. Le féile na Nollag a bhain an mhóid shollúnta seo ar an gcéad dul síos, cé gur minic an téama á ionramháil go míchruinn chun scéalaíochta, níos déanaí. Tá cur síos próis air in *Helgakviða Hjörvarðssonar* (cf. F. Jónsson, *Eddukvæði*, 244; Neckel-Kuhn, Edda[3], 147). Mac rí na hIorua, Heðinn, atá i gceist. Bhí sé ag teacht abhaile ón gcoill ina aonar oíche Nollag nuair a chonaic sé chuige an tsamhailt aduain, banfhathach ag marcaíocht ar fhaolchú agus srian de nathracha nimhe ina lámha aici. D'iarr sí cead teacht ina theannta. 'Ní áil liom sin,' ar sé. 'Íocfaidh tú as, trátha na Dí Sollúnta (*at braga(r)fulli*)', ar sise. Tráthnóna a bhí na mionna á dtabhairt; tugadh an torc íobartha (*sónargöltr*) isteach; leag na fir a lámha air agus thug siad a móid ag ól na Dí Sollúnta dóibh. Mhionnaigh Heðinn go mbainfeadh sé amach dó féin Sváfa, leannán a dhearthár Helgi. Tháinig cathú chomh géar sin air ansin gur bhrostaigh sé thar críocha díbhealaigh ó dheas chun bualadh le Helgi. Chonacthas do Helgi gurbh éard a bhí i scéala Heðinn ná a thaise féin agus tuar a bháis sa chomhrac aonair a bhí le seasamh go gairid aige le Álfr. B'fhíor dó.

Tá an focal *braga(r)full* défhoirmeach agus déchiallach dá réir: 'soitheach an éachta' (*bragarfull*), nó 'soitheach Bhragi, dia na filíochta agus céile Iðunn, bandia an fhásra is an athfháis' (*bragafull*). Féile athfháis ba ea an ócáid seo agus ba ghnách mionna á dtabhairt lena linn, mar atá sa tuairisc thuas. Bhí an torc íobartha tiomanta do Freyr, dia na torthúlachta. Is inmheasta gur comhainm ar Óðinn Bragi.

Gan dul níos doimhne sa scéal, is léir gur bhain an mionn laochta le cultas agus le haicme an laochra. Bhí siad seo faoi shíorbhrú na hiomaíochta ag lorg fir a ndiongbhála, faoi mar a lorgaíonn an laoch óg Cú Chulainn i gcéin is i gcóngar ar a chéad ghaisce iad. B'in é an chéad phromhadh, agus bhí síorphromhadh ag baint leis an gceird. Sa mhéid gur bhain an mionn laochta leis an todhchaí, is ní leis an am a bhí caite, tá sé le hidirdhealú ó 'scaothaireacht' an lae inniu.

Is é an sampla is áisiúla ar an mionn laochta sa Ghaeilge ná geallltanas Chonchobair ag deireadh eachtra Shualtaimh sa *Táin,*

I 3 ar lch 119 thuas. Ar lch 41 thuas tá aistriú ar leagan eile de **I 3** a léiríonn níos fearr é. Sampla eile air sea LL 9524–5, Cú Chulainn atá ag cur a einigh féin sa treis:

Bágim-se a heniuch caem chon Nacham tair-se óen m'óenor.	Dearbhaímse ar eineach na Con Nach dtiocfaidh aon duine (i gcabhair orm ag an áth).

Ní choisceann an dearbhú seo é ar chuireadh a thabhairt do Lug ina dhiaidh sin seasamh sa bhearna leis. Mar an gcéanna, is mó den reitric ná den réadúlacht a bhaineann go minic leis an bhfoirmle *Tongu do dia tongas mo thuath* . . . 'dearbhaím dar dia mo mhuintire . . .' Cf., leis, móid Fhergusa, TBC[2] 3546.

Saothar eipiciúil Sean-Bhreatnaise sea an *Gododdin* a cumadh thart faoi A.D. 600. Mórtar ann na gaiscígh óga, 300 acu, marcra a chuaigh ó Dhún Éideann ó dheas go Catraeth (Catterick) lena shaoradh ar na hAingligh. Níor fhill ach fear inste scéil, de réir cuntais amháin. Marbhna i bhfoirm ranna il-líneacha sea an dán, gach rann acu ag comóradh gaiscígh amháin nó an chathláin in éineacht. Seo a leanas cúpla sampla ar an dearbhú laochta as an *Gododdin* (634–5; 32–4):

Da dyuot Adonwy Adonwy am adaussut,
A wnelei Vratwen gwnelut: lladut, llosgut.

'Maith an chinniúint a thairg tú dom, Addonwy, Addonwy,
Pé ní a dhéanfadh Bradwen, dhéanfása: mharófá, loiscfeá.'

E amot a vu not a gatwyt; Gwell a wnaeth, e aruaeth ny gilywyt.	Aidhm a chomhlíonadh ba ea a ghealltanas, Dhein sé níos fearr ná sin, níor cuireadh siar ar a phlean.

Tagraíonn na focail Sean-Bhéarla *bēot, gielp, dolgielp, gebēotian, gehātan* don dearbhú laochta faoi mar atá sé i dtrácht i m*Beowulf* 509, 536, 1392, 2521, 2528 agus i *Maldon* 212 f., 246 f. mar shampla. 'Cuimhnígí ar na briathra a bhí chomh minic sin againn ag ól meá, nuair a thugamar na gealltanais uainn faoin gcruachath: beidh triail anois ar ár gcrógacht,' a deir Aelfwine lena chomhleacaithe ar thitim dá dtaoiseach Byrhtnoð sa chath (*Maldon* 212 f.).

Thráchtamar ar lch 127 thuas ar ghnás na curadhmhíre: rogha na feola sa fhleá in áirithe don laoch ab fhearr. Gnás Ceilteach é seo agus ina theannta sin gnás Gréagach (féach D'Arbois, *Cours* VI 4). Tá mionfhaisnéis air sa dá scéal *Fled Bricrend* agus *Scéla*

Mucce Meic Dathó, agus tá rian de sa *Ghododdin* chomh maith (1154–5):

Dyuit en cadw ryt kein as myccei	Cosantóir diongbháilte an átha ba gheal leis
Pan dyduc kyhuran clotuan mordei.	Nuair a bheireadh sé leis curadhmhír na cúirte.

Tugann an *Gododdin* léargas dúinn ar an *gcomitatus* laochta, an comhthionól a bhfuil an tiarna ina cheannas is é ag braith ar bhrí, ar fhuinneamh, agus ar dhílseacht a rítheaghlaigh. Cineál comhaltais iad sin. Is inmheasta ó eachtra Chú Chulainn ar a chéad ghaisce, ón bhFiannaíocht agus ó scéalta Lochlannacha ar nós *Hrólfssaga Kraka* gur bhain promhadh na n-óg le réim an ghaiscígh agus gur bhain na gnásanna laochta atá luaite thuas le slánú chaighdeán na ceirde: ní thiocfadh slán as gach coimheascar ach taobh amháin.

Mynyddawg a bhí ina fhlaith ar na *Gododdin* ag Dún Éideann; *Mwynfawr* 'saibhir' a chomhainm. Cine Briotanach iad seo. Bhí siad faoi bhrú ó na hAingligh le linn dóibh seo a bheith ag leathnú aneas ó thuaisceart Shasana. Bhí amhais dheoranta ag Mynyddawg i dteannta a laochra féin. Choinnigh seisean fleá agus féile ar feadh bliana lena arm sular thug siad faoin bhfeachtas ó dheas. Is ag an bhféasta a chleachtadh an tiarna an fhlaithiúlacht ba chuí dó. Má bhí orthusan an fód a sheasamh go bás ar a shon, bhí a aitheantas agus a chúiteamh sin dlite dóibh de réir an chórais. Samhail ar an gcoibhneas seo ba ea deoch na fleá, *medd* na Breatnaise, *ealu* an tSean-Bhéarla. Tá sé luaite an-mhinic sa *Ghododdin*, mar shampla 236–7

Gwin a med o eur vu eu gwirawt,	Fíon is meá ó shoithí óir a bhí acu mar dheoch
Blwydyn en erbyn urdyn deuawt.	Ar feadh bliana de réir an tso-ghnáis.

Ach nuair a bhris an cath ina dhiaidh sin orthu bhí an taobh eile den scéal le haithris (356 f.):

Gwerth eu gwled o ved vu eu heneit	A n-anam a bhí i gcúiteamh ar bheoir na fleá.

Cineál *leitmotif* sea an téama seo sa dán. Ach casann an téama arís i bhfilíocht an tSean-Bhéarla, i laoi *Finnsburg:* bhí seanfhala idir Freaslannaigh is Danair agus dhein Finn rí na bhFreaslannach fogha fealltach ar Hnæf na nDanar le linn dóibh seo a bheith ar cuireadh aige agus d'éirigh eatarthu. Is é a deir an file (37–40):

'Níor chuala mé riamh trácht ar thrí fichid barrlaoch a d'iompair iad féin níos fearr is níos fiúntaí sa choimheascar, is níor dhein ógfhir riamh cúiteamh níos fearr sa ghealbheoir ná mar a dhein a bhuíon óglaoch do Hnæf.'

Ceann de na gnéithe is suntasaí i bhfilíocht ársa eipiciúil na hIar-Eorpa, ó thaobh na litríochta de ach go háirithe, an dlúthbhaint a bhí idir bard is taoiseach, file is gaiscíoch, éigse is eirleach. Sa Lochlainnis arís is léire seo. Óðinn nó Woden dia na héigse agus dia an chogaidh in éineacht faoi thrátha na filíochta is ársa san *Edda* (féach *Voluspá* 17 (18), 23 (24)). Bhí Óðinn ar leathshúil; níorbh fholáir dó an leathshúil eile a thabhairt uaidh in aiseag an eolais is na gaoise a thug an fathach Mímir dó as a thobar meá. Bhíodh dhá fhiach bhána ar a ghuaillí aige, *Huginn* 'machnamh' agus *Muninn* 'cuimhne' chun scéala a thabhairt chuige faoi imeachtaí an domhain mhóir. Bhíodh dhá fhaolchú ina luí ag a chosa. Cuma an ghaiscígh a shamhlaítí leis mar dhia cogaidh. Dá mhéad a mharófaí sa chath sea ab fhearr leis é, mar go mbeidís in Valhalla roimhe chun cath a thabhairt ar a shon in aghaidh an fhaolchú mhillteanaigh Fenrir, lá an luain. Bhí ógmhná osnádúrtha aige i mbun roghnú na ngaiscíoch ar pháirc an áir; ba iad sin na *Valkyrjur*. Saothar in aisce do Óðinn ba ea é seo, áfach, mar go slogfaidh Fenrir an lá sin é. In éigeandáil na féiníobartha ar chrann na beatha sea a thionscain Óðinn na *rúin/runes* nó na litreacha, (*Háv.* 138–141). Bhí sé ar crochadh ar an gcrann ar feadh naoi lá nuair a rith siad sin leis; d'fhuascail siad láithreach é. Fónann siad do na filí chun éigse, do na fáithe chun tairngreachta, do na hasarlaithe chun draíochta, is do na lianna chun leighis. Is é an beart thar bearta a dhein pátrún na héigse de Óðinn gur ghoid sé ó na fathaigh meá na héigse a bhí ullmhaithe ag na habhaic is gur chuir sé ar fáil do na filí é. I riocht iolair a bhí sé le linn na heachtra; tréith thábhachtach dá thréithe an ildeilbhe seo, agus tá baint aige lena bhfuil d'ainmneacha ainmhithe mar chomhainm ar Óðinn. Cuireann sin i gcuimhne dúinn cé chomh tábhachtach is atá ildeilbhe (agus athghiniúint!) sa traidisiún Ceilteach i dtaca le hAmargein, Taliesin, *Tochmarc Étaíne* – agus *Immram Brain* féin, áit a ndeirtear faoi Mhongán mac Manannáin (53–4):

Bíed i fethul cech míl	Beidh sé i riocht gach uile mhíl
Itir glasmuir ocus tír,	Idir glasmhuir agus tír,
Bid drauc re mbuidnib i froiss,	Ina dhragún san fhogha roimh na sluaite,
Bid cú allaid cech findroiss.	Ina fhaolchú i ngach ró-choill.
Bid dam co mbennaib arcait	Ina dhamh le beanna airgid

I mruig i n-agtar carpait,	Sa tír ina dtiomáintear carbaid,
Bid écne brecc i lind lán,	Ina bhradán breac i linn lán,
Bid rón, bid ela findbán.	Ina rón, ina eala fhionnbhán.

I ndeisceart na Gearmáine tá trácht ar Óðinn nó Woden mar dhia an anfa. Nuair a chuireann an stoirm gach uile rud as a riocht le teann buile, go háirithe i rith dhá lá dhéag na Nollag, deirtear gurb é Woden is a chomplacht atá le báiní. Baineann scéal na 'seilge scéine' nó *die Wilde Jagd* leis sin. Sin í an ghné den dia faoi deara an comhainm *Yggr* 'millteach' ar Óðinn. Baineann an ga, an faolchú, agus an fiach dubh leis ina cháilíocht mar dhia cogaidh. As staid na heacstaise/ecstasy is féidir an dá phríomhghné dá phearsantacht, éigse agus cogadh, a mhíniú. Le gné amháin díobh a bhaineann na focail *óðr* 'filíocht' na Sean-Íoslainnise, *wóþ* 'amhrán' an tSean-Bhéarla, *gwawd* 'éigse' na Sean-Bhreatnaise, *fáth* 'filíocht, faisnéis' na Sean-Ghaeilge agus *vātēs* 'fáidh' na Laidine. Leis an ngné eile a bhaineann na focail *wōd* 'le buile' an tSean-Bhéarla agus *Wut* 'buile' na Gearmáinise i dteannta *wōds* na Gotaise agus *óðr* 'ar buile' na hÍoslainnise. Oireann sé dúinne anseo an dá ghné a thógáil lena chéile mar go bhfuil an dia seo déchiallach sna traidisiúin atá againn. Ceist eile í an raibh an scéal amhlaidh riamh, agus ní miste an cheist sin a fhágáil faoi na sanaseolaithe: measann J. Pokorny go raibh, (IEW 1113), ón uair go dtugann sé an dá chiall faoin aon fhréamh ina fhoclóir Ind-Eorpaise. Measann H. Wagner nach raibh (ZCP XXXI 46 f.).

Is cuid spéise é go bhfuil an dá ghné fite fuaite ina chéile in Egill Skallagrímsson, príomhheiseamláir ar laochfhilí na hÍoslainne. Ina dhán ar bhás a bheirt mhac, gabhann Egill buíochas le hÓðinn as ucht bua na filíochta a bhronnadh air; mar ghléas díoltais (*bǫlva bœtr: Sonatorrek* 23) a fháiltíonn Egill roimh an éigse. Tá an bhéim chéanna ag Óðinn féin ar chumhacht is ar dhraíocht na héigse áit a léiríonn sé a feidhm in *Hávamál* 147 (146).

Cad é dearcadh an fhile i leith a chúraim? I dtaca lena dhualgas mar fhile cúirte is é a deir Laidcenn, file na Laigen, i dtús a dháin, ÄID I 16 = *Corp. Gen.* 8:

Nidu dīr dermait	Ní cuí domsa
Dāla cach rīg rōmdae,	Cinniúint na ríthe móra a dhearmad.
Reimsi rīg Temra,	Réim ríthe na Temrach,
Tuatha for slicht slōgdae.	Is pobail ag cur chun catha.

Ar an gcuma chéanna le Lugair Lánfhili ibid. I 20, II 19. Ag
cuimhneamh ar a cheird leis atá Laidcenn nuair a deir sé faoi
Bhregain agus Bráth (ibid. I 29: 33) *Batar flaithi fedma fāth* 'ba
fhlatha iad a thug neart ábhair éigse uathu (do na filí)', i.e. d'fhág
siad mórán le móradh ina ndiaidh. Is é an dála céanna é ag Lugair
nuair a deir sé (ibid. II 14) *fri filedu fāth fiu dā mac fiala Fedelmithe*
'cuspóir fiúntach éigse d'fhilí beirt mhac F'. Mar a leanas a mholann
Laidcenn Labraid Loingsech (ibid. I 17): *Lēo nīthach nathchobbur,
cathchobbur coimsech* 'Leon coscrach cumasach a raibh dúil sa chath
(*cathchobbur*) agus san éigse (*nathchobbur*) aige'. Sampla eile den
mholadh céanna sea I 18: 20c, d. 'Blas buanbhinn na héigse' sea
Labraid I 6, n. 1. *Niamthae nath* 'gealéigse' sea na Trí Fothaid II
14 §3 – ar nós *gwennwawt* na Breatnaise anseo i mo dhiaidh.

I lár an chéad ranna den *Ghododdin* fágann an file an moladh i
leataobh nóiméad chun a chúram a phlé le Ywain:

Ny bi ef a vi	Ní bheidh
Cas e rof a thi,	aon mhioscais idir mé is tú,
Gwell gwneif a thi,	Is fearr ná sin a dhéanfaidh mé leat:
Ar wawt dy uoli.	Thú a mholadh san fhilíocht.

B'ábhar mioscaise é an laochra a fhágáil gan an moladh atá tuillte
acu, faoi mar atá ráite go neamhbhalbh i gcás Gwenabwy (292–3):

Cam e adaw heb gof camb	B'éagóir a fhágáil gan
ehelaeth	chuimhneamh, an laoch lán
Nyt adawei adwy yr adwryaeth.	Nach bhfágadh an bhearna trí
	mheatacht.

Ba é craobh dhídine fhilí na Breataine é, a deirtear ansin, i ngeall
ar a fhéile. Triúr a tháinig slán trí bhíthin a ngaisce sa chath (240)
agus an file ina dteannta trí bhíthin a ghealéigse (242 *gwerth vy
gwennwawt*). Is ródhealraitheach, mar sin, gurbh é a chúram gairm-
iúil, i.e. dán molta a chumadh, a thug ar an bhfeachtas é. Sin é leis
atá le tuiscint as an rann ar Buddfan (282–5):

A chyn edewit en rydon	Agus sular fágadh ag an áth
Gan wlith eryr tith tiryon,	Leis an drúcht iolar an chaoinruathair.
Ac o du gwasgar gwanec tu	Taobh le cáitheadh na toinne
bronn,	cois cnoic,
Beird byt barnant w(y)r o	Breith an mhisnigh a thug filí
gallon.	an domhain air.

Cuireann file fáin an tSean-Bhéarla, *Wīdsīth*, síos ar dhán a
cheirde mar a leanas: 'Thuaidh nó theas casfaidh leis (na filí) an

té a thabharfaidh gean don éigse agus luach saothair go fial dóibh
féin: duine ar mhian leis a ainm a mhóradh i bhfianaise a rítheagh-
laigh agus gníomhartha gaisce a dhéanamh, go dtí go séalóidh gach
uile ní, saol is solas in éineacht. An té ar díol molta é, gheobhaidh
sé an cháil is airde faoin spéir.'

Is mithid casadh anois ón gcomhthéacs laochta Iar-Eorpach i
gcoitinne chun foclóir filíochta na Gaeilge ársa é féin. Filíocht ar
bith atá bunaithe ar an gcomhthreomhaireacht (lch 164 *supra*), i.e.
ar véarsaí a bhfuil an déanamh comhréire céanna orthu, is iondúil
di an fuinneamh, an scóip is an éagsúlacht nach foláir chun dáin
shláin, iomláin, a lorg sna focail is na leaganacha cainte. Ar an
ainm is ar an aidiacht, go háirithe, a bhraitheann filíocht na Sean-
Ghaeilge, mar a chonaiceamar thuas. Ainmneacha is aidiachtaí ar
fad atá i **II 1–2** ar lch 142, agus i **II 3–5**, cuid mhór, leis. Braitheann
na dánta seo, dá réir, ar an ainmabairt nó an chomhaisnéis, e.g.
Cride licce/Conall. Cuirtear in iúl go bhfuil cáilíochtaí áirithe ag an
laoch go díreach, e.g. **II 1:** 2–5, nó go hindíreach trí bhíthin com-
paráide, e.g. **II 2:** 5, 7. Dá theibí cuid de na comórtais a dhéantar
leis na gaiscígh, ní aon ní nua dáiríre iad: tá an tréith seo ag roinnt
leis an teanga féin, féach na focail Sean-Ghaeilge *flaith* 'tiarnas;
tiarna', *cerd* 'ceird, ceardaí', *techt* 'imeacht, teachtaire', *taidbsiu*
'taispeántas, púca'. Ní aon nath, mar sin, *buaid* 'victory, triumph'
mar shampla, á thagairt go meafarach don té is fearr, don togha
(**I 25:**5), nó an focal *bress* 'comhrac' á thagairt don trodaí ÄID
II 15:10, I 28: 19.

Tugann **II 1:3** *londbruth loga* chun cuimhne go bhfuil an focal
céanna sa tSean-Ghaeilge ar 'troideann, treascraíonn' agus ar
'fiuchann', i.e. *fichid* 'troideann sé, fiuchann sé'. Níl aon ainm briath-
artha ag 1 *fichid* ach *gal* 'fiuchadh; caismirt' (cf. *gal* 'cumhacht,
cumas' na Sean-Bhriotáinise, *gallu* 'bheith ábalta' na Breatnaise).
Tá dhá chiall eile le *gal*, ceann acu 'steam' ag réiteach le 'fiuchadh',
agus an ceann eile 'fraoch catha, crógacht' ag réiteach le 'caismirt'.
Tréith de thréithe an ghaiscígh an bruth seo; tá sé á lua i dtaca le
Cú Chulainn i **I 18:**6 agus i **I 24:**5, 9 thuas. Tá cuntas ar lch 34
air, faoi mar a chuir Cú Chulainn an t-uisce ar fiuchadh lena chuth-
ach laochta. An dragún a mharaigh Beowulf, ba éard a tháinig
amach roimhe as an bpluais ná 'anáil an arrachta, gal the an
eirligh' (2557–8 *oruð āglǣcean/hāt hildeswāt*). Nuair a thagadh fraoch
catha ar Chú Chulainn thagadh claochlú (*riastrad*) air. Thosaíodh

IV. Plátaí Cré-umha ó Thorslunda na Sualainne.

1 An laoch ag fiach mathghamhna. 2 An laoch ag smachtú an arrachtaigh.
3 An laoch ina shaighdiúir sa chathlán; an torc sacrach cosanta ar a chafarr.
4 An laoch i riocht faolchon (úlfheðinn) á threorú sa chath ag an sleá-rinceoir ar
leathshúil (Óðinn?).

[Féach lch. 179]

sé ag borradh is ag at [1a]. As an mborradh laochta seo atá *bolgenmōd*
an *ghaiscígh* i mBeowulf le tuiscint go bunúsach. I gceartlár na teag-
mhála le máthair Ghrendel agus i dtús an chomhraic leis an dragún,
nuair ba chrua a chéim is ba mhó a chuthach, deirtear go raibh
Beowulf *gebolgen* (1539, 2550): *(ge)belgan* 'at: swell with fury'.
Tagraíonn *bolgenmōd* d'aigne *(mōd)* an ghaiscígh nuair a bhíonn sé
amhlaidh, ar an gcéad ásca. Bhí Beowulf *bolgenmōd* is é i bhfuireachas
le Grendel (709). Is dealraitheach go bhfuil an bunús céanna le
collenferhð (*collen-* 'ata', *-ferhð* 'aigne') chomh maith. Focail chianársa
eile a bhaineann le ré an laochais sea *éacen* 'méadaithe'; 'éachtach'
agus *ēacencræftig* 'éachtach'. Tá an laoch féin *éacen* (198) mar go
bhfuil sárneart coirp tugtha ag Dia dó. Tá claíomh an fhathaigh
éacen (2140) mar go bhfuil draíocht ag baint leis, agus tá taisce an
dragúin *éacencræftig* (2280, 3051) ar an gcúis chéanna. Breis cumais
a bhfuil údar osnádúrtha leis a chuireann na focail seo in iúl go
bunúsach. Bruth faoi thír as an gcianchúlra nach féidir a mhíniú ach
trí bhíthin comparáide le saoithiúlachtaí eile, na téarmaí seo.

Baineann fraoch (*berserksgangr*) an Lochlannaigh leis an gcúlra seo
chomh maith. Sa fhraoch dó, throideadh sé gan lúireach. Ní don
nochtacht, áfach, ach don 'mhathúin' a thagraíonn céadmhír an
ainm, *ber-*. Bhí geis ag baint leis an mathúin go forleathan agus ní
hé a ainm féin a thugtaí air dá bharr sin: 'an té a itheann an mhil'
(*medvĕdь*) a bhí air sa tSean-Rúisis, 'an donn' sna canúintí Gearmána-
cha: Sean-Íoslainnis *biǫrn*=Sean-Bhéarla *beorn*: 'trodaí, gaiscíoch'.
Meastar leis gurb é an mathúin a bhí i gceist san ainm Beowulf, i.e.
Bee-wolf, ar nós an fhocail Rúisise. Fáisceadh an bhéir a imríonn
Beowulf ar a naimhde nuair a fhaigheann sé an seans orthu (2507).
Fíoch an bhéir atá le feiceáil sa tSean-Ghaeilge i **I 24:9, I 25:4**
thuas (134 f.). Tá riar mhaith ainmneacha ar an ainmhí seo: *math,
mathgamain, beithir* agus *art*: as seo an t-ainm dílis *Art*. Tá siad seo
ar fad in úsáid sa rosc agus san fhilíocht i dtaca leis an ngaiscíoch;
samplaí as ÄID ar dtús: *Eochu, art* (II 22), *Cairpre caīne airt* 'art
taibhseach' (II 27); féach leis I 30:34, 36; I 54:10, 17. *Bethir* sea
Bile (I 29:32), *bethir borb* Bresal Bēlach (I 18:17); Bile=*brīg* (i.e.
neart) *bethri* I 42:40. Tá *math* againn thuas i **I 24:9** agus *gala math-
gamna* 'misneach na mbéar' i BDD² 893.

Sa *Ghododdin* tugtar *arth arwynawl* 'an béar millteanach' ar Mherin
(721) agus i 149 tá sé ráite gurbh é Blaen an béar sa chosán (*arth en*

[1a] Cf. *att* 7 *infithsi* TBC 3803 (:Cú Chulainn), *borrfad barainn* TBC² 3561 (:Fergus),
att 7 *annini* TTebe 380.

N

llwrw). Cf. *artio* na Gaillise 'bandia, an Béar baineann'. Tá *biǫrn* ar 'fhear troda' san *Edda* (e.g. 252.19).

Luamar *Hrólfssaga Kraka* thuas. Ba é Bǫðvar(r) Bjarki an príomh-ghaiscíoch sa scéal seo. Is é an bhrí atá leis an ainm seo ná an Béar (*Bjarki*) Catha (*bǫðvar*), nó mar a deirtear faoi Dheaith in ÄID I 30:34 *Art fri dūir ndorair ndeirgg* 'béar sa chruachath dearg'. Tá an bun céanna le *bǫð* 'cath' na Sean-Íoslainnise, *beadu* 'cath' an tSean-Bhéarla agus *bodb* 'bandia an chatha; feannóg chatha' na Sean-Ghaeilge. Míthuiscint na foirme *Bǫðvar* faoi deara an t-ainm *Bǫðvarr*. Maidir leis an mbéar catha Bǫðvar Bjarki bhí a phríomh-cháilíocht ó dhúchas aige: ba é Biǫrn 'Mathúin' a athair agus Bera 'Béar baineann' a mháthair. Mac rí ar chuir a leasmháthair faoi dhraíocht é nuair a dhiúltaigh sé dá cumann ba ea Biǫrn, sa dóigh gur riocht an bhéir a bhíodh sa lá air. Maraíodh sa riocht sin é ar thathaint na banríona agus ullmhaíodh a chuid feola chun bia. Chuir an bhanríon iallach ar a leannán Bera blúire den fheoil a ithe sa tslí nuair a rug sí a triúr mac go gairid ina dhiaidh sin go raibh cuma na heilce ar Fróði, an chéad duine acu, ón imleacán síos; cosa madra ón alt síos a bhí ar an dara duine, agus tháinig Bjarki ansin slán ó mháchail. Ní raibh urra coirp iomlán i mBjarki, áfach, faoi mar a bhí i bhFróði go dtí gur thug seisean d'fhuil a cholpa le hól dó go gairid roimh dul le ceird an ghaiscígh dó. Is í an chéad éacht a dhein Bjarki i gcúirt Hrólfr rí na Danmhairge ná an t-óg-fhear imeaglach Hǫttr a athrú ina mheon gur dhein laoch den scoth de. Is amhlaidh a thug Bjarki Hǫttr ar éigean leis i gcoinne an arrachta, nó an bhéir, nó an fhaolchú bhaininn (de réir an leagain) a bhí chucu; nuair a bhí an t-ainmhí marbh ag Bjarki, rud a dhein sé gan stró, chuir sé iallach ar Hǫttr cuid den fhuil a ól agus cuid den chroí a ithe. Dhein an méid sin an beart.

Sa chath deireanach a sheas Bǫðvar Bjarki dá rí Hrólfr, bhí sé i riocht mathúna fhraochmhair ag tuargaint an namhad, ag cosaint an rí, agus ag brú roimhe go caithréimeach. Ach ní rabhthas sásta. Mar ní raibh Bǫðvar Bjarki, an príomhghaiscíoch, le feiceáil, agus ar an drochuair chuathas á lorg. Thángthas air ina thámhnéal i gceathrú an rí. Má throid sé ar nós na geilte nuair a tugadh ar an bpáirc é, faoi mar atá ráite sa scéal, ní raibh aon ghaobhar aige ar an ngaiscíoch a bhí ann roimhe – a thaise féin, an mathúin dochloíte.

Bhí an dúchas ceart i mBjarki dá chúram agus pé easnamh a bhí air b'fhéidir é a thabhairt isteach ó fhuil an dúchais nó an mhíl

chatha. Ní raibh na *berserkir* féin inchurtha le Bjarki ná lena chomh-
leacaí chun troda ná chun cruatan a sheasamh (*Hrólfssaga* 37, 39) mar
nach raibh an fháil dhíreach chéanna acu ar fhoinse an fhígh is an
fhraoigh chatha. Ó sheithí (*serkir*) na mbéar (*ber-*) a bhíodh á
gcaitheamh acu a fuair siad seo an t-ainm. Mar a leanas a chuireann
Snorri Sturluson (1179–1241) síos ar na *berserkir* ina leabhar
cáiliúil *Heimskringla* (*Ynglinga Saga* VI): 'Bhí sé ar chumas Óðinn
a thabhairt i gcrích go mbainfeadh daille nó bodhaire nó imeagla
dá naimhde sa chath agus nach ngearradh a n-airm ach an oiread
le cipíní. Bhíodh a ghaiscígh féin ag imeacht rompu gan chathéide
agus iad chomh fraochmhar le cúnna nó le faolchúnna. Chuiridís
na fiacla sa sciath acu agus bhí siad chomh láidir le mathúna nó le
tairbh. Mharaigh siad na fir agus níor chuaigh iarann ná tine i
bhfeidhm orthu. *Berserksgangr*, i.e. dóigh (*gangr*) an fhir bhuile a
thugtar air sin.'

Ainm eile ar na *berserkir* sea *úlfheðnar* ó sheithe (*serkr*) an fhaolchú
(*úlf-*) a bhíodh á chaitheamh acu. Téann an coincheap siar go dtí
an tseanré sa tSualainn mar go bhfuil pláta cré-umha ar fáil ó
Thorslunda a bhfuil laoch gona sheithe faolchú uime léirithe air
(Léaráid IV). Tá comórtas inspéise le déanamh idir dúchas an bhéir
i mBǫðvar Bjarki agus dúchas Egill Skallagrímsson: *Úlfr* a bhí ar
athair athar Egill. Tá sé ráite faoi in *Egilssaga* 1 go n-éiríodh sé
dorrga, dochaideartha, codlatach i dtreo na hoíche agus go raibh
sé tugtha don ilchruthacht. Cruth an fhaolchú a bhí i gceist go
háirithe agus tugadh Kveld-Úlfr 'Faolchú (sa) tráthnóna' air.
(*Faelad* 'were-wolfing' a thugtar in ÄID I 17:11 agus in BDD² 206
ar 'creachadh' agus tá trácht in áiteanna eile i litríocht na Gaeilge
ar dhul i gconriochtaí; mar sin, tá an coinceap seo forleathan go
maith.) Théadh Kveld-Úlfr as a riocht le fraoch sa chath agus bhíodh
sé lag, fann ina dhiaidh, mar ba ghnáth le *berserkir* (27). Bhí dúchas
an fhaolchú i Skallagrímr, athair Egill, chomh maith (40). Sa
mhéid, leis, go mbaineann an t-árchú Fenrir, mar shampla, le bunús
na miotaseolaíochta Lochlannaí, ní iontach an faolchú ina meafar
ar an laoch san *Edda* (e.g. *Eddukvæði* 249z), nó ainm dílis mar
Hildolfr 'faolchú catha' (ibid. 95j) in úsáid ann.

Is inmheasta ó líon na n-ainmneacha dílse le *Cú* nó *Con-* sa tSean-
Ghaeilge is a dhaingne atá siad fréamhaithe cheana féin go raibh
an cú nó an faolchú an-choitianta sa Cheiltis ar an laoch[2] (faoi

---

[2]Cf. *Ét. Celt.* XIII 187–8. Fós sa 17ú céad tá *an dá onchoin sin* ag an gCéitinneach, *Foras
Feasa* II 3199.

mar a bhí ainmneacha le -*wulf* sa tSean-Ghearmáinis, e.g. Lochlainnis *Hrólfr*=Sean-Bhéarla *Hrōþ-(w)ulf* 'faolchú clúiteach' =Nua-Bhéarla *Ralph*). Samplaí Sean-Ghaeilge sea *Congus* (: Ogam CUNA-GUSOS gin.): -*gus*=neart; (cf. *Fælgus* ÄID I 59 agus *Cenn Faelad: fáel* 'faolchú'). *Conall* (: Ogam CUNO-VALI gin.)=chomh láidir (*valos) le faolchú. *Conchobor* (:- *cobur* 'dúilmhear'). *Congal*=comhrac. Ansin tá cnuasaigh le *Cú* ar nós *Cú allaid* (=fiáin), *Cú chalma*, *Cú báige* (=troda), *Cú chocaid* (=chogaidh), *Cú galann* (=gal). Ó réimse seo an laochais leath na hainmneacha le *Cú* amach go mór sa teanga (féach *Celtica* X 228). Dá réir sin ní iontach *caīnfael ilchonda* 'faolchú taibhseach rófhraochmhar' ar Indrechtach (ÄID II 25) ná *árchú Emna* ar Chú Chulainn TBC 3977, ná árchú ar an ngnáthlaoch (ÄID II 18. 21). Deirtear sa *Ghododdin* 77 gur 'throid na hárchúnna (*aergwn*) go dlúth, daingean', leis. I 1399 tugtar *cat-vleidyeu* 'faolchúnna catha' ar na gaiscígh. 'Faolchú ar fraoch' (*bleid e maran* 39) sea Gwefrfawr, agus Tudfwlch, leis: 1278-9:

Bleid e vywyt,	(Mar a bheadh) faolchú i mbun bia,
Oed bleidyat ryt eny dewred.	B'fhaolchú átha ina shea é.

Is fiú an Ghaeilge agus an Bhreatnais a thógáil le chéile i dtaca leis an meafar laochta bunaithe ar ainmhithe fiáine. Tá an bunús céanna leis na meafair seo sa dá theanga, cuireann siad lena chéile is míníonn siad a chéile. Tugtar *Cride n-ega* ar Chet i **II** 2:4 thuas (143). I g*Canu Heledd* (CLH 33:3a) *callon iäen gaeaf* 'croí oighir gheimhridh' sea Cynddylan agus i 4a *callon godeith wannwyn* 'croí ar lasadh san Earrach' – le cineáltas dá chomhthírigh. Prionsa a raibh cúirt aige in Pengwern, Shropshire, ba ea Cynddylan, cosantóir a dhúichí in aghaidh na Sasanach gur mharaigh siad é; bhain sé le chéad leath an 7ú céad is níl an fhilíocht seo an-sean ar fad, dá réir. Ina dhiaidh sin tá an tseantéarmaíocht laochta go láidir sa dán áirithe seo: *callon milgi* 'croí árchú' sa chath ba ea Cynddylan (7a), 'leon' agus 'faolchú' (10a,b), 'torc' chomh maith (10c). Féach mar a deirtear sa *Ghododdin* 343-6:

Pan gryssyei garadawc y gat,	Nuair a bhrostaíodh Caradawg sa chath,
Mal baed coet trychwn trychyat,	Mar thorc coille, marfóir trí chú,
Tarw bedin en trin gomynyat;	Tarbh comhraic, coscróir sa chath,
Ef llithyei wydgwn oe anghat.	Chothaíodh sé mactírí óna lámh.

Leagan liteartha é seo, agus 'trí chú' dá réir ar *trychwn*, 344; ach triúr laoch nó triúr taoiseach atá i gceist leis. Tá *aergi* (=G. *árchú*) agus *catgi* (=G. *cú catha*) ar an laoch chomh maith (ibid. 77, 241).

Meafar eile ar an laoch sa dá fhilíocht seo an *torc*, Breatnais *twrch* nó *baed*. Féach **I 29**:2 thuas (138). *Trēn torc*, i.e. láidir, sea Loīguire (ÄID I 28:21b), *torc trén* Cú Chulainn LU 8893, *twrch trahawc*, i.e. uaibhreach, sea Garthwys (C.A. 1070). Twrch Trwyth is ainm don chollach forránta i g*Culhwch ac Olwen*. *Twrch Trwyd* atá air sa *Ghododdin* (1340) agus in áiteanna eile; réitíonn an fhoirm seo den ainm le *Torc* (nó *Orc*) *Tréith* na Gaeilge. Is é a deir Cormac ina Shanas (1202) faoi *triath* 'tá trí chiall aige, rí, muir agus torc'; i 1018 míníonn sé *Orc Tréith* mar 'ainm do mhac rí'. Tá *twrch* agus 'damh' ar Chadfannan sa *Ghododdin* (453, 450). Tá an t-ainm *baed* ar an torc sa sampla ó *Ghododdin* 344 thuas. I m*Beowulf* (305) bhíodh fíor an chollaigh (*eofor-líc*) ar bharr chafairr na ngaiscíoch nó ar an imeall íochtair 'á gcosaint sa chath' (Léaráid IV): bhí an t-ainmhí seo tiomanta don dia Lochlannach *Freyr*=*Frēa* an tSean-Bhéarla, agus gradam dá réir aige; is ionann *eofor* 'collach' an tSean-Bhéarla agus *iofurr* 'taoiseach, flaith' na filíochta Lochlannaí.

San imeartas focal idir Noísi agus Deirdre i *Longes Mac n-Uislenn* §9 tugann seisean 'tarbh an chúige' ar Chonchobur agus 'samhaisc' uirthi féin; tugann sise 'tairbhín óg' air sin. Sampla eile den ghnáthmhachnamh i leith na dtéarmaí seo sea 'tarbhfhlaith' ar an aintiarna (ZCP XI 97:9). Cf., leis, *tarbfheis*. Mar sin tá bunús sa ghnáththeanga le 'tarbh' ar an laoch san fhilíocht eipiciúil. Dealraíonn sé a bheith níos coitianta sa Bhreatnais ná sa Ghaeilge: *Caíntarb tnúthach* 'tarbh taibhseach imreasach' a thugann Conall ar Chet i *Sc.MMD* 15; *tarbga* (=tarbh) sea Fer Diad, TBC 4180. Tá *tarw trin* 'tarbh catha' ar an laoch i CLH 30:5a agus i C.A. 587, 422, 433, 596; *tarw bedin* atá air ibid. 921, 345. Annamh go maith atá an 'damh', *dam* na Gaeilge is *ych* na Breatnaise ar an laoch; uair amháin tugtar an 'fia án', *kelleic faw* air (C.A. 1033). Is minice go mór 'dragún' air sa dá fhilíocht, Sean-Ghaeilge *drauc*, Sean-Bhreatnais *dreic* ó *draco* na Laidine, ina theannta sin Sean-Bhr. *Sarff* ó *serpens* na Laidine. I ÄID II 19 tá *Māir dregain dā Énna* 'Dragúin mhóra an dá Énna', ar lgh 16, 18 faoi seach *drauc Fiachaich* 'Fiachu an dragún' agus *drauc Domplēn* 'Domplēn an dragún'; *cride n-dracon* 'croí dragúin' sea Loegaire Buadach LU 8613: *dreic* agus *dragon* (uatha) i C.A. 297, 298, 244; *sarff* ibid. 201.

I bhfilíocht an tSean-Bhéarla baineann iolar, feannóg is faolchú le láthair chatha mar ghné den choinbhinsean eipiciúil. Coinbhinsean san *Edda*, leis, na héin is na hainmhithe creiche mar thionlacan catha, ach tá níos mó éagsúlachta ag baint leis agus thar gach ní eile tá an tacaíocht ón miotaseolaíocht bheo leis. I n*Grímnismál* 10 (*Eddukvæði* 72) insítear go bhfuil fíor faolchú is iolair snoite ar bheanna a pháláis in Valhǫll (=halla na marbh sa chath) ag Óðinn i gcomhartha a chúraim chogaidh. I *Helgakviða Hundingsbana* II (ibid. 252) fiafraíonn an *valkyria* de Helgi 'Cár bheathaigh tú éanlaith Ghunn?', i.e. éanlaith a deirféar, an *valkyria* Gunn; ba iad an éanlaith iad sin na hiolair is na feannóga, agus ba é coirp na laoch a bhí marbh aige a mbia. Faigheann tagairtí den sórt seo tacaíocht i *Vǫluspá* 38, 65 mar a bhfuil péist nó dragún na cruinne Níðhǫggr agus an faolchú cosmach Fenrir á léiriú mar ainmhithe creiche ag alpadh na marbh.

Tá an fiach dubh (Gaeilge *bran, fiach*, Breatnais *bran*) ina shamhail chomh cruthanta ar chath is ar ár sa dá fhilíocht seo gur deacair é a scaradh ó bhandia an chatha, an Mhorrígan, alias Allechtu, alias an Bhadb, a nochtadh i riocht feannóige ar ócáidí ar a rúin fill féin, mar shampla, LU 5320. Uair eile nocht sí idir an dá shlua agus dúirt sí, á ngríosú (TBC 5731 ff.):

Crenaid brain	Creimeann na fiacha dubha
Bráigde fer,	Bráide fear,
Bruinden fuil,	Brúchtann fuil,
Feochair cath,	Is fraochmhar an cath,
Coin[n]mid luind,	Lucht gaisce ar an bhfód,
Mesctuich tuind . . .	Toinn chatha trí chéile . . .

I C.A. 810–13 deirtear

Riuesit i loflen ar pen erirhon,	Mhol na hiolair a lámh,
Luit en anuit guoreu buit i sgliuon,	Ina bhuile dó thug sé bia do na badhbha
Ar les minidauc marchauc maon.	Ar son Mhynyddawc, marcach na slua.

Thit Domnall Brecc, rí Dhál Riata i gcath Strathcarron in éadan na mBriotanach sa bhliain 642. De réir C.A. 977 is é deireadh a bhí air ná a cheann á chreimeadh ag feannóga (*A phenn Dyuynwal Vrych brein ae knoyn*). Tá a leithéid ráite faoi dhó i gcás Ywain, C.A. 15–19:

Kynt y vwyt y vrein	Ba thúisce ina bhia do bhadhbha
Noc y argyurein,	Ná á adhlacadh é,
Ku kyueillt Ewein,	Cara muirneach Ewein,
Kwl y uot a dan vrein.	Monuar é a bheith faoi fheannóga.

Agus mar sin de go minic (53, 281 . . .). Níl aon ghannchúis samplaí sa tSean-Ghaeilge: féach **I 23:** *sāsad fiach/ fothad mbran* (133) agus *dín bat budig brain* 'beidh na feannóga buíoch dínn' LU 9872; 'brain bhearna' sea iad roimh Chú Chulainn i TBC 2389 (*brain berna*). Is annamh an bran ina shamhail ar an trodaí féin: *bran carna com-ramaig* 'feannóg bhuach choscrach' sea Cú Chulainn i LU 8892 [leg. *cernai* (< *cerndai*)? Sic Eg. 93]. *Cynvrein* (go liteartha 'feannóga tosaigh') atá ar na gaiscígh i CLH I 20b. Cf. an t-ainm pearsanta *Bran.*

Tá an seabhac ina shamhail ar an ngaiscíoch sa dá fhilíocht chomh maith, féach C.A. 860 *Bu gwyar gweilch gwrymde* 'B'eirleach na seabhac dorcha é'; *sēig a marbtha* 'an seabhac a mharaigh (Cú Roí)' a thugann Ferchertne file ar Chú Chulainn (*Ériu* II 30:4). Tá *eryr* 'iolar' ar an ngaiscíoch níos minice ná sin sa Ghododdin, agus tá sampla amháin de *irar* 'iolar' na Gaeilge sa chiall seo i bh*Fianaig.* 30:16.

Ar na pointí inspéise eile san fhilíocht eipiciúil ó thaobh struchtúr an fhoclóra Gaeilge de agus ó thaobh na comparáide idirnáisiúnta, tá an cur síos ar an doirteadh fola agus an deargadh airm. Is ionann an múnla *rinni do dergud* 'sleánna a dheargadh (le fuil)' LU 3363 agus *geir at rjóða* (*Hárbarðsljóð* 39); is ionann *claideb do dergud* LU 9043 agus *sverð at rjóða* (*Helgakviða Hj.* 16, lch 245). Tá tábhacht ar leith leis na dathanna idir 'laochta' is eile in ÄID: mar shampla *flann, ruad, derg, cro-derg; gléthech* 'geal', *niam-* 'lonrach', *nem-dath* 'ar dhath neimhe', *nél-gel* 'chomh geal leis na néalta', *gluair* 'lonrach', *grianda, brēoda* 'tintrí', *án* 'beodhearg'. Is í samhail atá ag an bhfile ar Bhressal Bēolach (ÄID II 15 = *Corp. Gen.* 71):

Ān grian grīssach	Grian niamhrach thintrí
Goires brēoda Bresuail,	A bhladhmann is a loisceann sea Bressal,
Bress Elgga, hua Luirc	Gaiscíoch na hÉireann, ua Luirc,
Lāthras bith Bēolach	A riarann an domhan.

Ní fada ón *solas* an *teas*, nó i bhfocail eile, tugann an rann seo ar ais sinn go dtí uair na cinniúna don ghaiscíoch agus buaic a bheatha faoi mar a léiríonn an focal *gal* é sin. D'fhágamar an scéal seo gan chlabhsúr a bhualadh air thuas, ar mhaithe leis an gcomparáid. Léiríonn na comhfhocail *aurgal, tresgal, tesgal, fiangal, bressgal* in ÄID an tábhacht atá leis an bh*furor heroicus,* an *gal* catha, faoi mar a léiríonn na comhfhocail *drongus, derbgus, doengus, coílgus,* agus a thuilleadh acu an tábhacht atá le *gus* nó neart chun catha. Nuair a chuaigh an scéal sa bhile buaice ar an laoch nochtadh an *lúan* *láith* 'bruthlonradh, loinnir ghaiscígh' ar mhullach a chinn nó ar chlár a éadain (LU 6471). Nuair a shroicheann an t-arracht Grendel halla Hrōþgār, áit a raibh na gaiscígh ina gcodladh roimhe agus Beowulf ina oirchill, bhí sé 'ata le fraoch' (*gebolgen* 723); réab sé an doras roimhe is chuaigh sé isteach; bhí sé le báiní (*yrremōd*) 'agus bhí solas gránna ag dealramh óna shúile mar a bheadh lasair ann'. Is léir, mar sin, go mbaineann solas leis an gcúram chomh maith le bruth agus teas. Tá an focal Gaeilge *luan* 'loinnir' comhghaolmhar le *llug* 'lonrach' na Breatnaise. *Llawt* 'teas, fraoch, fearg' an focal Sean-Bhreatnaise a fhreagraíonn do *láth* na Sean-Ghaeilge; tá sé ar fáil sa sliocht a leanas as an n*Gododdin* (493–4):

A chynyho mwng bleid heb prenn	An té a thógfaidh moing faolchú gan sleá
Eny lav, gnavt gwychlaut ene lenn.	Ina lámh, is gnách mórbhruth feirge ina chroí.

Is inmheasta mar sin gur ón mbrí *theibí* 'teas, fraoch' a tháinig an chiall ghníomhach, phearsanta 'laoch' sa leagan *láth* (*gaile*) 'laoch gaisce', faoi mar a tharla i gcás *bress* agus ainmneacha eile atá luaite thuas. Sampla maith air sea na buafhocail *theibí* seo a leanas ar Fhiachu flann 'Fíachu Cródhearg' in ÄID I 29:23: *Feuchair búire, buile bann* 'fraoch binibeach, fíoch gaisce'. Bíonn *láech* nó *irgal* mar dhara mír sa téarma *luan láith* ar uaire agus an fhoirm ársa *lón* nó *lon(n)* mar chéad mhír. Leagan déanach sea *lonn láith* ó *lonn* 'fíochmhar'.

Céim níos sia chun cinn ná mar a éireoidh anseo linn, is baolach, sea meas an fhoclóra ó thaobh na stíle de, faoi mar atá sa dá rann seo a leanas ón dán *Nuadu Necht* (ÄID I 39; *Corp. Gen.* 1). Éifeacht laochta na haidiachta *ruad* 'rua, cumasach' atá i gceist i rann *2* agus dathannacht an mheafair i *3c, d*:

2)	Fō-rī fiann	Rí misniúil ar bhuíonta
	Fri rīg ruad rudrach,	In aghaidh rí chumasaigh oidhreachta:
	Ruada cāna	Cána dearga fola
	Hūi luaith Lugdach.	Sea a bhain ua mear Lugaid amach.
3)	Luath hi longaib	Sheoladh laoch mear an iarthair
	Luaided fairrci fuingniad,	Na farraigí i longa,
	Gaeth ruad	Dheargaíodh an ghaoth rua,
	Rondad ar faebur fuiln(ic)iad.	An laoch coscrach, ar bhéal a chlaímh roimhe.

*3*d: leg. *fuilniad* (:*fuingniad*). -*(G)nia*=laoch. Braitheann *fuingniad* (*3*b) ar *luath* (*3*a): *Luath fuin-gniad* gin. comhaisnéise=laoch mear an iarthair; mar an gcéanna *Gaeth ruad fuil-niad* gin. comhaisnéise =laoch fola nó laoch coscrach atá ar nós na ruaghaoithe. A mhalairt ag K. Meyer, loc. cit.; cf. *Contribb.* sub *rondid*.

Is beag den tsamhlaíocht atá ag roinnt leis na briathra a léiríonn an gníomh 'laochta' sa dán céanna seo, ach bascadh is meilt, (faoi mar atá sna roisc thuas, e.g. **I 18**:3–4 (lch 129), **I 23**:7–12, **I 24**:6–11, **I 26**): samplaí ar na briathra sin sea *crāides* 'scrios sé' §12, *foensius* 'leag sé iad' §13, *mandrais* §14, *selaig* §24 'loit sé'; *crothais* 'chroith sé' §15; *ort* §21, *iurthais* §25 'scrios sé, mharaigh sé'; *gablais* §25, *foddāil* §26 'roinn sé', *bruuis* §27 'bhasc sé', *confīch* §27 'chloígh sé'; *lengait* §29 'ionsaíonn siad', *domnais* §32 'chuir sé faoi chois'. *Machtad* 'marú', *mūchad* 'plúchadh' agus *brēodad* 'loisceadh' a bhíonn mar mhalairt ar chuid acu i ndánta eile in ÄID. Dá réir sin, seo a leanas na buafhocail sa chur síos ar Fhergus agus ar Chú Chulainn i LL 8219 f., 8287 f.=*Táin* (O'Rahilly) 656 f., 724 f.:

(Fergus) in cathmílid	Fergus, an laoch,
7 in chliathbern chét	7 an gaiscíoch briste bearna céad,
7 [in t-]ord essorgni	7 an t-ord basctha,
7 in bráthlec bidbad	7 an leac scriosta namhad,
7 in cend costuda	7 an ceann taca,
7 in bidba sochaide	7 an namhaid airm,
7 in cirriud mórṡlúaig	7 an milleadh mórshlua,
7 in chaindel adantai	7 an choinneal adhainte,
7 in toísech mórchatha.	7 an taoiseach mórchatha.

Táin 724 f.:

Ni airgem and	Ní fhaighimid ann
fá[e]l bad fuilchuiriu	faolchú níos fuilchíocraí,
nó láth bad luinniu . . .	ná laoch níos fíochmhaire . . .
caur a chomluind	gaiscíoch a dhiongbhála,
nó ord essorgni	ná ord basctha,
nó bráth for borrbuidni	ná léirscrios borrbhuíonta,
nó combág urgaile	ná comhrac laochta
basad inraicciu	b'fhiúntaí
andá Cú Chulaind.	ná Cú Chulainn.

Bogann idéal is caighdeán an laochais sraitheanna áirithe focal ina threo féin, leithéidí *maith* agus *caín* 'caoin', cuir i gcás. Is deacair aon bhrí eile seachas an misneach a bhaint as (*Bresal Brec bēmnech moenech*) *ma[i]thrī* '(Bressal béimeannach, rachmasach, an) rí misniúil' (ÄID I 17 §10). Is é an dála céanna é ag *fō-rī* (2a thuas), *dag-rī* ÄID I 41 §37. Ní maith a oireann an 'áilleacht' do *caín-* sa chomhthéacs *Caín-laech Luigdech lārtha iath* 'Laoch breá Luigdech a chleachtann tíortha a scrios' (ibid. I 59). Breáthacht an chreachadóra é seo. Aistríonn Meyer an comhfhocal *Caín-maith* I 29:27 le *trefflich tapfer*=an-chalma. Is dóigh gur sa chineál seo a leanas is túisce an foclóir laochta á chur chun leasa ábhair is téamaí creidimh is cráifeachta faoi mar a tharlaíonn go minic sa tSean-Ghaeilge (ÄID I 42 §46=*Corp. Hib.* 4)

Geb Iafēth cain,	. . . Iafeth breá,
Cathmīlid coemda,	Laoch catha taibhseach,
Caīniu doenib	Noe naofa ab fhearr
Domuin Noe noemda.	Ar dhaoine an domhain.

In *Amra Choluim Chille* castar orainn meafar an ghaiscígh (*nia* §§94, 115, 118) agus na troda (§§110, 119, 125), agus tá trácht ar an gcathcharbad agus ar an gcath (§§2, 109; 56, 110); ach ó thaobh an fhoclóra i gcoitinne is léir go bhfuil na cathcharbaid tréigthe ar mhaithe le cráifeacht faoi mar a deirtear in §109 (*ar chredlu cairptiu*), agus nach é an foclóir laochta atá i réim tríd is tríd. Ar an taobh eile de, sa dán *Brigit bé bithmaith* (*Thes.* II 325; lch 157 thuas) castar orainn buafhocail mar *Bréo órde oíblech* 'lasair órga dhrithleach', *in grén tind toídlech* 'an ghrian dhallraitheach dhrilseach', *co n-orddon adbil* 'le maorgacht abhalmhór', *lethcholbe flatho* 'leathcholún na ríochta'; agus sa dara dán ar Bhrigit (ibid. 327) tugtar *buadach* 'caithréimeach' uirthi; deirtear gur suí éin in alt a bhí aici (*siasair suide eoin i n-ailt*), gur codladh braighdeanaigh a bhí aici (*Contuil cotlud cimmeda*) is nár nathair nimhe bhéimeannach í (*Nību nathir bémnech brecc*).

Lena chur in iúl chomh daingean stóinsithe is atá rí nó taoiseach, baineann an fhilíocht laochta leas as na meafair *sab* 'taca', e.g. *nīthach sab* 'taoiseach cogúil' ÄID II 18; *dúr-shab* 'taca láidir', e.g. *dūr-shab slōig Charmuin* 'teanntaca airm Charmain' I 40·18. Ina dteannta sin tá na téarmaí *deil* 'taca' I 41 §35, agus *glas* 'glas ar dhoras' I 6, n. 1. Tá an cineál seo an-fhlúirseach sa *Ghododdin*: glas ar dhoras dúin (*dileith*) sea Tudfwlch (761), agus glas=cosantóir Aeron sea Cynon (809). *Colovyn greit* 'colún feirge' sa chath, i.e. lárphointe na tuargana, sea Cynfelyn (1397). *Colofyn=columa(n)* na Gaeilge, agus tugtar *Colomain na Temra(ch)*=gaiscígh nó cosantóirí na T. go háirithe ar na Luaigni (*Ériu* XIV 144). Féach *(leth)cholbe* thuas i dtaca le creideamh. Buafhocal eile atá sa dá fhilíocht in éineacht ar an taoiseach sea *múr* 'balla' na Gaeilge=*mur* na Breatnaise. Tagraíonn *múr* na Gaeilge don laochas is don chráifeacht, mar shampla *múr trén* 'láidir' sea an mhartarlaig, Fél. Ep. 151, agus *múr n-álainn* an taoiseach (sub *múr* R.I.A. Contrib.) Tá *mur* an-choiteann mar mheafar ar laoch nó taoiseach sa *Ghododdin*: féach *mur trin* 'balla catha' (647) =*mur greit* (326), *mur catuilet* 'balla do shlua' (731) etc. Tá na buafhocail a leanas ar Chynon, ibid. 408–411: *baran llew* 'fraoch leoin'; *dor, angor bedin* 'geata, ancaire catha'; *dinas y dias* . . . '(Ba gheall le) dún a gháir chatha'; mar sin 'ancaire' (*angor*) sea an laoch, leis, mar atá i 717 etc.

Is é meafar an chrainn mheasa atá i gceist sa dá bhuafhocal fhileata a leanas ar an taoiseach i dtaca le flaithiúlacht is féile: *caill suithchernnsa* 'coill na féile' (ÄID II 26) agus *doss dáile* 'tor dáilte' (ibid. II 15). Ó *su-tigernas* 'dea-thiarnas, dea-fhlaitheas' an focal *suithchernas*. Is í an fhéile slat tomhais an fhlatha riamh sa tír de réir dealraimh, mar is í leis, atá i gceist san fhocal Nua-Ghaeilge *flaithiúlacht*. *Kenning* (ainm Íoslannach!) a thugtar ar leagan fileata mar iad seo. Comhfhocal fileata an *kenning* ar nós *ethar-bruig* 'áit nó baile na long' =an fharraige; nó cnuasach fileata ar nós *adba rón* 'áit nó baile na rónta' =an fharraige; nó *mong mná Manannáin* 'folt mná Mhanannáin maic Lir' =an fharraige; nó *gabra lir* =*gabra réin* 'capaill fharraige', i.e. maidhmeanna. Bíonn brí an *kenning* san iomlán difriúil le brí aon chinn dá mhíreanna; mar sin ní *kenning* ar an bhfarraige *mag réin* 'má na farraige', cuir i gcás, más imlabhra inspéise fhileata féin é. Tá macasamhail na *kenningar* thuas le fáil go tiubh sa Sean-Bhéarla is sa Lochlainnis.

Tá meafar an tsuanbháis, i.e. codladh an bháis, le fáil sa dá fhilíocht Cheilteacha agus sa Sean-Bhéarla; cf. *suanbās*, ÄID II 9, agus *foat* 'codlaíonn siad' =tá siad marbh, ÄID II 20=*kyscit, Taliesin* X 13–14.

Tugann meafar an fhíocháin fhileata nó an fhíocháin fháidhiúil go dtí foclóir gairmiúil na héigse sinn agus go deireadh ár scríbe sa chaibidil seo. Tá *figid* 'fíonn sé' in úsáid go meafarach in *Amra Choluim Chille*, §52 *Fāig feirb fithir* 'D'fhigh (*fāig*) an t-oide (*fithir*) an focal (*ferb*), i.e. chum an t-ollamh an dréacht. Tá a leathcheann seo i bhfilíocht an tSean-Bhéarla, cf. *word-cræft wæf* 'tá dréacht fileata fite agam' (*Elene* 1237), féach *fíthe cerda* 'gréasán na héigse' LL 24387. Dar le H. Wagner gurb í ciall an fhíocháin atá istigh san fhocal *fáth* 'ábhar nó faisnéis fhileata' =*gwawd* na Breatnaise, a bhí i gceist thuas againn i dtaca le hÓðinn, agus tugann sé liosta

de na focail Bhreatnaise ar aon dul le *figid* na Gaeilge a úsáidtear
go meafarach i dtaca le cumadh na filíochta (ZCP XXXI 50 n. 9).
Sna teangacha Gearmánacha ba dhóigh le duine go bhfuil an réimse
meafarach cuid mhaith níos leithne ná sin: fíodóir na síochána sea
Ealhhild (*freoðuwebbe*, *Wīdsīþ* 6). Ach féach *Tec. Corm.* §1.40:
Uaged cech síd 'neartaíodh (an rí) gach síocháin'. Tugann Dia féin
gréasán an ratha sa chogadh do na Gēatas (*wīgspēda gewiofu*, *Beowulf*
697).

Mē þæt wyrd gewæf 'an chinniúint a d'fhigh dom é' a deirtear
sa *Riming Poem* 70, agus léiríonn *Darraðarljóð* conas a chuirfeadh an
chinniúint chuige i gcás áirithe amháin: dán Chath Chluain Tairbh
atá á fhí ag na *Valkyrjur* ar seol, le claíomh, sleá is saighead, as cinn
is as ionathar na bhfear. 'Leasdeirfiúr' na mban sin Feidelm Banfáid
as Síd Chrúachna gona seol fíodóra a thuarann dán Mheidbe ar an
Táin (*Táin* 183 f.) is nach bhfeiceann ach dathanna an eirligh ar a
sluaite: *Atchíu forderg forro, atchíu rúad* 'feicim dearg orthu, corcar-
dhearg', a deir sí.

Níl aon amhras ná go mbaineann ceird an fhile féin le fios fátha is
le heolas, ar an gcéad dul síos. Tá an méid sin istigh san fhocal *fili*
(: *gweled* 'feiceáil' na Breatnaise) 'seer; poet'. Tá sé istigh san fhocal
ecse 'éigse', leis, féach LL 24203, 34149. Tá sé le tuiscint, leis, as na
focail ársa úd a bhaineann le héigse ar nós *sous, imbas, rús* is atá
bunaithe ar *fis*, i.e. fios. Tá cuntais againn, leis, ar mhodhanna gintlí
chun teacht ar eolas, gur bhain na filí feidhm astu, mar shampla
Sanas Cormaic 323, 756, *Serglige Con Culainn* §23 (an tarbhfheis),
cogaint smeara nó feola, agus a ghabhann leis (EIHM 336 f.),
briocht a chaitheamh ar uisce (LL 24205). I *Sanas Cormaic* 323
tá trácht ar fhaisnéis á baint amach le slat draíochta an fhile (*flesc
filed*). Dá réir sin is mó de theideal cumhachta ná de theideal ceirde
atá ag an bhfile láncháilithe: sárchéim na haidiachta *oll* 'mór,
móréachtach' sea *ollam*[3] go bunúsach agus ní le héigse a bhaineann
na tagairtí is sine leis an bhfocal dá bhfuil againn, ach le laochas.
Buafhocal ar Labraid Loingsech sea *ollam* in ÄID II 7 §4 'an té is
cumhachtaí, an máistir'. Féach, leis, ibid. 20.6: *ollomain* 'die
Gewaltigen; the mighty ones'.

Bua a bhain le réimeas Chonaire de réir *Bhruiden Da Derga* §17 go
mbíodh cumas nó féith na filíochta (*imbas*) le fáil ar abhainn na

---

3. Cf. ZCP V 499.31: *ollom*, sárchéim na haidiachta *oll*; RC XXXVI 373, *Ériu* XVIII
49: *-amo-* a iarmhír; foirm níos déanaí sea an bhreischéim *uilliu*. Mar ainmfhocal
chuaigh *ollam* le buíon na ngas ar n-/(o-), e.g. *airem, flaithem*.

Buaise is ar abhainn na Bóinne gach uile bhliain i lár Mí Meithimh.
Chonaiceamar ar lgh 49–51 gur taobh le huisce a bhí eolas is tinfeadh
le fáil ag an bhfile, agus go dtagadh cnónna an imbais le sruth na
Bóinne ó thobar na Seaghaise. Foinse na héigse do na filí é seo,
amhail tobar Mímir d'Óðinn (lch 173). Ní iontach dá réir an téarma
buas 'sruth' ar an éigse, ná *án-shruth* 'sruth taibhseach' ar fhile den
dara grád. Is é a deir Cormac faoin *ánshruth* ina *Shanas,* 40: 'sruth
án an chaoinmholta uaidh agus sruth na maoine chuige féin ansin.'
Bhí *sruth di aill* ar ghrád amháin de na saorbhaird chomh maith,
agus *sruthbard* ar ghrád i measc na ndaorbhard. Tá corrthéarma
teicniúil eile a bhfuil baint acu le huisce go bunúsach, ach is mó is
fiú a lua anseo na téarmaí *uaim* (=fuáil) 'comhuaim' agus *trebrad*
(=fíochán) 'comhcheangal, nó comhtháthú línte i rann, trí bhíthin
ríme nó comhuaime', mar go gcuireann siad le réimse an fhíocháin
fhileata a bhí faoi chaibidil thuas.

Éistimis anois le guí thionscnaimh (I) an fhile féin ó na *Bretha
Nemed* (*Ériu* XIII 38.1–38.7) agus ansin (II) lena aitheasc ar Bhé na
hÉigse (38.8–38.17). Cuirimid an téacs bunaidh de réir Gwynn le I:

1	Tiasg aoidh (no uadh)	Tús na héigse
	Anmaim Dé diamba,	Faoi choimirce Dé má tá,
	Moaigh moirbhliadhna bia.	Méadóidh sin bia na bliana.
	Tiasg briathra b(h)an bhfionn,	Tús le briathra ban draíochta
5	Fithidhir ó éiges,	Ag an oide ón éigeas,
	Tiasg n-iomdha nion,	Tús lear litreacha,
	Tiasg n-iomhus n-égsi,	Tús imfhios na héigse,
	As toil Dé dom·dhía,	Toil Dé a thabharfaidh chugam é:
	Dath an aoi,	Dath na filíochta,
10	Feth des i ndáil éigsi,	Dán dea-chumtha i ndáil éigse,
	Sliocht slán in doraidh tias.	Sliocht slán cruachasta go n-éirí liom,
	Tenga dom c[h]obair coisle.	Tar, a theanga, i gcabhair orm!
	Go ttóir dhamh Dia	Go gcuidí Dia liom
	In iathaibh aontadha. Tiasg.	I gcríocha na comhláine! Tús.

Líne 7 *n-iomhus* Leg. *n-imbas.*

II. 'Mochean, a Éigse ilchruthach, ilghnúiseach, ilbhreachtach – Bé
uasal sho-naisc. Tá ceart chun a tuarastail aici, mar ní hé an té
a d'fhéadfadh a faisnéis a thabhairt a bhíonn thíos leis, mar baineann
ceart tuarastail le gach faisnéis. Téann sí chun cinn, cuirtear ar
bun i gcríocha suaimhneacha í, áit a mbíonn sí ina hábhar aoibhnis
do chách, ina reacht ar eolas ag gach file, a céimeanna ag gach so-
chruthach breá eolach a thugann taitneamh don éigse. Déanann sí

XV

Amra Choluim Chille[1]

Dán fada foirmiúil, marbhna molta cumtha sa mheadaracht dhúchasach is ea *Amra Choluim Chille* (ACC). Tá sé leagtha amach mar a leanas: I Réamhfhocal gearr. II Scéala agus méala a bháis. III A dheascabháil. IV A ionad ar neamh. V A anró abhus agus fuath an diabhail dó. VI A chríonnacht is a shéimhe. VII A charthanacht is a thréanas. VIII An t-eolas is an machnamh a bhí ann. IX Údarú an *Amra* ag an rí Aed. X Dólás is mairg Ua Néill dá éis. XI Críoch.

Tá eagar meadarach dá chuid féin ar an Réamhfhocal is é snaidhmthe le corp an dáin, is é sin, le II, trí cheangal comhuaime. Tá tús II agus deireadh an dáin mar a chéile, i gcomhartha iomláine: *Ni discēoil* sa dá áit. Fágann sin an Réamhfhocal ar deighilt ó chorp an dáin sa struchtúr: an file ag agairt is ag guí Dé go dúthrachtach ar mhaithe lena anam roimh tabhairt faoin dán; faoi mar nach mbeadh sa véarsaíocht ach feidhm ghnách. Le nach gceilfear an ceol ceart ní mór riocht na teanga um A.D. 600 a chur ar na príomhfhocail, ar aon chaoi:

I

Dē Dē da·rrogus ré tēs ine gnúis
Culu trē nēit,
Dē nime nīm·reilge i lurgu i n-ēgthïar,
Ar mūich dia méit,
5   Dē már mo anacul di múr theintidiu,
Dïuderc ndér,
Dē fīriān fírfocus c[h]luınes mo donōll
Di nimēth nēl.

---

1. ACC: *Eag:* Go háirithe: W. Stokes, RC XX-XXI (=Rawl. B 502 + malairt leagain ó na lsí eile); LU 5a-15a (gan chríoch). Tá liosta de na lsí is de na heagráin eile ag Stokes, RC XX 30 ff.; féach leis LU xxviii agus ZCP 28:242.
Plé: Go háirithe V. Hull, Amra Choluim Chille, ZCP 28: 242-251; H. Wagner, Zur unregelmässigen Wortstellung in der altir. Alliterationsdichtung, *Festschrift Pokorny*, Innsbruck 1967, 289-314.
Tagairt: Go háirithe K. Meyer, *Miscellanea Hibernica*, Illinois 1917, 25-27; G. Murphy, *Early Irish Metrics*, B.Á.C. 1961, 17-18; R. Thurneysen, ZCP XIX 207 (dáta a chumtha), ZCP XX 373 (: §§60, 110 1 dtaca le -*ch*=agus); D. A. Binchy, *Celtica* V 83, 85 (idem), *Ériu* XVIII 164 (An focal *Axal*); C. Watkins, *Celtica* VI 228, 237, 243-4 (meadaracht agus eile).
Tá *meadaracht* ACC i dtrácht againn, leis, ar lch 149 thuas; tá tagairt don *fhoclóir* ar lch 214, agus tá a *chomhréir* faoi chaibidil ar lgh 161-8.

An rud is túisce a théann i bhfeidhm ort ná an rithim atá ann tríd
síos; rithim liodáin faoi mar a bheadh achainí, is gearrfhreagra
uirthi, in uainíocht ar a chéile. Amas suntasach ann leis an nguta *é*,
bunaithe ar an bhfocal *Dé*. Liodán ceithre mhír é, dhá líne i ngach
mír. Is é déanamh atá ar na míreanna ná líne dheichshiollach, nó i
ngar dó, in uaim cheangail le líne cheathairshiollach (e.g. 7 *donōll*/
8 *Di*). Tá na míreanna in uaim cheangail lena chéile chomh maith
(e.g. 6 *ndēr*/ 7 *Dē*). Ina theannta sin tá siad cónasctha ina gcúplaí
ag an gcomhardadh slán (e.g. 2 *nēit*/ 4 *méit*; 6 *ndēr*/ 8 *nēl*). Dá bhrí
sin is mór ar fad an teicniúlacht atá i gceist i bhfilíocht na Gaeilge
cheana féin i dtús ré na litríochta. Bhí an comhardadh i bhfeidhm ag
Gaeil roimhe seo: nuacht ón iasacht is dócha. Mar gheall ar a luí
le siollacht is le comhardadh, agus dealbhú ranna a bheith air,
áirímid leis na 'nuachruthanna' an Réamhfhocal. *Rosc* is ea corp
an dáin agus ní hé an déanamh céanna atá air tríd síos. Seo a leanas
Alt II (Stokes §§6–20 =línte 9–26 den aistriúchán ar lch 195: LU
532 ff.):

	Ni *d*īscéoil	*d*uë *N*éill,
10	*N*i huchtat	*ó*enmaige,
	*M*ór mairg,	*m*ōr *d*eilm,
	*D*īfulaing *r*iss	*r*é aisneid
	Colum *c*en beith	*c*en *c*hill.
	*C*o·india *d*uí	*d*ó – sceo Nera!/
15	In fāith *D*é	*d*e dēis Sion /suidiath/
	Is *n*ū	*n*ad *m*air;
	Ni marthar lenn,	
	Ni less *a*nma	*a*r suī;
	Ar-don *c*ondiath	*c*on·roeter bïu -bath,
20	*A*r-don·bath	*b*a ar n-airchenn *a*dlicen,
	*A*r-don·bath	*b*a ar fiadait *f*oídïam,
	*A*r-nin-*f*issid	*f*ris·bered omnu húain,
	*A*r-nin·*t*athrith	*d*o·sluinned focul *f*ír,
	*A*r-nin-*f*orcetlaid	*f*or·canad túatha Toí,
25	Huile *b*ith	*b*a h-ae h-*é*;
	*I*s crot cen *c*hēis	is *c*ell cen abbaid.

Chomh luath is a léitear 9–13 os ard is léir cén leagan amach atá
orthu: sraith línte iad atá comhdhéanta, gach uile cheann acu, de
dhá véarsa faoi uaimcheangail (e.g. 9 *dīscéoil*/*d*uë, 10 *uchtat*/*ó*enmaige
etc.). Is léir ar gach uile véarsa díobh ach 9a is 10b gur véarsaí
débhéimeacha iad; sa dá chás seo tá ceist faoi luach na fobhéime:
an bhfuil -*maig*- (10b) le léamh mar shiolla aiceanta; agus -*scéoil*

Ia ora dorrogus retias inn agnuis ...

V. *Amra Choluim Chille* (*Liber Hymnorum*, 1ú céad = T.C.D. Ls 1441, lch 26a).

(9a) mar shiolla neamhaiceanta? (Cf. *Ériu* XXII 76.) Nó i bhfocail eile, tá teannas idir rithim an dá véarsa seo agus rithim dhébhéimeach an ghrúpa. Tá an scéal ábhar níos casta i 14–24. Más líne chaighdeánach 11 (: dhá véarsa dhébhéimeacha faoi uaim cheangail), forlíne sea 15 (: tá aiceann breise ann) agus gearrlíne sea 17. Grúpa comhthreomhar 19–24 a bhfuil na línte ar míchothrom ann sa mhéid gur 1+3 (2) aiceann atá iontu in áit 2+2. Dhá fhocal uamacha aiceanta atá i bhfoirceann na línte sin. Is cosúil gur laige an bhéim ar na briathra i 15b, 22b–24b ná béim na bhfocal a ghabhann leo, rud a thugann meadaracht an tSean-Bhéarla chun cuimhne.

Ní doiligh a fheiceáil go bhfuil claonadh chun neamhspleáchais sa lánlíne fiú sa chás ina bhfuil ceangal comhréire idir í agus an líne a leanann í, mar shampla 12/13, 15/16, 17/18. Gné ar leith sea an comheagrú ar na línte, dá bhrí sin. Comhthreomhar is fearr leis an bhfile iad, faoi mar atá déanta amach againn ar lgh 165–8.

Ní hé leagan amach rithimiúil Alt II atá ar an *Amra* trí chéile áfach, mar is léir ón dá shliocht a leanas as Ailt III, VII faoi seach. Meascán de línte ildeilbhe atá iontu. Tús Alt III: §§21–27 (=línte 27–33 den aistriúchán ar lch 195):

> At·ruic ro-ard | tráth Dé | do Cholum cuitechta,
> Finnfhethal frestal,
> Figlis fut baí,
> 30 Baí sáegul sneid,
> Baí séim sáth,
> Baí sab suīthe cech dind,
> Baí dind oc libur lēig docht.

Forlíne a bhfuil trí mhír dhébhéimeacha ann sea 27. Véarsaí débhéimeacha iad 28, 29; tá 30–31 tríbhéimeach, 32 ceathairbhéimeach agus 33 cúigbhéimeach.

Tús Alt VII, §§65–73 (=línte 74–85 den aistriúchán):

> Coich boī coich bía bēo
> Badid n-amradair
> Ar iathaib airdocht iarthuaith?
> Ad·fet co nú nech nad goí geoin;
> Grés ro·fer fechtnachu;
> Fri árthu ar chathru
> 80 Co domun dringthïar;
> Ar deo doenachta

O

Ar assaib rigthïer;
Rir accobur a sūla,
Suī slán creis Crīst,
Cēo ni coirm,
Cēo ni sercoll,
Sáith sechrais bēoil.

Tá línte ó 5 go 1 béim iontu anseo; is é an véarsa débhéimeach is flúirsí orthu. Tá an tAlt deiridh (XI) bunaithe ar an véarsa débhéimeach, iad á nascadh chun lánlínte is á gcur le lánlínte: §§140–145:

Amrad inso   ind rīg ro-dom·rig,
Fordon·snāidfe Sione,
Rodom·sibsea sech riaga;
Rop réid menda duba dīm;
Dom·chich cen anmne
Húa Húi Choirp   Cathrach con huasle.
Oll ro-diall,
Oll natha   nime nēmgrian,
Nimda huain,
Ni dīscēoil.

Tá iarracht ar leagan sách cruinn Nua-Ghaeilge den *Amra* anseo thíos agus nótaí bun leathanaigh leis á shuíomh is á mhíniú. Dá n-éireodh linn leagan lánchruinn féin a chur ar fáil (agus is beag an baol go n-éireoidh) ní bheadh gar ann gan cuid de rithim is de spiorad na Nua-Ghaeilge á thionlacan. Ar an ábhar sin bogaimid ar uaire ó ghreim an bhuntéacs agus ó cheart na litre ar mhaithe le comhréir is rithim na Nua-Ghaeilge: e.g. nuair a thugtar cruinn-aistriú sna nótaí (sampla: líne 149); aistrímid foirmeacha an bhriath-air *tá* leis an gcopail (*is*), línte 86 ff., 30 ff.; aistrímid A. Láithreach éiginnte an téacs leis an A. Chaite, línte 136 ff.

Ar an taobh eile de, níl an scoilt idir sean is nua chomh léir sa Ghaeilge is atá sa Bhéarla, mar shampla, agus ní miste cloí le rudaí áirithe sa téacs atá sothuigthe go maith má tá blas beag den ársaíocht ag roinnt leo: mar shampla *díscéil* 'gan scéala', *dífhulaing* 'do-fhulaingthe', *daoi* 'duine gan eolas', *tuath* 'pobal tuaithe'.

I

Dia, Dia a ghuífinn sula dtéim ina dháil
Trí charbaid ghleo[1].
Nár lige Dia neimhe i mbuíon(ta)[2] an éimh mé,
Ar mhéad a ndobróin.
5   Go saora Dia ar an múr tine mé,

Ar bhuanpholl na ndeor[3].
Dia fíréan fíorchóngarach a chluineann mo nuallghol[4]
Ó Pharthas an cheo.

II

Ní díscéil teach Néill;
10 Ní mion-osna[5] aon-mhá:
Mór an mhairg, mór an chreach,
Dífhulaing a fhaisnéis,
Nach maireann Colum ina chill.
Conas a léireoidh[6] daoi é – go fiú Nera féin:
15 Fáidh Dé de dhíorma[7] na suadh i Síon
Anois beag a d'éag?
Ní mhaireann (sé) linn,
Ní leas anama dúinn ár saoi;
Ár ndídean a chaomhnaigh na beo, is marbh.[7a]
20 D'éag orainn ár n-urra, taca na mbocht.
D'éag orainn ár dtaidhleoir don Tiarna.
Mar ní farainn atá an saoi a scaipeadh uainn imeagla[8];
Mar nach dtiocfaidh arís chugainn an té a labhraíodh focal fíor;
Mar nach maireann an t-oide a mhúineadh Tuatha Toí[9].
25 An saol go léir – ba leis é; –
Is cruit gan chéis anois, is cill gan ab.

III

Éiríonn Colum in ard neimhe ar theacht chuige aingil Dé
– An freastal aoibhgheal;
Dhein sé a bhigil lena bheo;
30 Ba ghearr a ré;
Ba shuarach a sháith;
Ba shaoi sa Dinnseanchas é;[10]
B'údar i leabhar docht an dlí.[11]
Las an Tuaisceart (dá bharr),
35 Gur ghealaigh an tIarthar,
Is gur bhladhm an tOirthear[12]
De dheasca na gcléireach diantréanach.
Ba thaibhseach a bhás:
Aingil Dé ar a cheann ar éirí dó.

IV

40 Ráinig sé na hAspail is sluaite na nArdaingeal;[13]
Ráinig tír nach bhfeictear inti oíche;
Ráinig tír Mhaoise, mar a dhealraímid;

Ráinig gan mhoill críocha an cheoil nach ngintear[14],
Nach n-éagann saoithe;
45 Rí na sagart a scar dá shaotha.

V

Tamall á chrá dó roimh bhua,
Líon dá ghráin an diabhal
Is é i sáinn ag an Aifreann.[15]
Ba thréan an té a chaomhnaigh an reacht
50 Trí chumhacht a cheirde,[16]
Bhí aithne ar a mhainistir agus ar a Chathaoir (aba);[16a]
Thugtaí dó léargas ar dhiagacht;[17]
Is deimhin: ba mhaith é a bhás;
Ba bhuannúil le haspail is aingil,[18]
55 Bhain sé leas as breithiúntais Bhasil:
Choisc léiriú na nduan do mhórdronga.

VI

Cúrsa le rath do rith,
Caoinghníomh i ndíol an fhuatha,[19]
D'fhuaigh[20] an t-oide an friotal
60 Is léirigh le gaois gach gluais;[21]
Réitigh sé na sailm,
Mhínigh sé leabhair an Dlí –
Leabhair mar ba mhaith le Cassion (iad a dhéanamh),
Bhris sé catha ar an gcraos,
65 Lean sé leabhair Sholaimh,
Bhí sé eolach ar shoineann is doineann,[22]
D'idirdhealaigh go fáithchiallach leabhair an Dlí,[23]
Dhein sé staidéar ar na rúndiamhra is thug na scrioptúir ar iasacht
        sna scoileanna,[24]
Agus réitigh sé an comhshíneadh i gcúrsa na gealaí:
70 An raon a rith leis an ngrian ghabhlach,
Is cúrsa na mara.[25]
Chomhairfeadh réalta neimhe
An té a áireodh gach uile ní uasal cuí dár chualamar ó Cholum.[26]

VII

Cé a mhair, cé a mhairfidh, bheadh chomh héachtach sna tíortha
        thiar thuaidh
75 Leis an bhfear ródhiongbháilte?[27]
Bhí an Sean-Tiomna agus an Tiomna Nua ar eolas aige,[28]
A bhuaine a ghin naoimh,[29]
Ar dhréimirí, ar thréanfhir a dhreapann sé ar neamh,[30]
De dhroim Chríost na daonnachta,

80 De bharr a chuaráin mhanaigh
Atá sé i gcoróin.[31]
Shéan sé dúil a shúile,
Saoi slán seang Chríost,[32]
Is é gan leann gan sólas.
85 Sheachain sé sáith a bhéil,
Ba naofa, ba gheanmnaí,
Ba charthanach,
Ba charraig chlúiteach bua,
Ba lántairbheach,
90 Ba lánleas lucht cuairte,
B'umhal[33] é, b'uasal,
B'oirirc a bhás,
Ba lách,
Ba lia le croí gach eagnaí é,
95 Labhraíodh ár laoch le haspail,[34]
Le tréanas a bhásaigh,
Ba bhinn (a ghuth), ba shainiúil a cheird chléireachta,
Ba dhothuighte do dhaoine é,
Ba dhíon do nochta,
100 Ba shine do bhochta,
D'fhulaingeodh arís eile gach tromthuargaint.
Colum do smachtaigh na tuatha.
Urraim mhór dó, manna neimhe, dealraímid.
Glacfaidh Críost leis i muintearas na bhfíréan,
105 Feadh na gcianta a bheidh sé faróthu.[35]

VIII

Is grinn an saoi a ráinig sliocht an cheathrar soiscéala
Gur imigh tar éis a pháise, lá, ag salmaireacht ar neamh.[36]
Crann cosanta céad cill, deoch chomhlánaithe an Aifrinn,[37]
Mórlaoch, ní íoltóir,[38]
110 Níor bhailigh sé claonchléir chun seachráin faoi oiliúint,
Níor ghéill d'fhuarchúis ná d'eiriceacht,[39]
Ní throisceadh ach de réir dhlí an Rí,
I dtreo nach bhfaighe[40] sé bás go brách,
Beo a ainm, beo a anam
115 I ngeall orthu siúd uile a thug sé faoi reacht Dé,
Chuir sé in aghaidh chompord a choirp,
Choill sé a dhúil chollaí,
Choill sé a sprionlaitheacht,
Go deimhin ní ann atá
120 Folach na fríde d'éad,
Folach na fríde d'fhormad;[41]
Is mór agaibh bua a uaighe[42]

Le haghaidh shaobhadh na síonta.
Dhein sé a mhachnamh[43]
125 Ar fud na tíre gintlí,
Ar chráifeacht (d'fhág) carbaid,
Cath síoraí,
Labhair fírinne,[44]
Théadh i ngleic leis an gcolainn,
130 Sa tslí nach rachaidh an rímhac
Sa dara breith, sa dara mír de dhébhreith Dé;[45]
D'adhlacadh roimh chríne, roimh sheargadh,
Ar uamhan Ifrinn do chuaigh go hAlbain.

IX

Thóg Aed air féin (go ndéanfaí) ollduan teann do na daoine uile
135 Tráth a rachadh an laoch ar neamh.[46]
B'ionúin,
B'ardaigeanta,
Níor imreasach,[47]
Ní laoch nach raibh go láidir ar son chonradh Chonaill.[48]
140 Choisc a bheannacht beola na mborb de mhuintir Toí, le toil a rí.[49]
Shuigh sé i gcuideachta Dé nuair a scar le baothchúrsaí daoine.
I leaba mustair is taibhse riaradh na fíorfhéile aige ina mhainistir.[50]
Seanóir aoibhinn i ndeireadh a ré, is fós máistir a mhuintire.
Bhí caidreamh le haingeal aige is d'fhoghlaim sé gramadach na
    Gréigise.[51]
145 D'imigh an t-uasal óna mhuintir, mar a deirim,
Bhí mac Fedelmthe i ngleic le tuatha,[52] ní raibh sé dall ar a chinn-
    iúint,
Ní ar son an tsaoil a d'fhulaing, is aige a d'fhan cuimhne na croiche;
Rud a bheartaigh ina bhigil chuir sé i bhfeidhm trína ghníomh é;
Gin oirirc de shliocht Airt ní aige a bhí sainchumas Néill
150 –Cholum, nár ghairm (riamh) slógadh chun eirligh.[53]

X

Lom an léan Leath Choinn nuair a d'imigh sé ar cianchuairt.[54]
Mac na Croiche a ainm,
Go nuige seo a shao!;
Féach an spéir!
155 Tabharfaidh mé mo chruinnfhaisnéis:[55]
Is aoibhinn leo sa tír thuas anois a dháil.[56]
Go bás conas a déarfaidh mé –
A thriall i gcolainn ar neamh, sonas is suaimhneas a rogha;
Bhí an t-oirirc an-fhonnmhar chun léinn.[56a]
160 Is deimhin:[57]

Ní och aon tí, ní och aon téide,
Is trom an tuath anois i ngreim an scéil.[58]
Lóchrann Dé do múchadh, d'athlas, mar ba chuí.

XI

Seo é Amra
165 An rí a dhein rí díom,[59]
A thabharfaidh chun Síon sinn,
A sheolfaidh thar pheannaid mé;
Go raibh mo dhúsmáil gan mhoill díom![60]
Tiocfaidh Colum ua Choirb uí Chathaír uasail
170 Gan mhoill chugam,[61]
Éachtach ollchasadh mo dháin,
Éachtach niamhghrian neimhe,[62]
– Níl sé d'uain agam –
– Ní díscéil.

Baineann an ghuí i dtús is i ndeireadh an dáin le deasghnáth na filíochta Críostaí (féach nach do Dhia ach do Cholum a ghuítear sa deireadh). Na smaointe atá nochta sa ghuí thosaigh baineann siad le dearcadh na haimsire i gcoitinne mar a chastar orainn é mar shampla i *Stair Eaglasta* Bhede agus i bh*Fís Adamnáin.* Cuireann Bede síos mar a leanas ar ar tharla d'Fhursa i bhfís dó, is é ina luí tinn ina mhainistir i Sasana: ' . . . d'fhág sé a cholainn ó fhaoithin go glaoch an choiligh ar maidin agus deonaíodh dó radharc a fháil ar chóir na n-aingeal, agus iomainn na bhflaitheas a chloisteáil. Is é a deireadh sé ná gur chuala sé go soiléir á rá "rachaidh na naoimh ar aghaidh ó shuáilce go suáilce" agus "feicfear Dia na ndia i Síon" . . . chonaic sé móraoibhneas na naomh agus cruachomhrac na n-ainspridí a bhí ag iarraidh a thuras chun na bhflaitheas a chosc air le bréagchúiseamh. Ach chlis sin orthu mar bhí na haingil á chosaint . . . Arna thógáil in airde chuir na haingil a bhí á thionlacan air breathnú siar ar an domhan . . . agus chonaic sé mar a bheadh gleann doilbh diamhair faoi. Chonaic sé leis ceithre thine san aer . . . agus deamhain ag eitilt ar fud na dtinte ag adú na gcogaí in aghaidh na bhfírean . . .'[2] Caitheann an méid seo léas ar I trí chéile agus na línte 27–8, 39, go háirithe. Gnáthpheannaid ar pheacaigh ní amháin in Ifreann ach fós i bhflaitheas Adamnáin an múr tine agus an mhuir is an sruth tine (LU 2107–2220: líne 5 thuas). Léirítear ansin, leis, na tuartha fáilte a fhearann Dia agus na naoimh roimh an anam gléigeal ionraic (féach líne 156).

2. Bede, *Hist. Eccl.* III 19.

Tá sé maíte ar Dhallán gur bronnadh radharc na súl air leis an
Amra a chumadh.[3] In §144 (=línte 171–2 thuas) tagraíonn sé d'oll-
chasadh nó clabhsúr an dáin agus ina theannta sin do mhíorúilt
na gréine amhail is dá mbeadh sí ar tí ceiliúradh uaidh. Sin é leis
mar atá críoch an dáin le tuiscint: tá an daille chuig an bhfile
athuair agus deireadh an dáin cumtha dá réir. *Níl sé d'uain aige*
feasta ach clabhsúr foirmiúil a bhualadh ar an dán trí athrá na
chéad líne.[4]

ACC: Nótaí leis an Aistriúchán

Mír I

1   Ar bhuille a bháis caithfidh anam Dhalláin file a shlí a dhéan-
amh trí dhíormaí na ndeamhan atá i gcathcharbaid á ionsaí.
Dá réir sin, ifreann atá i gceist sna línte a leanann é seo. Tag-
raítear go minic don ghleic leis na deamhain i bhfilíocht chráif-
each na Sean-Ghaeilge, cf. Thes. II 301:9, 305:4, 325:17,
356:16, 359:7. Féach leis Ir. T. III 51 §95: *Din barr di theoraib
soillsib adneot nīth* 'Ó ard (neimhe), ó na trí sholas (neamhaí)
táim ag súil le (cabhair sa) chath (in aghaidh na ndeamhan)'
(*Misc. Hib.* 43).

2   MSS *hillurgu* R, *i llurg* LU . . .

3, 4   Cf. ZCP 28:243.

Mír II

5   Cf. *Celtica* VI 228.

6   MSS *india* LU, R . . . Aims. Fháist. 3.p. den bhriathar *in·fét*.

7   Cf. ZCP 28: 244.

7a   Stokes §§12–13: *Ni less anma ar sui ardon-condiath/Conroeter biu
bath* 'No profit of our souls (is) our sage, for he hath fared from
us,/He that protected life has died'. 'A mere guess,' a deir sé, i
dtaca le *condiath* (ibid. n.1). Níl aon bhun cinnte leis seo mar
fhoirm bhriathartha. Dar le Strachan is é an A. Chaite 3ú p.
uath. de **con-di-ethaim: ethaim* 'I go' (RC XX 289). Dar le
Marstrander d'fhéadfadh **ar-con-di-fáith*=Foirfe 3ú p. uath.
de **ar-di-fed* a bheith mar bhun le *ar(don)condiath*. 'Nous a
quitté'=*atrullai huain* na gluaise an bhrí a bheadh leis (RC
XXXVI 376).

Is inmheasta ón tsraith le *Ar-don·bath* agus *Ar-nin-* ina dtús
(lch 195, línte 20–24) gurb é *Ar-don·bath* atá le léamh i líne 19

---

3. Cf. RC XX 37, 134.
4. Cf. RC XX 418 n. 4.

chomh maith. Sa chás seo ní aon bhriathar é *condiath*. Tá V.
Hull den tuairim gur comhfhocal, *cond-iath* 'land of chieftains'
é, rud nach móide (ZCP 28: 244). Léimse mar a leanas: (líne
19=Stokes §§12–13) *Ar-don cond iath conroeter biu -bath*, i.e.
Ar-don·bath (in) cond iath con·roeter biu '(The) leader who pro-
tected the living has died on us'. *Cond iath*=head of lands, cf.
cond slúag 'head of hosts', viz. Colum Cille, LU 1185, *Muir-
ceangal . . . cunn na tuath* ZCP V 486.10, *cond fine, cond ugra, Cond
Longas, cond na creitme gloine* (Contribb. s.v.).

8 MSS *omnu*, iolra.

9 Toí: an sruth Tay, i bPerthshire na hAlban.

Mír III

10 Stokes §26: *Boe sab suithe cech dind* 'He was strong in knowledge
on every eminence'. Leg. *sab suīthi* 'saoi'; *cech dind* (tuiseal
tabharthach tagartha) 'i dtaca le gach ard clúiteach'.

11 Stokes §27: *Boe dind oc libur leigdocht* 'He was an eminence
learned in the book of the law'. In ainneoin na ngluaiseanna
níl aon bhunús le *docht*< Laidin *doctus*. Leg. *lēig docht*. 'Leabhar
crua casta dlí' is ea *libur lēig docht*. Mar a leanas atá §27 le
haistriú: 'He was an authority in the difficult book of the Law.'

12 Stokes §§28–29: *Lassais tír tuaith. Leiss tuath occidens. Cotrolass
Oriens.* 'The land in the North blazed. His (was) the district
Occidens. Together Oriens blazed.' Sna Lsí LH, Eg., St., agus
Laud 615 *Lais(s)* atá in áit *Leiss*. *La(i)ssais/La(i)ss* an 3ú p.,
A. Chaite den bhriathar *lasaid*, amhail *cotrolas* (le -*ro*-): *com·
lasaid* 'comhlasann, bladhmann'. Is inmheasta ón gcomhthéacs
agus ón ngluais gur ó Cholum a ghlac an Tuaisceart a 'lasair'
agus gur scaip sé go dtí an dá chearn eile ansin. Aistrigh: 'The
land in the North lit up, the West took fire, and the East blazed.'

Mír IV

13 Stokes §33: *Ro anic axalu la airbriu archangliu* 'He came to the
laudations (made) by hosts, (by) archangels.' Binchy a chéad-
mhínigh *Axal* 'aspal' i gceart, *Ériu* XVIII 164, ach nár thuig
go bhfuil *airbriu/archangliu* comhthreomhar agus ceart mar atá
siad, rud a léirigh H. Wagner, op. cit. 298.

14 Féach ZCP 28, 245.

Mír V

15 Stokes §§39–41: *Ro ches gair co mbuich/Bae [a] huath fri Demal/
Dia mba goiste celebrad* 'He suffered a short (time) until he

routed,/He was a horror to the Devil/, to whom celebration (of Mass) was a hanging up.' Má tá sé láimh le baile, féin, ní cruinn an t-aistriú 'hanging up' ar *goiste,* Nua-Ghaeilge *gaiste* 'halter, noose, snare'. Sa ghluais a fuair Stokes é, mar a ndéanann sé mí-aistriú, mar a leanas: . . . *Nó goiste aire fein .i. airet no chluined in Demon guth Coluim chille i[c] celebrad ni lamad cor de co tairched in celebrad* 'Or it was a hanging-up on himself *(recte:* it was a halter on himself)* i.e. so long as the Devil heard Columba's voice at celebration he durst not stir till Columba completed celebration. . . .' Ní gá aon cheartú eile; i dtaca leis an mbriathar *·buich* féach Meyer, *Contribb.* 239, Ped. II 477.

16   Stokes §§42–43: *Assa cheird cumachtaig/ Conruiter recht robuist* 'From his powerful art,/ He that kept the robust law.' Ní fheiceann Stokes aon leanúnachas anseo agus ní thugann sé chun léire ceachtar den dá abairt. Is intuigthe as a chéile iad áfach agus ord mar a leanas orthu: *Robuist conruiter recht assa cheird cumachtaig* 'Strong (was he) who kept the law through his powerful art', i.e. through the power of his art.

16a Stokes §44: *Rofess ruam, rofess seiss* '(His) fame was known, (his) wisdom was known'. 'So I venture to translate *ruam* (in this sense an ἅπ. λεγ.)' a deir Stokes, ibid. n.1. Leg. *sess* agus aistrigh mar seo: '(His) monastery was known (i.e. celebrated), (his) abbot's) seat was known.'

17   Féach ZCP 28, 245.

18   Féach *Ériu* 18, 164.

Mír VI

19   Stokes §§50–51: *Raith rith rethes/ Dar cais caindenam* 'A course of grace he ran/ Instead of hatred well-doing'. 'In return for hatred' a thuigimse as agus d'fhéadfadh sin a bheith i gceist ag Stokes, leis, go háirithe nuair a thugann an ghluais í. Bhí seisean níos spleáí orthu sin ná mar ba ghá. Léas doirchithe ag V. Hull ar §§50–51 (ZCP 28, 246).

20   Dhá mheafar atá thar a bheith inspéise is ea *fí na cinniúna* agus *fúáil na filíochta;* féach C. O'Rahilly, TBC St. lch 283, H. Wagner, ZCP 31:50–51 (33:319), V. Hull ZCP 28,246, agus lgh 187–8 thuas.

21   Moladh le V. Hull (ibid.) á ghlacadh anseo agam; 'gach gluais' agamsa ar 'gluaiseanna' an téacs.

22   Stokes §58: *Sina sceo imrima raith* 'Fair weathers and storms he perceived'. *Raith = ·ráthaig, ·ráthaigestar* (:*ráthaigid*) aige. B'fhéidir

gur chóir *ráith* 'thionscain sé, he set in motion' (*:reithid*) a chur san áireamh leis: bhí cumhachtaí den sórt á lua le draoithe, cf. lch 42. Féach, leis, V. Hull, loc. cit.

23 Stokes §59: *Rannais rainn co figuir eter libru leig* 'He divided a division with figure between the books of the Law'. Sea, ach cén chiall atá leis? Luann an ghluais an Sean- is an Nua-Thiomna . . . .*i. no deliged stair ⁊ sians, moráil ⁊ anogaig*, i.e. he used to distinguish history and sense, morality and mystical interpretation (ἀναγωγή).

Tá fuascailt na faidhbe in §55, (línte 62–3 den aistriúchán thuas) áit a luaitear Cassian (Johannes, c. A.D. 360–435). Eisean an scríbhneoir Laidine a chéadmhínigh na ceithre chéim tuisceana sa samhlachas scrioptúrach ar a bhfuil trácht againn ar lgh 24–25 i dtaca leis an litríocht agus le Dante: a) de réir bhunbhrí na bhfocal is ea a thuigfí an sliocht (*:litterale*); b) Dhéanfaí an sliocht a thagairt do Chríost agus don Eaglais Mhíleata; b'in í an fháithchiall bheacht (*:allegorico*); c) An bhrí mhorálta nó thropalógach: i dtaca leis an anam agus na suáilcí a bheadh an sliocht le ciallú (*morale, tropologico*); d) Dhéanfaí an sliocht a thagairt do na flaithis agus don Eaglais Chaithréimeach (*anagogico*).

Is áisiúil mar a luann Tomás Acuin an deighilt idir Reacht Nua is Sean-Reacht atá i gceist in §59 thuas, sa chur síos dó ar na céimeanna tuisceana i *Summa Theologica* I, 10: 'Is é Dia údar na Scríbhinní Diaga agus tá ar a chumas a chiall a chur in iúl ní amháin le focail ar nós daoine ach fós le rudaí iad féin. Mar sin baineann sé le gach eolaíocht ach le Diagacht amháin gur i bhfocail a chuirtear rudaí in iúl iontu; sa Diagacht tá a gciall féin ag na rudaí sin chomh maith. Comharthú rudaí le focail, sin í an chéad chéim, an chéim stairiúil nó an chéim litriúil. An dara cás, a gciall féin a bheith ag na rudaí atá á gcomharthú le focail, tugtar an chéim spioradálta uirthi; tá sí bunaithe ar an gciall litriúil agus gabhann sin roimpi. Tá trí chuid sa chiall spioradálta: óir deir an tAspal gur samhail den Reacht Nua an Sean-Reacht agus deir Dionysius gur samhail den ghlóir le teacht an Reacht Nua. Agus arís pé ar bith a dhein ár gCeann Urra sa Reacht Nua is samhlaoid dár ngníomh féin é. Mar sin, sa mhéid go gcomharthaíonn cúrsaí an tSean-Reachta cursaí an Reachta Nua is *fáithchiall* (sensus allegoricus) atá i gceist. Sa mhéid gur samhlachas dár ngníomh féin na nithe nó na gníomhartha a bhaineann le Críost tá an chiall mhorálta i gceist. Ach sa mhéid go gcomharthaíonn siad a mbaineann leis an nglóir shíoraí, tá an chiall anogaigeach i gceist.' (Féach J. MacQueen, *Allegory,* Methuen 1970, lch 53, agus Caibidil 4 trí chéile ann, 'Medieval Theories of Allegory', mar a bhfuil cíoradh cóngarach caothúil ar an gceist ar fad).

24 Cf. Thurneysen, ZCP xx 373.

25 Stokes §§61–63: *Sceo ellacht imhuaim n-eisci im rith/ Raith rith la gréin ṅgescaig,/ sceo rein rith* 'And he connected the mutual movement of the moon about the course (of the sun)/ He perceived (its) course with the branchy sun,/ and the course of the sea.' Tuiscint eile ag V. Hull ar §62: " 'He ran a course with the rayed sun.' This I understand to mean that Colum Cille followed (traced) the course of the sun by its rays." (ZCP 28,247). Scéal scailéathain é seo a fhágann §61 mar a d'fhág Stokes é.

De réir mo thuisceanasa, ráiteas ginearálta is ea §61 agus mionchuntas §§62–63 air á léiriú. Ní éiríonn le Stokes ciall a bhaint as §61 gan breis (idir lúibíní) aige nach bhfuil údar sa téacs leis. Ord próis mar a leanas a bheadh ar §§61–63, dar liom: *Sceo ellacht imhuaim im rith n-eisci: rith raith le grein ngescaig, sceo rith rein* 'And he established the mutual correspondence in respect of the moon's course: the path it traversed with the rayed sun; and the sea's course.' Tá an *rith* seo beo beathach sa Nua-Ghaeilge, féach *reatha reann is réaltan, reatha saighneán . . .* (Din.).

26 Stokes §64: *Rimfed rind nime nech inchoi cech diruais ro Columb o chille cualammar* 'He would number the stars of heaven who would declare every noble thing that we have heard from Columba.' Féach Hull, ZCP 28,247. *Hápax legómenon* nó foirm aonair is ea *diruais* agus i mo thuairim nach bhfuil ach an dá bhealach le breathnú air: (1) Is comhfhocal dvandva, i.e. cónascadh an dá aidiacht *dír* 'cóir, ceart' +*úais* 'uasal' é. (2) Ní comhfhocal é ach an dá aidiacht *dír, úais* scoite ó chéile. Is é (2) mo roghasa ar a fheabhas is a fheileann sé sa chomhthéacs mar sin, agus mar nach léir dom cad ina thaobh go rachadh an dá aidiacht áirithe seo i mbuanchomhar le chéile. Scéal eile is ea leithéid *find-chas* 'fionn agus cas', abair. D'fhéadfadh miondifríocht céille a bheith i gceist idir (1) agus (2) sa chás nach raibh dhá mhír an chomhfhocail neamhspleách ar fad ar a chéile nó sa mhéid gurbh fhocal fileata, focal stíle an comh-

fhocal. Mar sin, léim *dír, úais* agus aistrím: . . . 'who would declare every proper and noble thing that we have heard from Columba.'

Mír VII

27 Stokes §65: *Coich boi, coich bia beo badid [n]amradair ar iathaib airdocht iarthuaith?* 'Who hath been, who will be, alive that would be as marvellous as he, the great sage, on the countries in the north-west?'

Samhailt eile foclóra, agus ní aon fhíorfhocal, *airdocht* 'great sage': faoi mar atá ráite thuas (nóta 11 : líne 33) níl aon bhunús sa Ghaeilge leis an bhfoirm *docht* ó Laidin *doctus*. Sa ghluais i LU 879–880 tá an míniú seo a leanas ar an bhfocal: *irdocht .i. ba erdocht hi tuaith .i. ba docht a chobaisseom fri nech uel ba docht im chobais neich* '. . . his confession to another was strict, or he was close about another's confession.' Ní aon chúraimí faoistine atá i gceist in §65 áfach; d'oirfeadh *docht* 'staunch, firm, exact' sa chomhthéacs, *airdocht* 'very staunch'. Aistrigh mar a leanas: '. . . as marvellous as he, the very staunch one, on the countries in the north west?'.

28 Stokes §66: *Adfet conu nech nad goi geoin* 'He that knew not false-hood was lecturing until now' – de réir chéad mhíniú na gluaise. Más féidir glacadh le *ad·fét* sa chiall seo tá an míniú sách réasúnta. Tá tacaíocht sa ghluais leis an dara míniú chomh maith, nuair a léitear mar a leanas *Ad·geoin Fet co Nū nech nad goī (geoin)* 'He knew the Old Testament and the New, who knew not falsehood'. *Ad·geoin: ad·gnin*, agus *geoin* le cur san áireamh faoi dhó. I dtaca le *Fet* 'Old Testament', *Nó* 'New Testament' cf. *Blathm.* 108 §4d. Tá níos mó dealraimh leis an míniú seo, tríd agus tríd.

29 Stokes §67: *Grés ro fer fechtnachu* 'He made an advance (that was) most prosperous.' Ní maith is féidir glacadh le *fechtnachu* sa chiall seo. Iarracht réitigh ag Hull ar an abairt, ZCP 28, 247: dar leis, *grés = do grés* 'continually' agus *fechtnachu* 'pious ones': 'Continually he had provided blessed ones (saints)'. Tá feabhas anois ar bhrí na habairte. Is fearr fós é má léitear mar a leanas é: *(A) grés ro fer fechtnachu* '(His) constancy that produced blessed ones': níl aon ní ina choinne seo agus oireann sé go maith dá leanann é.

30 Stokes §68: *Fri arthu archathru*/ *co domun dringthiar* 'By the great
City's ladders/ he climbed to the height (of heaven).'

  Leg. *fri arthu ar chathru* . . . 'By ladders, on strong ones
(=saints) he advances to Heaven'. Sa ghluais i LU 899–900
mínítear go dtugtar 'dréimirí' ar na naoimh, agus tá deismir-
eacht air sin in Iomna Bhroccáin ar Bhríd 12, áit a dtugtar
amra árad do thūathaib d'ascnam flatha Maicc Maire uirthi 'dréimire
iontach do chiníocha le Ríocht Mhac Mhuire a bhaint amach.'
(*Thes. Pal.* II 328; cf. *EIL* 20.10.) *Cathar* 'warrior' < *cath* + *fer* atá
i gceist san abairt agus an réamhfhocal ilchiallach *ar*, gan
amhras, roimhe. Tá *fri arthu* comhthreomhar le *ar chathru*.
Aimsir láithreach dep. 3. uath. is ea *dringthiar*.

31 Stokes §§69–70: *Ar deo doenachta*/ *Ar assaib rigthier* 'For God he
was humane,/ For delights (in heaven) he is crowned.'

  Níl aon údar aige le *ass* 'milk' sa chiall 'delight' agus tá easpa
éifeachta san aistriúchán trí chéile. Mar a leanas a thuigimse
an dá abairt 'For the God of humanity (and) on account of (his
monastic) sandals he is crowned (in Heaven).' Féach LU 902
'ar dhaonnacht Mhic Dé a d'fhulaing sé,' agus ciall mheafarach
an fhocail *as* (*RIA Dict.* sub 2 *as*).

32 Stokes §72: *Sui slán creis Crist* 'A sound sage who grew in Christ'.
'Another guess' is ea *creis* 'grew' aige: dáiríre is buille de bhuillí
faoi thuairim an ghluaiseora é. Níl aon bhunús leis. *Cres(s)*
'narrow, emaciated' is ea é, dar liom. Oireann brí seo an fhocail
cres(s) dá leanann sa dán é. Aistrigh mar seo: 'A perfect, austere
sage of Christ.'

33 Stokes §80: *Boe obeid*/(*Boe huasal, boe huas a bás*) 'He was an Ovid/
(He was noble, high was his death.)' Tá an míniú ceart le fáil
sa chéad ghluais: *Nó humal hé* . . . 'Or he was humble'.

34 Féach *Ériu* 18, 164.

35 Stokes §§88–90: *Miad mar munimar manna*/ *Nod-geilsigfe Crist eter
dligthichu*/ *triasna ciana contaisle* 'A great honour (to him) we deem
the heavenly food (of which he will partake)/ Christ will take
him into service among the righteous/ because of the long periods
that he has displayed.'

  In §89 leg. *nod·n-gellsigfe* (cf. LH *nodngeilsigfe*); *contaisle*
(*cotaislia* LU; cf. LH *cotaslai*): *con·sela* 'imíonn sé' nó *con·sela(i)*
(A. Chaite den bhriathar *con·slá*) 'd'imigh sé, bhí sé sa siúl' + an

forainm inmheánach 3 p. iolr. *da.* An A. Chaite is dóichí ann.
Aistrigh mar a leanas: 'A great honour (to him) we deem the
manna which Christ will pledge to him among the righteous
through the long ages that he has gone with them.'

Mír VIII

36 Stokes §92: *Cotluid la do chetal do nimiath iarna croich* 'After his
cross, he went with two songs to heaven-land.'

Is léir go bhfuil míchuibheas éigin ag baint le scéal an dá
amhrán. Léann V. Hull *la dochetal* 'with a sad song', ZCP 28,
248. Ach ní fearr de lón bóthair ar neamh an gholtraí ná an
dá amhrán. D'fhág Colum an t-anró ina dhiaidh abhus agus
níl aon chall caointe ar neamh aige. Léimse mar a leanas é:
Cotluid, lā, do chētul do nimiath iarna croich 'After his cross he went
to the heavenly land to sing, one day.'

37 Stokes §93: *Cet cell custóid, tonn fo ogi oiffrinn* 'He protected a
hundred churches, (a hundred) crowds at completeness of
offering.' Mar a deir Hull, ZCP 28, 248 b'fhearr '[He was] a
guardian of a hundred churches, a draught upon completion of
the offering.'

38 Stokes §94: *Oll nia ni hidal* '(He is) a great champion, (but)
not of idols.' Níos cirte: . . . but not an idolator.'

39 Stokes §96: *Ni foet na fuacht nad héris* 'He neither accepted nor
subdued any heresy.' Is léir go bhfuil tuaiplis san aistriúchán
mar nach dtagann sé go maith lena chéile. Briathar is ea *fuacht*
dar le Stokes, mura bhfuil a fhios aige, féin, cén briathar é. Ní
fíor, áfach, ach an t-ainmfhocal *(f)uacht* 'coldness', 'indiffer-
ence'. (Féach *scéal fuar* 'a story that leaves one *cold*'). Is luath
atá an chiall seo ar fáil san fhocal: féach *mac húar* 'cold, indiffer-
ent son' v. *mac gor* 'warm, dutiful son' (*Bürgschaft* lch 11, Wb.
23 a 9 etc.) Is fíor nach raibh an bhrí seo riamh chomh léir
san ainmfhocal *(f)uacht* is atá san aidiacht. Ní mór an chabhair
RIA Contribb. sub *úacht*; féach áfach "Metaph.: *Mac Aodha,
aighne go dtreoir/ gríos oireas d'fuacht fear n-aineoil* 'a fire fitted to
warm the coldness of ignorant men,' Content. xxv 10. Tá neart
samplaí le fáil sub *úaire.* Tá an abairt le haistriú mar a leanas:
'He accepted neither indifference nor heresy.'

40 Stokes §98: *Nad etsa bas bith* 'that he might not die a death for
ever.' Aimsir láithreach sea *etsa,* cf. §37 *eitset* agus V. Hull,
op. cit. 245, 249.

41   Stokes §§104–106: *Nade in meicc macc hui Chuind/ Cuil deim de éot/ Cuil deim de formut* 'It is not the son's, the son of Conn's descendant,/ No whit of jealousy he takes away,/ No whit of envy he takes away.' Tá an t-aistriúchán ar §104 aige diamhrach go maith is ní léir cén bhrí a bhaineann sé as. Bíonn coinne i gcónaí aige le foirmeacha briathartha, ach faoi mar a dúramar thuas is tábhachtaí sa chineál seo filíochta ainmchóras ná briatharchóras. Tá an sliocht le léamh mar a leanas: *Nade macc hui Cuind in meicc (atá) cuil-deim de éot, cuil-deim de formut* 'The son of Conn's descendant is not the one who has a jot (lit. fly-cover) of jealousy, (or) a jot of envy.' Comhfhocal is ea *cuil-deim* 'fly-covering', i.e. what would cover a fly: féach *dem* RIA Contribb. *Oiread na fríde, faic na fríde* a deirtear sa Nua-Ghaeilge: agus feithid ar nós na cuile an fhríd chomh maith. Mar sin, *folach na fríde* atá san aistriúchán againn.

Ginideach comhaisnéise agus feidhm chónaisc leis is ea *in meicc* san abairt *Nade in meicc macc hui Chuind* . . . Tá comhaisnéis mar é i gceist i *senóir clérigh léith* lit. 'an old man of a grey cleric' =an old, grey-haired cleric (Thurn. *Gramm.* 158: tuilleadh samplaí ansin). Maidir le feidhm chónascadh an ghinidigh tá a leithéid san fhocal *tairismi* san abairt *Fagabar do feraib Hérend tairismi comrama frimsa* 'Let there be found of the men of Ireland (one) of standing battle with me', i.e. one able to fight me (LL 13119). Thairis sin fónann an focal *macc* thar barr don chónascadh i ngeall ar an uilíocht is an ionadaíocht atá ann: féach *mac mallachtan, mac tairngiri, mac bethad, mac meda, mac míraith, mac tíre, mac alla* . . . Taca nó freastalaí séimeantach sna cásanna seo é; is fusaide sin leas a bhaint as mar thaca sa chomhréir. Níl maith scéal fada a dhéanamh de cheist na comhréire, mar nach bhfuil aon bhriathar san abairt. Ach é seo: *mise en relief* is ea §§104–106, sin é an fáth go bhfuil dul an choibhneasta ar an abairt. Déarfadh an Béarlóir (i.e. Sasanach) 'Colum shows positively no trace of jealousy or of envy' agus an bhéim in áit eile aige leis an chiall chéanna a léiriú. Maidir leis an leagan leasaithe próis atá againn thuas air, is sampla inspéise ar úsáid choibhneasta an ghinidigh é. Féach Ped. II §539.

42   Stokes §§106–107: *Fo lib lige a ai/ ar cach saeth sretha[ib] sina* 'Ye deem it well, O sages, (to have his) grave,/ against every disease (caused) by arrangements of weather.' Níl aon bhunús sa téacs

leis an 'O sages' aige; thóg sé as an ngluais é. Tá iarracht ag
V. Hull ar §106 i ZCP 28, 249: dar leis is *aí* 'poetic art' >
'effective power or virtue' atá i gceist, ach níl aon tacú aige
leis, agus níl aon samplaí ar *aí* sa chiall seo. Má léitear *aí*,
forainm 3. uath. mar a leanas: *Fo lib (a) lige a ai* 'Good ye
deem his grave (for) its virtue' agus §107 mar a mholann Hull:
sretha ar cach saeth sina 'which was prescribed against every
tribulation (disease) of bad weather' tabharfaidh sin míniú
sásúil ar an dá alt i dteannta a chéile. I dtaca le §106 féach *a
n-ái, .i. a sainreth* 'its own, i.e. what is proper to it' Sg. 29 b 3.

43   Stokes §108: . . ./*dorumeo[i]n rétu* '. . . he meditated on (their)
evil'. Níl aon bhunús leis an bhfoirm *rétu* ó *reatus* 'guilt' na
Laidine: sa ghluais a fuair sé é. Aistrigh mar a leanas: 'he pon-
dered things.' Féach an nath Nua-Ghaeilge *shaoil sé an dúrud
dó* 'he had an intense admiration for him.'

44   Ní aon chabhair dul sa tóir ar -*ch* 'agus' in §110 (*soich fir*: ZCP
xx 373; *Celtica* V 85). Le *siacht* a bheifí ag súil, in áit *soich*, dá
mb'fhoirm den bhriathar *saigid* é. Leg. *sích* 'spoke': *sichid,
seichid.*

45   Stokes §§110–112: . . . *Fiched fri coluain/ Cona raga in rigmac for
déde Dé/ I n-athguth, i n-athfers* 'He used to fight against the Flesh/
so that the royal son will not go upon God's second,/ into the
second word, into the second verse.' Léigh mar a leanas: *Fiched
fri coluain, cona-raga in rigmac i n-athguth, i n-athfers for déde Dé*
'He used to fight against the Flesh, – so that the prince will
not come into the second utterance, the second verse of God's
dual pronouncement.' Débhreith Chríost ar an dá mhuintir lá
an bhrátha atá i gceist, féach Matha xxv 31–41. Sa dara mír
is é a deir Críost "imígí uaim a dhream mhallaithe isteach sa
tine shíoraí . . .

Mír IX

46   Stokes §115: *Aed atnoe huile oll doene dronchetal/fechta for nia nem*
'Aed trusted him (Dallán, to make this) the steadfast song of
all great men at the time the champion (should go) to heaven'.

Níl aon trácht ar Dhallán sa chuid seo den téacs, agus san
áit a bhfuil, ag tús is ag deireadh an dáin, is sa chéad phearsa
atá an tagairt. Cuireann V. Hull ord an phróis mar a leanas ar
an alt (loc. cit.) *At-noe Aed dron-chetal fechta for nem oll-nia huile*

P

doene 'Aed vowed (pledged) a steadfast song, which was composed (for going) to heaven, to the mighty champion of all people.' Dá inspéise an téarma *fechta* (: *figid*) 'composed' níl an tagairt oiriúnach don abairt. Téann *oll* agus *dronchetal* le chéile go maith, leis, agus ní gá *oll* agus *nia* a chúplú faoi mar atá siad in §94. Is féidir an abairt a léamh mar a leanas: *Atnoe Aed dronchetal oll fechta for nem nia huile doene* 'Aed pledged a great and resonant song when the champion of all the people should go to heaven'. Tá idir 'uair' agus 'aistear' istigh sa dobhriathar (cónasc) *fechta,* gin. de *fecht* 'turas; uair'.

47   Stokes §117b: *Ni suaig* 'He flattered not'. Leg. *su-āig* (< ág 'battle') 'easy to arouse; contentious'.

48   Mac le Congell, rí Dhál Riata Alban (Reeves, *Columba* 32, n. 2).

49   Stokes §119: *Cluidsius borb beolu bennacht batar ic Toi tolríg* 'He subdued to benediction the mouths of the fierce ones who dwelt with Tay's high king.' Leg. *toil rig* (LU). Leagan próis mar a leanas a bheadh air, dealraím: *Cluidsius bennacht beolu [inna m]borb batar ic Toi [la] toil [ind] rig.* '(His) benediction subdued the lips of the fierce ones of Tay, with their king's consent.'

50   Stokes §121: *Ar adbud ar áne atronnai argart glan húa i cathair Conúaill* 'For pomp, for splendour, Conall's descendant in (his) monastery distributed pure hospitality.' Ní scaipeann an t-aistriúchán seo diamhair an téacs, mar nach léir cad é go díreach atá i gceist aige ann. Is é an leagan próis a bheadh agam air ná: *Ar adbud (ocus) ar áne atronnai hua Conuaill gart nglan* (LH, LB) *i(nna) chathair,* 'In place of pomp and splendour Colum enjoined pure hospitality in his monastery'. De shliocht Chonaill Ghulbain Colum.

51   Stokes §123: *Fri angel n-acallastar, atgaill grammataig greic* 'With an angel he conversed, he learned Greek grammar'. *At·gaill* (i. *ro foiglainn* 'he learned' de réir na gluaise): *as·gleinn* 'examines'. Tá dul amú ar V. Hull op. cit. 250 sa chás seo.

52   Stokes §§124–5: *Soér sech tuaith, sín inedim/ Macc Fedelmthe fich tuaith, fín nouit* 'The noble one sought the North: thus I declare,/ Fedelmid's son fought the North: the end he knew.' Ní léir gur féidir an dobhriathar airde *tuaid* a úsáid mar seo. Ní maith a oireann an dá ráiteas dá chéile ach chomh beag. *Tuath* sa

chiall 'cine' a léimse sa dá chás; (an uimhir iolra is fearr a oireann san aistriúchán sa dara cás). Colum atá i gceist le *mac Fedelmthe*. Aistrigh mar a leanas: 'The noble one went from his people; I will put it so, Colum contended with the tribe (i.e. with tribes) and knew his destiny.' Féach §87: *O Cholum cosc tuath* 'From Columba (came) the discipline of tribes.'; §108 *Tria thuaith n-idlaig/ dorumeo[i]n rétu* 'Throughout the idolatrous land/ he meditated'; §110 *Cath sír/ Soich fír* 'A long battle/ He spoke truth.'

53 Stokes §§128–9: *congein de gein n-an, hua Airt nís Neill co nert/ nad fuich fecht dia mbaathar* 'so thence was born a noble birth, descendant of Art; (but) not with Niall's strength is he,/ who injured not when he died.' Art mac Cuinn agus Niall Noígiallach atá á lua anseo i gcáilíocht mhórshinsir Uí Néill agus Choluim féin. Mar seo a léim é: *gein n-an congein de hua Airt –nis co nert Neill – nad fuich fecht dia mbaathar.* 'A noble birth was born of Art's descendant; not his (i.e. Colum's) the power of Niall; he (lit. who) does not mount an assault from which one may die.' Tá tagairt anseo do bhás Néill ar ruathar creiche thar lear, de réir an traidisiúin: níor den sórt sin Colum! *Fuich* an fhoirm tháite 3ú p. uath. de *fo·fich* 'déanann sé (coir etc.); *baathar* an modh foshuiteach neamhph. uath. de *baid* 'éagann'. Ní aon chabhair V. Hull, ZCP 28: 250.

Mír X

54 Stokes §130: *Buich bron cerdd Cuind dul dodruib mete maith* 'Grief broke Conn's Part through his (Columba's) going to an abode of exceeding goodness.' Leg. *do drúib* nó *d'fhodrúib* 'ar cuairt, stad, cónaí'; *mēte maith*=of a good size, is é sin, cuairt sách fada!

55 Stokes §132: *Certo indias* 'Surely I should relate'. *Certo* na Laidine é, dar leis. Ach is dóichí gur foirm de *cert, certa(e)* 'cruinneas' atá ann: 'Le cruinneas' Cf. *Contribb.* sub 1 *cert, certa, certo*. A. Fháistineach lú p. de *ind·fét* is ea *indias*.

56 Stokes §133: *Alliath leo binn innechtu nudal* 'He cried (like a) melodious lion in a collection of preys.' (!)
Leg. *All-iath leo binn ind-fechta (inechta* St., *hinecto* LB) *nua-dhal (nuadal* St., YBL). Is é an t-ord a bheadh ar na focail sa phrós: *Binn leo (i n-) all-iath ind-fhechta (ind) nua-dal* 'Sweet now they find the meeting (with Colum) in the land yonder.' Na flaithis

atá i gceist le *all-iath* 'tír eile, tír thall' agus an casadh le Colum an *nua-dal; ind-fhechta: fecht*.

56a Stokes §136: *Ro solui sochla suíthi* 'The famous one disclosed wisdom'. Leg. *Ro-sholmae sochla suíthi* 'The famous one was a very ready scholar'; lit. the famous one (*sochla*) (was) of a great readiness (*ro-sholmae*) in regard to learning (*suíthi*). Cf. *Ba suí solmae na senma* 'he was a ready scholar in music' Met. Dinds. iv 344.86.

57 Stokes §136 . . . *derb dó* 'sure for him'. Dar liomsa is tagairt don rud a leanann agus ní dá bhfuil díreach ráite é: 'Is dearfa . . .'. Is éard atá i gceist le *och aontéide* ná glór goil ó théad chláirsí.

58 Stokes §138: *Trom tuath, focul fothuind* 'Heavy is the folk, a wounding word'. An briathar *fo·teinn* 'creimeann, cnaíonn' atá i gceist. Leg. *fotheind* agus aistrigh 'sad is the folk from the word that wounds'. Ní gá leasú téacs, dá réir sin. Leasaíonn C. Watkins, áfach, agus ciallaíonn sé ar shlí eile í (*Celtica* VI 237): *Trom tuaith focul -fotheind* 'sorely does the word lacerate the tribe'. Fágaimidne camóg Stokes ar lár, leis.

Mír XI

59 Colum a bhronn ard-ollúnacht Éireann ar Dhallán, de réir an tseanchais.

60 Stokes §142: *Ropréid menna duba dim* 'May it be easy (to cast) dark faults from me.' Mar chuspóireach iolra a thuigeann sé *menna duba*. Ní amhlaidh dó, áfach: Ainmneach iolr. is ea é. *Mise en relief* de *réid* atá i gceist; tagraíonn an chopail (*-p*) don abairt (*menna . . . dim*).

61 Stokes §143: *Dom-chich cen anmne húa húi Choirp Cathrach con huasle* 'May the descendant of Corp[re], the descendant of noble Cathár see me without stains!' *Dom·chich*=tiocfaidh chugam (:*do·cing*). Aistrigh mar a leanas: 'The descendant of Corpre, descendant of the noble Cathaír, will come to me without delay.' De shliocht Laighneach máthair Choluim agus ainmneacha céimiúla sa ghinealach iad seo atá luaite.

62 Stokes §144: *Oll rodial oll natha nime nemgrian* 'Vast the great variation, vast, (as) of a poem (in praise) of heaven's holy lights.' An t-ord a bheadh ar na focail i bprós, dealraím: *Oll rodiall natha, oll nemgrian nime*. (*Nēmgrian*, agus ní *nĕmgrian* é, dar liom.) 'Wondrous the great turning of my poem: wondrous the radiant sun of heaven'.

Cumar na dTraidisiún

Tá bunús na n-údar den tuairim gurb é *Amra Choluim Chille* an dán Gaeilge is ársa dá bhfuil fáil againn air agus gur cumadh é thart faoi A.D. 600. Ar Dhallán Forgaill 'Ard-ollamh Éireann' atá sé leagtha sa chur síos próis a ghabhann leis, i LU 292 ff., mar shampla. Shílfeá ar an dán féin áfach gur cléireach a cheap. Ní i ngeall ar an Réamhfhocal amháin é: más fíor do na lsí, is ar leithligh ó chorp an dáin a cumadh an ghuí tionscnaimh seo, sa bhliain 575, ag Mórdháil Dromma Ceta. Tá an blas ársa céanna ar urlabhra an Réamhfhocail is atá ar chorp an dáin, dá dhifriúla an déanamh meadarach atá orthu. Fágann sin nach cóir iad a scaradh ó chéile.

Cuid iontais é moladh nó marbhna an naoimh a bheith i gcúram file. Tar éis an tsaoil, ábhar crábhaidh ar fad a bhí le saothrú sa dán agus feidhm spioradálta a bhí ceaptha dó. Is beag ná go bhfágann na tráchtairí naomhluan timpeall ar cheann Dalláin ina gcur síos air: 'Gheall Colum ollmhaoin agus torthaí na talún do Dhallán, ach níor ghlac seisean ach neamh dó féin agus do gach aon duine a déarfadh an *Amra* gach uile lá agus a thuigfeadh é idir fhoghar is fhocal' (RC XX 134). Ach gan trácht orthu seo ar aon chor, ní

---

1. Saothair ar baineadh leas astu:
Amra Choluim Chille, eag. W. Stokes, RC XX.
Adamnán, *Vita S. Columbae*, eag. A.O. & M.O. Anderson, Nelson 1961.
R. Thurneysen, Colmán mac Léneni u. Senchán Torpéist, ZCP 19, 193–209.
E. Mac Neill, A Pioneer of Nations, *Studies* XI 13–28, 435–446.
J. Carney, Three Old Irish Accentual Poems, *Ériu* XXII 23–80.
G. Calder, eag. *Auraicept na n-Éces*, Edinburgh 1917.
K. Meyer, The Laud Genealogies and Tribal Histories, ZCP VIII 291–338.
V. Hull, The Wise Sayings of Flann Fína, *Speculum* IV 95–102, 1929.
Bede, *Historia Ecclesiastica*, et *Vita S. Cuthberti*.
F. Klaeber, eag. *Beowulf*[3], 1950.
D. Whitelock, *The Audience of Beowulf*, Oxford 1951.
A. S. Cook, The Possible Begetter of the Old English *Beowulf* and *Widsith*, Transs. Connecticut Academy of Arts and Sciences XXV (1922) 281–346.
P. L. Henry, *The Early English & Celtic Lyric*, London 1966.
K. Meyer, *Selections from Ancient Irish Poetry*, Constable 1959.
R. Flower, *The Irish Tradition*, Oxford 1948.
W. Reeves, *Vita S. Columbae*. B.Á.C. 1857.
D. A. Binchy, The Background of Early Irish Literature (*Studia Hibernica* I 7–18).
Cf. freisin P. Mac Cana, The Three Languages and the Three Laws (*Studia Celtica* V 66–71, 1970); K. Jackson, Questions about Early Welsh Literature, op. cit. VIII 1 ff., 1973.

foláir nó bhí an sruth dúchasach agus an sruth deoranta ag cur lena chéile faoi A.D. 600.

Níl aon cheilt ar chomh láidir is atá traidisiún an léinn Laidinigh san *Amra*. Tá sé le feiceáil ní amháin sna tagairtí do na *Artes liberales* atá folaithe i línte 59–71 (: RC XX §§52–63) ach ina theannta sin sa tagairt do J. Cassian agus don samhlachas ilchiallach a chleacht aithreacha na hEaglaise (línte 62–3: RC §55) agus lucht litríochta na hEorpa ina ndiaidh; cf. lch 203. Tá tagairt leis don réalteolas, don mhuir is do na taoidí, agus is inmheasta gur ar an léann Eorpach, cuid mhaith, a bhí Colum ag brath sna cúrsaí seo, faoi mar a bhí Bede ina dhiaidh sin nuair a scríobh sé *De Natura Rerum, De Temporibus*[2] agus *De ratione Temporum*.

Tá blas na Laidine ar an bhfoclóir chomh maith, is é sin, blas thar an ngnáth: féach *occidens* §28, *oriens* 29, *ecce* 132, *demal* 40, *gulae* 56, *fín* 125 (*finis*), *fín novit* 125, *figlis* (:*vigilia*) 23, *cartóit* (*caritāt-*) 76, *custóid* (*custōd-*) 93, *robuist* (*robust-*) 43, *figuir* (*figura*) 59, *lēig* (*lēg-*) 55, etc. Ní deimhin go mbaineann *feirb*/*ferb* 52 le *verbum*.

Tá cumasc dhá thraidisiún le feiceáil san *Amra*, dá bhrí sin, filíocht na Gaeilge á athnuachan is á tapú ag léann na Laidine. Is inmheasta gur i ré Choluim Chille féin (521–597) a tharla an cumasc, agus fós go raibh filíocht na Gaeilge á breacadh síos in aibítir na Laidine[3] faoi A.D. 550 nuair a bhí an manachas i réim sa tír faoi anáil na Breataine. 'Ba shaoi, b'fháith, b'fhile' é Colum, mar a deir an ghluais le §83 (RC 266). Ba fhlaith ina theannta sin é agus neart aige ar a mhian a fháil. Ba é a chomharba féin Adamnán a scríobh faisnéis a bheatha; saothar é atá an-cheartchreidmheach – agus gann go leor ar thuairisc phearsanta, dála an *Amra* féin. Is léir go raibh an-spéis sa scríbhneoireacht ag Colum, agus chaith sé cuid mhór ama sa scriptorium ar Oileán Í. Bhí plé le filí na Gaeilge aige, agus dearbhaíonn Adamnán go raibh dánta molta Gaeilge air i measc an phobail a raibh feidhm chun cosanta iontu: thug siad lucht a gcanta slán ón namhaid mórthimpeall orthu. (Ad. *Vita Col.* I 9b, 10a). Níl aon chúis nach mbeadh dánta Gaeilge á mbreacadh síos ag Colum i dteannta dánta Laidine ar nós an *Altus Prosator*.

Comhaimsearach le Colum Cille ba ea Colmán mac Lénéni (+604; cf. lch 146), file agus *athláech*, i.e. fear a chuaigh le manachas

---

2. I mír den saothar seo, De Anno, cuireann Bede síos ar chúrsaí na gealaí is na gréine, cf. ACC §61, Cockayne, *Leechdoms* III 193.

3. Ba iad na hainmneacha dílse an chéad chineál a bhreac na Gaeil síos san aibítir sin.

nuair a bhí tonnaois mhaith cheana féin aige. Sa dán ar Cholmán le Gofraidh Fionn Ó Dálaigh (+1387) maítear ar Cholmán na focail 'Thug mo cheann droim leis an dán' ag an nóiméad sin; ach is léir ón rann a chum Colmán ar bhás Áed Sláne (+604) nach fíor é seo ar aon chor (Cf. ZCP 19:195). Measann J. Carney go bhfuil dáta oirnithe Cholmáin le cur siar chomh fada le A.D. 568 (*Ériu* XXII 64). Bíodh sin mar atá, bhí filíocht Ghaeilge idir dhiaga is shaolta á cumadh aige san am a raibh sé ina cheann ar mhainistir Chlúain Úama agus léann na Laidine mar chúram dá réir air. Áiríonn Gluais 19 le *Anecd.* V 25 Colmán ar dhuine de na 'fáithe diaga is daonna' agus de na 'tráchtairí grásta agus éigse': is é sin, gur thug sé an dá thaobh leis, traidisiún na héigse dúchasaí agus traidisiún an léinn Chríostaí. Bhí cleamhnas na dtraidisiún ar bun.

Tá an bhrí chéanna go díreach le baint as scéal Chenn Faelad: chomh luath is a nochtfaidh an duine ceart, an duine a chaithfidh an dúthracht chéanna leis na traidisiúin éagsúla is a thabharfaidh chun blá0tha ann féin iad, beidh siad aontaithe feasta don chine is don náisiún.

D'uasalaicme Chenél nEógain Cenn Faelad mac Ailella. Ba dhamhna rí é féin. Bhí deartháir a athar, Colmán Rímid, a athair sin Báetán, agus a athair sin arís Muirchertach mac Erca ina n-ard-ríthe i dTemair. Is é a deir *Lebar Aicle* (A.L. III 86) ina thaobh gur scoilteadh a cheann i gcath Mhag Rath is gur tugadh go teach Bhriccíne lia i dTuaim nDrecain i mBreifne á leigheas é. Ag crosaire trí shráid idir tithe na dtrí saoi a bhí an teach sin: trí scoil a bhí ar an mbaile, gar dá chéile, scoil Laidine, scoil *fhénechais* nó dlí agus scoil filíochta. I ngeall ar an saothar iomadúil bláfar a d'fhág sé ina dhiaidh is é a mheas na tráchtairí gurb amhlaidh a baineadh a 'inchinn dearmaid' as a cheann (ibid.) is é faoi scian dochtúra. Ó tharla an dúil sa léann ann, thapaigh Cenn Faelad a dheis is thosaigh sé ag freastal ar gach scoil de na trí cinn acu de réir mar a fuair sé faill air. Gach uile ní a d'airíodh sé i gcaitheamh an lae bhíodh sé de ghlanmheabhair faoi oíche aige. Chuireadh sé snáth filíochta uime sin ar fad, bhreacadh sé ar leaca is ar tháiblí iad, agus scríobhadh ar phár ansin iad.

Níl amhras ná go bhfuil dealramh leis an scéal seo mar chuntas ar an gcaoi a ndeachaigh traidisiúin dhúchasacha *béil* an dlí agus na filíochta i muinín an phinn, agus i muinín leabhar. Ach tá an dáta, A.D. 637, an-déanach dá leithéid. Tá sé bunaithe ar an teoiric gur fhan na filí amach ón gcléir chomh fada is ab fhéidir leo (*Studies*

XI 21). Ar an taobh eile de, fágann sé aicme an *athlaích,* leithéid Cholmáin mhaic Lénéni, as an áireamh, chomh maith leo siúd a bhí báúil leis na filí, is go raibh dúchas ag cur le crábhadh iontu ar nós Cholum Cille. Is dócha nach dtugann sé a cheart ach an oiread don chaidreamh a bhí idir filí agus cléir, ní hé fearacht na ndraoithe é.

Iasacht ón Laidin an focal 'léann', Sean-Ghaeilge *légend* (legendum). 'Léann na Laidine' a bhí i gceist ar dtús leis, á scoitheadh sin glan ó na réimsí dúchasacha, an *senchas,* agus an *fénechas.* Leis an aimsir glacadh na réimsí dúchasacha isteach faoi sciatháin an fhocail. Ní go réidh a deineadh amhlaidh. Tá fianaise againn ar dhearca ceartaiseach an léinn Chríostaí i leith na dteangacha dúchasacha ó Adamnán féin. Sa chéad alt dá leabhar ar Cholum iarrann sé ar a léitheoirí gan dímheas a chaitheamh ar a shaothar i ngeall ar na hainmneacha deoranta Gaeilge a chasfar leo ann. Teanga 'thútach' (*vilis*) a thugann sé uirthi. Tá tagairt den sórt seo leis i Lebar Ard Mhacha (807–) d'ainmneacha Gaeilge 'nach den scoth' iad. Tá dearcadh difriúil ar an gceist seo in *Auraicept na n-Éces.* Saothar é seo a luaitear le Cenn Faelad, ar a shon go bhfuil na lsí déanach go maith. Is éard atá sa Ghaeilge ná rogha de na gnéithe ab fhearr as na teangacha eile (Calder, eagr. lch 80). In áit eile (4) fiafraítear go neamhbhalbh 'cad ina thaobh go ndeirtear gur tútach i bhfianaise Dé an té a léann Gaeilge?' Seancheist í sin, mar a chonaiceamar, ach tá freagra nua anseo uirthi: 'Ní hin í brí na ceiste ar chor ar bith; is ar iomlán na fealsúnachta idir ghramadach, dhialactaic, agus mheadaracht atá trácht, mar a deir an file:

> Foghlaim is fealsúnacht, gnó díomhaoin,
> Léann, gramadach is gluais,
> Litríocht léir agus rím,
> I bhfianaise an Té atá thuas.'

Scéal ar bhaois is ar bheagthairbhe an tsaoil trí chéile é, dar leis. Tútach i bhfianaise Dé sea an té a sheasann in aghaidh fírinne diaga agus daonna (6).

Ré chinniúnach i litríocht na Gaeilge ba ea ré Chenn Faelad gan aon amhras. Ón gcath seo Magh Rath a d'eascair 'líon na scéalta is na ndánta a d'fhág (Suibhne Geilt) ina dhiaidh' (A.L. iii 88). Tá Cenn Faelad féin molta as ar fhág sé de leabhair dhea-dhéanta ina dhiaidh (ibid.): leabhair iad a mbeadh teicníc is gnáthamh an léinn

Laidinigh á gcur chun leasa na saoithiúlachta dúchasaí iontu idir sheanchas, dhlí, fhilíocht is ghramadach. Comhaimsearach leis ba ea Senchán Torpéist (cf. lgh 68 ff.) a bhfuil athaimsiú na *Tána* maíte air sna scéalta. Is éard atá le tuiscint as sin ná gurbh eisean a chuir caoi is eagar ar an *Táin,* cibé acu leagan béil nó leagan scríofa é. I gcaitheamh an chéad leath den 7ú céad a tharla an éacht eagar-thóireachta seo. Is móide ár spéis sa chuid eile dá shaothar a thionchar ar dheilbh na *Tána:* tá Senchán luaite le laoithe molta na Laigen den sórt is ársa dá bhfuil againn (ÄID II 19–21; *Ériu* XXII 73). As a *Chocangab Már* nó 'Ollchnuasach' cuid díobh seo, agus is inmheasta gur thiomsú bunúsach dánta ar sheanchas is ar ghinealaigh an saothar sin. Tá an sórt céanna maíte ar Luccreth moccu Chíara. Seantraidisiúin bhunaidh is imirce ciníocha atá á n-eachtraí aige sin sna dánta iomráiteacha *Con·ailla Medb Míchuru* agus *Ba Mol Midend Midlaige* (ZCP VIII 306–308). Sa chéad cheann acu tá léargas sainiúil neamhghnách ar chúlra na *Tána* ó thaobh na nUlad de.

Ba chinniúnaí fós i stair is i litríocht Shasana ré seo Chenn Faelad. 'Is beag dá mhearbhall orainn', a deir Kuno Meyer, 'ná gur suarach a bheadh i gcuntas de litríocht na n-Angla-Shacsanach sa tsean-ré murach gur thug na Gaeil an Chríostaíocht isteach chucu. Na misinéirí Éireannacha a d'iompaigh Northumbria chun an chreidimh, ba é a dtionchar is a sampla a thug ar an manach Anglach a litríocht féin a chaomhnú is a fhorbairt.'[4] Níl aon amhras ná gur ó na Gaeil a fuair siad *scríobh* a litríochta féin ach go háirithe.

Aldfrith rí Northumbria (685–705) sáreiseamláir an débhéascna Angla-Éireannaigh sa ré seo. Eisean an Flann Fína úd a bhfuil iomad saothar Gaeilge leagtha air.[5] Ba ghaol gairid (col ceathrar nó iníon) le Cenn Faelad a mháthair Fína,[6] rud a mhíneodh an bhaint a bhí ag Aldfrith le hÉirinn[7] agus a oilteacht sa Ghaeilge. Bhí sé ar dhuine de na prionsaí ba shibhialta is ba dhea-eolaí lena linn agus áirítear a chúirt is a ríocht in Northumbria ar na láithreacha foirsteanacha do shaothrú na luathlitríochta eipiciúla Béarla ar nós *Beowulf* agus *Widsith.*[8] Tá cuntas againn ó Bhede féin[9] mar a

---

4. Meyer, *Selections* ix.
5. Cf. *Speculum* IV 95 ff.
6. Cf. W. Reeves, *Vita Col.* 185, n. 1; Rawl. B 502 140 a 40.
7. Cf. Bede, *Vita Cuthb.* XXIV.
8. Cf. Cook, op. cit.; Klaeber, *Beowulf*[3] cxxii f.; Whitelock, op. cit. 20, 29.
9. Bede, *Hist. Eccl.* IV 24.

céadchuireadh an fhilíocht uamach dhúchasach chun leasa téamaí
cráifeacha go gairid roimh theacht i gcoróin d'Aldfrith, agus mar
sin bhí an réiteach déanta roimhe. Sméaróid adhainte ba ea an rí
Aldfrith, gan amhras, samhail den chaidreamh rafar idir Gaeil is
Sasanaigh a linne a chuaigh chun leasa an dá phobal go ceann na
gcianta ina dhiaidh, agus chun leasa na hEorpa trí chéile.

XVII

Bunús na nGael agus Cúlra na Litríochta: Gearrchuntas ar an Oidhreacht Ind-Eorpach,[1] ar na Ceiltigh agus ar an Ogam

1. An Teanga Bhunaidh

An té a bhfuil sraceolas ar theangacha na hEorpa aige, tabharfaidh sé faoi deara go bhfuil comhchosúlacht idir na focail Eorpacha a bhaineann le pearsanra teaghlaigh, mar a bheadh an múnla céanna ar obair iontu: cuir i gcás Gaeilge *máthair, bráthair*/Laidin *māter, fräter*/Gréigis (Dórach) μάτηρ, (Ataiceach) φράτηρ/Sean-Indis *mātár-, bhrátar-*, Béarla *mother, brother*/Gearmáinis *Mutter, Bruder*/ Rúisis *mat'* (gas *mater-*), *brat*. Is é an dála céanna ag cuid de na bunuimhreacha é: an uimhir 1: Gaeilge *aon*, Gearmáinis *ein*, Ioruais *en*, Béarla *one*; Laidin *unus*, Sean-Laidin *oinos (oenos)*, Sean-Ghaeilge *oín- (oen-)*, Gréigis οἰνός (in imirt dísle). An uimhir 2: Gréigis δύω, Laidin *duō*, Sean-Indis *d(u)vá* etc. Sean-Ghaeilge *dáu dá*, Sean-Slaivis *dъva*. An uimhir 3: Gaeilge *trí*, Rúisis *tri*, Ioruais *tre*, Béarla *three*; Gréigis τρεῖs, *tría*, Laidin *trēs, tria*, Sean-Indis *tráyaḥ, trí*, Sean-Ghaeilge *trí*, Sean-Slaivis *tri*. Ina theannta sin, sraitheanna mar Ghaeilge *nua*, Béarla *new*, Gearmáinis *neu*: Sanscrait *navaḥ*, Laidin *novus*, Gréigis ϝέos ó **newos*, Sean-Slaivis *novъ*. Dá ndéanfaí cíoradh dá leithéid ar theangacha na hEorpa le slacht is cruinneas is le neart dea-shamplaí, d'fhéadfaí a bheith ag súil go dtabharfadh sé léargas dúinn ar bhunús na dteangacha sin; bheadh a fhios againn an ón mbunfhréamh chéanna a d'fhás siad, agus sa chás gurbh ea, bheadh cur amach éigin againn uirthi.

Bhí an taighde seo ar bun i rith an 19ú céad agus talamh slán is ea cuid dá thorthaí. Ba léir i dtús báire nach ar thalamh na hEorpa amháin a d'eascair an sliocht teangacha seo ach go raibh scaipeadh soir ó dheas tríd an Áise Bheag go dtí an India orthu, agus tugadh

---

1. Tá cuntas ar an oidhreacht neamh-Ind-Eorpach le fáil sna saothair a leanas: J. Morris-Jones, *The Welsh People*[3] 617 ff. (1902); J. Pokorny, ZCP 16–18; G. B. Adams, Bulletin of the Ulster Place-Name Society IV 1 ff. (1956); H. Wagner: 1. *Das Verbum in den Sprachen der britischen Inseln*, Tübingen 1959; 2. Nordeuropäische Lautgeographie (ZCP 29: 225–298); 3. The Origin of the Celts in the Light of Linguistic Geography (Transs. Phil. Soc. 1969). Cf. lgh 222–23 *infra*.

an t-ainm *Ind-Eorpach* alias *Ind-Ghearmánach* orthu i gcomhartha na réimse a bhí fúthu. Sin í an chúis go bhfuil samplaí as an tSean-Indis (Véidis agus Sanscrait) curtha isteach i dteannta na coda eile thuas againn. Baineann Hitítis na hÁise Bige agus Tocáiris lár na hÁise leis an sliocht chomh maith le Sean-Iaráinis (Sean-Pheirsis) agus Sean-Indis. Fágann sin go bhfuil an tSean-Ghaeilge ar an imeall iartharach gaolmhar leis an tSean-Indis in Iar-Dheisceart na hÁise mar is léir ó na samplaí *máthair, bráthair, trí* thuas; féach fós uimhir 4: Sean-Ghaeilge *cethir*/Véidis *catúr-*. Don té ar spéis leis teacht ar na foirmeacha bunaidh Ind-Eorpacha ba mhór an gar sraitheanna dá leithéid seo: uimhir iolra bhaininscneach de na huimhreacha 3, 4: Sean-Ghaeilge *teoir, téora*/Sanscrait *tisráḥ*; Sean-Ghaeilge *cethéora*/Sean-Indis *cátasraḥ*; agus foirmeacha an bhriathair mar Sean-Ghaeilge *·cualae*/Sanscrait *śuśráva* 'chuala sé', Sean-Ghaeilge *ro·ánaic*/Sean-Indis *ānáṃśa* 'shroich sé'; nó sraith ag freagairt do 'iompraíonn sé', cuir i gcás: Sean-Ghaeilge *berid,* Sean-Indis *bhár(a)ti,* Laidin *fert,* Sean-Slaivis *beret̪,* Gréigis φέρει, Sean-Bhéarla *bireth.*

Baineann príomhtheangacha uile na hEorpa leis an stoc Ind-Eorpach. Ar na heisceachtaí tá Bascais na Fraince is na Spáinne; teangacha an Chaucáis; is teangacha Fion-Úgracha na hEuráise: Fionlainnis, Ungáiris, Laplainnis is Eastóinis.

Is inmheasta gur sa limistéir idir Muir Bhailt is Muir Chaisp, idir an Liotuáin is an Caucás a bhí céad-áitreabh ar an gcine Ind-Eorpach ceithre mhíle éigin go leith bliain ó shin.[2] Tuairim é seo a thagann le scaipeadh is suíomh na dteangacha sin sa lá atá inniu ann. Sin é a léiríonn an teangeolaíocht, leis. Mar shampla tá comhthéarmaíocht do na miotail chomónta in easnamh orthu, rud a thabharfadh le tuiscint gur sa chlochaois a d'eascair na teangacha aonair Ind-Eorpacha. Más ea tá tús na scríbhneoireachta i dtrí cinn acu, san Indis, sa Hitítis is sa Ghréigis le lorg i lár an dara míle roimh Chríost, agus a aibiúlacht féin i ngach teanga acu cheana féin, rud a chuirfeadh bunú na dteangacha sin i bhfad siar roimh dheireadh na clochaoise. Bítear ag braith, leis, ar chomhthréithe aonair teanga chun faisnéise i gceist seo an bhunúis is an chéad scaipthe, ach dá inspéise na blúirí eolais a thugtar chun solais mar seo níor mhór léirchnuasach is scagadh orthu sula ndéanfaí suí comhairle orthu.

2. Cf. A. Scherer, *Das Problem der idg. Urheimat* (Archiv. f. Kulturgeschichte 33: 1950); *die Urheimat der Indogermanen* (1968); E. Lewy, *Zur Heimatfrage* (Münchener Studien zur Sprachwissenschaft 19: 1966); H. Wagner, *The Origin of the Celts* . . .

Le talmhaíocht is le tréadaíocht atá lé mhuintir na Liotuáine fós agus iad ar deighilt ag fásaigh choille ó shaol tionsclaíochta na hEorpa. Tá crot na teanga acu fanta cianársa, go háirithe i dtaca le córas na ngutaí is leis an infhilleadh; agus tá saoraiceann na hInd-Eorpaise fós acu. An chaomhnacht seo faoi deara an Liotuáinis a bheith in úsáid i dteannta na Gréigise is na Sanscraite ag tean-geolaithe an 19ú céad leis an Ind-Eorpais bhunaidh a atógáil. Iarracht teanntáis é seo, mar níl aon litríocht ná bunscríbhinní Ind-Eorpaise ar fáil, agus ní dhéanfadh an saol teanga d'fhoirmeacha aonaránacha. Dá mhéad dá bhfuil foghlamtha faoi *chomhréir* na dteangacha aonair, táimid dall fós ar chomhréir na teanga bunaidh agus is cinnte nach bhfuil aon tús tábhachta ag an *bhfoghraíocht* ná ag an *deilbhíocht* uirthi seo sa chóras tís. Tuigfear as sin gurb í an phríomhuirlis fós, ach go háirithe, i dtaighde na hInd-Eorpaise agus sna ceisteanna bunúis i gcoitinne, foclóir na bhfréamhacha arna múnlú ag scoláirí trí bhíthin comparáide idir focail is foirmeacha ó litríocht na Gréigise, na Sanscraite, na Laidine, na Sean-Ghaeilge agus na coda eile acu. Cuirtear réalt (*) roimh fhoirmeacha na hInd-Eorpaise le taispeáint go mbraitheann siad ar hipitéisí áirithe is go gcaitear hipitéisí is foirmeacha a athrú le breis eolais. Mar shampla, Ind-Eorpais **pətér* i ngeall ar fhoirmeacha mar Sean-Indis *pitár-*, Laidin *pater*, Gréigis πατήρ, Sean-Ghaeilge *athir*.

Bíonn dhá ghné éagsúla i gceist sa taifeach: deilbh nó aonad urlabhra, agus a chiall. Nochtann an taifeach go mbíonn trí mhír ag feidhmiú i bhfocail na dteangacha Ind-Eorpacha, mar atá, (1) an fhréamh, (2) an iarmhír, agus (3) an deireadh. Dá réir sin is féidir *hominum* na Laidine a scoilt i (1) **hom-*, (2) **-in-*, (3) **-um*. Tugann an réalta le tuiscint nach maireann na míreanna seo uathu féin taobh amuigh den taifeach. Sa fhréamh a bhíonn ciall ghinearálta an fhocail: i gcás **hom-* is féidir an chiall sin a léamh as an ainm gaol-mhar *humus* 'talamh': mar sin, 'ag baint leis an talamh, talúnta'. Iarmhír shrónach is ea **-in-*; cuirtear le fréamh í chun sraith ainm-fhocal a chumadh. Anois tá (1)+(2) againn: *homin-*; gas a thugtar air sin: n-ghas i ngeall ar a fhoirceann. Baineann n-ghais na Laidine leis an 'Tríú díochlaonadh' mar a bhfuil cnuasach ilchineáil. Mír (3) **-um* an deireadh a oireann don ghinideach iolra anseo: *hominum* 'na bhfear'.

Tá sean-iarmhír agus seandeireadh na n-ainmfhocal róchaite sa tSean-Ghaeilge, i gcoitinne, le go bhféadfaí léirthaifeach dá léithéid seo a chur i bhfeidhm orthu. Mar shampla, gas ar *o-*: **wiro-s*, Sean-

Ghaeilge *fer* (Ainmneach agus Cuspóireach): Laidin *vir, virum*; gas ar *i-*: **wlati-s*, Sean-Ghaeilge *flaith*; ach Laidin *hosti-s* gona fhoirceann slán!; gas ar *n-*: **nōmn̥*; Laidin *nōmen*; **ₑnmn̥*: Sean-Ghaeilge *ainmm n-*. Leagan amach stairiúil is ea córas seo na ngas a oireann do léiriú na Laidine níos fearr ná mar a oireann sé don tSean-Ghaeilge. D'fhéadfaí deilbhíocht, agus *a fortiori* Foghraíocht agus Comhréir na Sean-Ghaeilge a leagan amach mar chóras beo aontréimhseach gan tuilleamas don stair.

Mar bhuille scoir ar an teicniúlacht seo tógfaimid na cothromóidí thuasluaite, Sean-Ghaeilge *·cúalae* = Sanscrait *śuśráva* 'chuala sé'; Sean-Ghaeilge *ro-ánaic* = Sanscrait *ānáṃśa* 'shroich sé'. Foirmeacha briathar iad; nochtann *śuśráva* go bhfuil dúbláil chonsain (*ś*) i gceist agus mar sin gur foirm den Aimsir Fhoirfe í: féach Gréigis κέκλοφε: κλέπτω 'goidim'. Eiseamláir ar bhrí na hAimsire Foirfe san Ind-Eorpais bhunaidh is ea an abairt Ghaeilge *tá sé déanta aige*, nó οἶδε na Gréigise 'tá sé faighte amach agus ar eolas anois aige'. Níor dheacair áfach don Fhoirfe Ind-Eorpach a réimse a leathnú i dtreo na hAimsire Caite (*rinne sé, chuala sé, shroich sé*), faoi mar a tharla san Indis agus sa Cheiltis agus i dteangacha eile.

Baineann an briathar *·cúalae* leis an bhfréamh **k̂leu-*; **ku-k̂low-* gas na hAimsire Foirfe de:– tá dúbláil chéad chonsain (*k̂*) ann + guta (*u*) + an fhoirm chuí den fhréamh. Nuair a chuirtear iarmhír an tríú pearsa uatha (*-e*) leis an ngas tá an focal iomlán ann: **kuk̂lowe*. Uaidh sin Sean-Indis *śuśráva*, agus Gaeilge bhunaidh nó Goidelg **cochlowe*, > Gaeilge ársa *cōlae*, > Sean-Ghaeilge *·cúalae*.

Foirmeacha den Fhoirfe, leis, is ea *-ánaic, ānáṃśa*. Baineann siad leis an bhfréamh **enek̂*. **-Onk̂* (le malairt guta *e/o*) a deilbh chuí san Fhoirfe. Cuirtear an réimír dhúblála **ōn-* roimhe chun gas an Fhoirfe a chumadh, agus **-e* i gcomhartha an tríú pearsa uatha, leis: **ōn-onk̂-e* Sean-Indis *ānáṃśa*, Sean-Ghaeilge *-ánaic*.

Tá de bhua ag coincheap na hInd-Eorpaise go bhfíonn sí baill an mhórshleachta seo in aon bhreacán ildathach amháin. Ach leanann a laige féin é sin, leis. Tá éigniú inti, ar mhaithe le simpliú, ar nós mórshaoithiúlachtaí an domhain ag alpadh na mionchultúr timpeall orthu. Mar shampla, is mó áit a raibh teanga Ind-Eorpach ina cliamhain isteach san eachtrann agus ciníocha coimhthíocha eile ag dul i bhfeidhm uirthi gan buíochas dá dúchas: cad mar gheall ar na ciníocha a dhein gabháltas san eachtrann is a phós an bhantracht a fuair siad ann rompu? Dá bhrí sin, má tá an Ind-

Eorpais an-mhaith ina cáilíocht féin mar phrionsabal stairiúil agus mar eiseamláir ar an saothrú teangeolaíoch, ní mór í a mhaolú is í a theanntú le malairt córais chun leathcheann na staire a cheartú: mar ní admhófar ceart gan teoiric is córas laistiar de. Is é an córas is oiriúnaí chuige ná an teangeolaíocht gheografach a chuireann roimpi saintréithíocht teangacha an domhain a léiriú mar a bhfuil siad, is faoi mar atá siad, gan beann ar an stair, is iad a eagrú ina dhiaidh sin ar bhonn na comhthréithíochta. Cé acu is tábhachtaí, is cirte, is fearr d'éarlamh taighde, an *genius historiae* nó an *genius loci*? I dteannta a chéile is fearr iad, agus ní bheidh rath ar an saothar a dhéanann faillí in aon cheann acu. Na tréadaithe fáin a thug na teangacha Ind-Eorpacha leo ó dheisceart na Rúise soir ó dheas go dtí an India agus siar ó thuaidh go dtí ciumhais na hEorpa, tháinig athrú ar a dteanga le malairt áite, le cumasc fola, le malairt creidimh, le malairt saoil is réime. Níl aon amhras ná gur chloígh siad le gnéithe suntasacha bunaidh, mar tá siad seo le haithint ar theanga, ar shaoithiúlacht is ar chreideamh sean-Ghael is sean-Indiach. Tá an tionchar neamh-Ind-Eorpach (lch 219 n. 1) le cur san áireamh ina theannta; ní bheidh cuntas cruinn le fáil go ndéanfar sintéis shásúil den dá cheann.

2. *Na Ceiltigh*

Is léir gur in iarthar an limistéir Ind-Eorpaigh a bhí céad-áitreabh na gCeilteach. Maidir leis an láthair féin a aimsiú go cruinn, áfach, táimid ag brath ar chur agus cúiteamh bunaithe ar chomhthréithíocht le teangacha Ind-Eorpacha eile, agus ar chorraí is easáitiú na dteangacha sin. D'oirfeadh lár-réimse na Danóibe chomh maith le haon áit do na tátail atá ar fáil.[3] Ó na hainmneacha áite is eile a d'fhág siad ina ndiaidh san Ostair, sa Bhoihéim, sa Ghearmáin, sa Fhrainc is sa Spáinn níl aon amhras faoin scóip a bhí fúthu tar éis dóibh scaipeadh: ainmneacha le *magus*: Gaeilge *magh*; *nemeton*: Sean-Ghaeilge *nemed* 'áit bheannaithe'; *dunum*: Gaeilge *dún*; ainmneacha le **gal-*, nó **ghal-* (Sean-Ghaeilge *gal* 'troid, laochas', Breatnais *gallu* 'bheith ábalta') mar *Galli, Galatia* na hÁise Bige. De réir tuairisce Gréagaigh ó thús an 6ú céad roimh Chríost bhí an Mhuir Thuaidh, an Ghaill agus Iar-Dheisceart na Spáinne bainte amach acu faoin am sin. Ar na nithe a chur chun cinn iad bhí saothrú an iarainn agus an carr ceithre roth, réamhtheachtaí an chathcharbaid. In uaimheanna seomracha a gceann urra tángthas ar chré-earraí

---

3. An cíoradh is deireanaí ar an gceist ag H. Wagner, loc. cit.

ornáidithe go hildathach le fíoracha geoiméadracha.[4] I rith an cheathrú céad R.Ch. lonnaigh cuid acu i dTuaisceart na hIodáile (Gallia Cisalpina), lean cuid eile ar a ruathair chreiche ó dheas go dtí an Róimh, agus chuir cuid eile tús leis an ngeábh soir ó dheas i dtreo na Gréige is na hÁise Bige. Leis na trí chéad dheireanacha roimh Chríost seo na dealbha cumasacha le healaíontóirí na Gréige is na Róimhe ag léiriú mar a chuaigh na hionróirí fraochmhara seo i bhfeidhm ar an tsamhlaíocht acu. Faoi 300 roimh Chríost bhí siad i mbarr a réime, is críocha ón Spáinn go dtí an Mhuir Dhubh ina mbog-ghreim acu: ní rófhada go raibh sin bainte díobh ag na Rómhánaigh, is impireacht dhlúth dhocht déanta de ón uair a thosaigh siad féin agus muintir na Traoi ag baint ceart díobh. Cibé ceo éideimhne atá ar na Ceiltigh go dtí sin, bhí a sainchló féin orthu faoin 4ú céad R.Ch. idir theanga, chultúr, eagraíocht chomh-dhaonnach is pholaitiúil agus shainstíl ealaíne. Nochtann an torc nó an mhuince óir i dtús na ré La Tène (um 400 R.Ch.), a foircinn greanta go raidhseach le samhlacha ainmhithe is plandaí, nó le ceannmhaisc dhaonna; agus fágann na nuachruthanna, idir dhuilleach, bhíseach, is chuarlíneach dóibh, is na scrollaí, a séala ar an ealaín La Tène go ceann míle bliain, in Éirinn ach go háirithe, is é sin, isteach i Ré na Críostaíochta. Dá ilghnéithí iad scáthán cré-umha Birdlip, Gloucestershire, iodh óir Broighter, Co. Dhoire, is leathanach Chi-Rho Leabhar Ceanannais, tá siad fuinte as an meon cruthaitheach céanna is as aon bhunteicníc amháin (Léaráidí VI–VII).

As stair Phoseidonius, a cumadh sa chéad roimh Chríost is nach bhfuil a bunchóip ar fáil anois, a bhraitheann bunáite na gcuntas ar na Ceiltigh is ar na Gallaigh, go háirithe ag údair na Gréige, is ag Caesar féin, nuair a lorgaítear siar an scéal. Is iad seo a leanas na sleachta is inspéise orthu ó thaobh cultúir is litríochta na hÉireann de agus ó thaobh buaine tíonacail: – As Diodorus (*1*) agus (*2*), as Strabo (*3*):

1) Bíonn carbad dhá roth acu le haghaidh taistil is catha agus is air a bhíonn an t-ara is an gaiscíoch. Nuair a chastar marcshlua sa chath orthu caitheann siad a ngathanna leo agus ansin tuirling-íonn siad den charbad is imríonn siad a gclaíomh orthu. Bíonn a laghad sin eagla roimh an mbás ar chuid acu go dtuirlingíonn siad chun catha is iad lomnocht, gan orthu ach crios. Tugann siad leo

---

4. Cf. J. Filip, *Celtic Civilization and its Heritage*, Prague 1960.

VI. Scáthán Birdlip, Gloucestershire. (Tús an 1ú chéad A.D.).

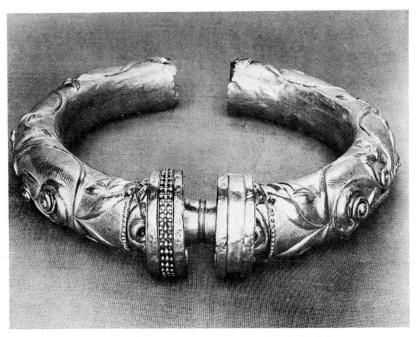

VII. Iodh Óir Broighter, Co. Dhoire. (1ú céad A.D.).

chun freastail orthu sa chath saorchéilí den aicme is boichte; is iad seo a bhíonn mar ara is mar ghiolla scéithe acu. Is gnách leo dul chun tosaigh ag iarraidh comhraic ar an gcuid is misniúla i measc a naimhde agus a n-airm á mbeartú acu chun sceimhle a chur orthu, nuair a bhíonn an dá arm faoi eagar catha os comhair a chéile. Nuair a théann fear ina gcomhrac, fógraíonn siad gaisce a sinsir agus a ngal féin os ard agus díspeagann siad an namhaid le droch-mhisneach a chur orthu roimh ré. Dícheannann siad na naimhde a thiteann sa chath leo agus ceanglaíonn siad a gcinn de mhuiníl na gcapall . . .

2) Cruth scéiniúil a bhíonn ar na Gallaigh is dordghuth garg acu. Bíonn siad ar bheagán focal is labhraíonn siad go rúnda; leidí is leathfhocail is mó a bhíonn acu. Bíonn scailéathan ar bun go minic acu in adhmholadh orthu féin agus i ndíspeagadh ar dhaoine eile. Lucht bagartha is maímh iad, aisteoirí bladhmannacha i ndrámaí leo féin. Tá siad beo-intinneach leis agus éirim chun foghlama iontu. Bíonn filí liriceacha acu a dtugann siad baird orthu agus tionlacan gléis mar a bheadh lir lena moltaí is lena n-aoir acu. Tá fealsúna is diagairí faoi ardghradam acu a dtugann siad Draoithe orthu. Baineann siad leas as fáithe leis agus is mór acu iad. Bíonn comh-arthaíocht chun tuair acu seo is déanann siad fáistine as ainmhithe íobartha. Tá an pobal uile faoina réir. Is aduain dochreidte an béas atá acu le cúis thábhachtach a fhiosrú: ceapann siad duine chun báis, sánn siad le miodóg os cionn na scairte é, is nuair a thiteann, tuarann siad fáistine ón titim, ó arraingeacha a choirp agus ó bhrúchtadh a chuid fola, agus iad i dtaobh le buanársaíocht an chleachta. Ní dhéantar íobairt gan fealsamh acu; is é a deir siad ná gurb iad siúd go bhfuil scil sa nádúr diaga acu is cóir buíochas a ghabháil leis na déithe, amhail is dá mba ar an aon teanga a bheidís, agus is iad leis is cóir sochar an phobail a iarraidh, dar leo. Ní i ndála síochána amháin ach i ndála cogaidh leis a dhéanann siad rud go cúramach ar na fir seo, is ar na filí duanacha. Is é a fhearacht chéanna ag a naimhde é, mar is minic nuair a bhíonn dhá arm faoi eagar catha ag déanamh ar a chéile, an claíomh nochta is an ga ardaithe chun teilgin go dtagann na fir seo eatarthu is go gcoisc-eann siad an coimheascar faoi mar a chuirfidis draíocht ar chineál éigin beithíoch allta. Féach mar a ghéilleann an confadh don ghaois fiú i measc na mbarbar is fiáine agus mar a thugann Ares ómós do na Béithe.

Q

3) Tríd is tríd tá trí shórt faoi ardurraim i measc na gciníocha go léir, na Baird (Βάρδοι), na Fáithe (Οὐάτεις) is na Draoithe *(Δρυίδαι).* Aos amhrán is dánta iad na Baird, lucht tuar íobairtí is fealsúna na Fáithe; saothraíonn na Draoithe eolaíocht an nádúir is fealsúnacht mhorálta. Tá teist na fíorchóra orthu, is uime sin tá breithiúnas i gcúiseanna príobháideacha is poiblí de chúram orthu. Bhí feidhm eadránaí sa chogadh acu tráth, is bhainidís stad as an dá thaobh is iad ar tí eagar catha a chur orthu féin; is fúthu is mó a bhí breith sa dúnmharú. Nuair a bhíonn cásanna den sórt sin iomadúil, dealraítear dóibh go mbeidh an-tabhairt sna goirt. Tá sé tugtha amach acu, is ag údair nach iad, go bhfuil anam an duine agus an domhan féin domhillte, cé go bhféadfadh uisce nó tine a sheal in uachtar a bheith aige.

Má tá siad oscailte misniúil tá siad leamhbhladhmannach leis agus an-lé le maisiú coirp acu. Caitheann siad ornáidí óir, muincí muiníl is bráisléidí rí is láimhe. Bíonn éadach daite órbhreac ar an uasalaicme. An díomas seo a dhéanann dofhulaingthe sa chaithréim is síordhubhach sa bhriseadh iad . . .[5]

An gréasán comhdhaonnach is na béasa comhphobail atá á léiriú i gcuntais seo na nGréagach – má tá leathcheann féin orthu – tá a macasamhail le sonrú sa ré is ársa in Éirinn a bhfuil tuarascáil léi is cur amach uirthi. Maidir le teanga na himpireachta leitheadaí seo, an Ghaillis, níor fhág sí ina diaidh ach thart faoi leathchéad inscríbhinní ón bhFrainc is ó Thuaisceart na hIodáile i dteannta mionbhruar eile.[6] Baineann na hinscríbhinní leis an ré idir an 1ú is an 4ú céad. Bhí an Ghaillis á labhairt fós sa 5ú céad. Ba thráthúil gur thug Breatnaigh ó Dhevon is ó Chorn na Breataine a bhí ar teitheadh roimh na Sacsain craobh den tseanteanga ar ais go háit na sean-mhuintire sa chéad céanna. Briotóinis í seo, Briotáinis a hainm níos déanaí. Tugtar *Goidelg* ar an ré den Q-Cheiltis a fhreagraíonn do Bhriotóinis is do Ghaillis na P-Cheiltise, mar a léireofar anois. Foirm bhunaidh na Gaeilge sea an Ghoidelg.

5. Bunaithe ar aistriúcháin Béarla J. J. Tierney, 'The Celtic Ethnography of Posidonius' PRIA LX C 5 (1960), lgh 250, 251, 269.
6. Cf. G. Dottin, *La Langue Gauloise,* Paris 1918.

3. An Cheiltis Inseach: Goidelg agus Briotóinis[7]

Ceist dhoréitithe, is dócha, cathain a tháinig na Ceiltigh go dtí an Bhreatain agus go hÉirinn ar dtús. Óna bhfuil ráite thuas is inmheasta nár roimh thús an chéad mhíle bliain roimh Chríost é. Luath sa Cheiltis tharla athrú a nglacann formhór an aos léinn leis mar phríomhchritéir ar na canúintí Ceilteacha: dhein p sa Bhriotóinis agus sa Ghaillis[7a] den 'q' i.e. den k béalchruinn Ind-Eorpach; sa Ghoideilg d'fhan an fhuaim seo sna hOgaim ach dhein c sa tSean-Ghaeilge de e.g. Ogam MAQI = Sean-Ghaeilge *maic*.

Tá trí chineál [k] sa c-fhóinéim Nua-Ghaeilge. (San Ind-Eorpais bhí trí fhóinéim ag freagairt dóibh):

1) [k'] = c caol/palatalised roimh e, i, mar atá san fhocal [$k'e:m'$] 'céim'.

2) [k] = c leathan/velarised roimh a, o, u mar atá san fhocal [$kaum$] 'cam'.

3) [k^w] = k^u ag Pokorny, IEW = q^w ag Thurneysen, *Gramm.* §183 = q^u ag Pedersen, *Gramm.* §24 = q^u ag Brugmann, *Grundriss*. K béalchruinn/labiovelar é seo, mar sh. [k^uid'] 'cuid' ag cainteoirí maithe Gaeilge; bheadh sé acu ar *quid* an Bhéarla leis, uaireanta. *Fuaim amháin* sea k^u: seasann an u do shuíomh ciorclach na mbeol agus an k don teagmháil idir cúl na teanga agus an coguas bog. Daoine nach n-éiríonn an fhuaim seo leo is gnách

4) [$k+w$] = [ky] acu ina hionad, e.g. [$*kwe:l$] 'caol' in ionad [$k^u\epsilon:L$], [$k^ui:L$]. Baineann (3) agus (4) leis an athrú go p sa tSean-Cheiltis: aon áit a raibh [k] coguasach/velar á labhairt go cruinnbhéalach tháinig an uaim bhéalach p as. Sampla ar $*k^u > p$ sea $*k^uet\underline{u}er$ '4': Sean-Ghaeilge *cethir*, Breatnais *pedwar* (Laidin *quattuor*, Sanscrait *catvárah*). Sampla ar $*k\underline{u} > p$ sea $*k\underline{u}res$-: Gaeilge *crann*, Breatnais *prenn*. Sampla ar $\acute{k}\underline{u} > p$ sea $*ek\underline{u}os$: Sean-Ghaeilge *ech*, Gaillis *Epo-*, Breatnais *ebol* ($-b- < -p- < *\acute{k}\underline{u}$), Laidin *equus*. I gcás mar Ghaeilge *cú*, Breatnais *ci* ($*\acute{k}\underline{u}\bar{o}$) níor fhan an fhuaim bhéalchruinn sa $*\acute{k}\underline{u}$ is níor tháinig aon p as. Nuacht shuntasach ba ea an p a tháinig mar go raibh an p Ind-Eorpach caillte roimhe sin sa Cheiltis trí chéile: féach $*pib$- 'ól' > Sean-Ghaeilge *ibim* 'ólaim': Breatnais *yfaf*: Sanscrait *píbāmi*: Laidin *bibō* (ó $*pib\bar{o}$).

---

7. Féach H. Pedersen, *Vergleichende Grammatik der keltischen Sprachen* I. Göttingen 1909; K. Jackson, *Language & History in Early Britain*, Edinburgh 1953. K. Brugmann, *Grundriss der vergleichenden Grammatik der indogermanischen Sprachen* I, Strassburg 1897.

7a. Ar *Q* na Gaillise cf. T. F. O'Rahilly, *The Goidels and Their Predecessors*, 23 ff., OUP 1935.

R

Na hathruithe a dheighil an Ghoidelg ón mBriotóinis i gceart, níor tháinig siad chun cinn go dtí an 5ú céad A.D., is é sin go dtí tús ré na staire in Éirinn. Is inmheasta dá réir sin nár chás comhchaidreamh is cumarsáid idir Gaeil is Briotanaigh ar bhonn na Comhcheiltise a bhí acu – gan spleáchas le coilínteacht is imirce, abair – i dtús ré na Críostaíochta ach go háirithe. Chuaigh mórán de na hathruithe foghraíochta i bhfeidhm orthu araon, in ainneoin go raibh siad i bhfad scartha, rud a léiríonn comhshinsearacht agus comhchlaonadh. Má chuaigh cruth difriúil ar na comhathruithe i ngach cás acu, malairt timpeallachta faoi deara sin. Mar léiriú air seo glacfaimid *Séimhiú/Lenition* agus *Titim Iarshiollaí*, comhathruithe a chuaigh i bhfeidhm orthu um an dtaca 450–500 A.D. agus 500–550 A.D. faoi seach. Tógaimis na pléascaigh bhunaidh *(p),t,c, b,d,g*: is éard is brí lena séimhiú, go bunúsach, ná tréithíocht guta a dhul i bhfeidhm orthu nuair a bheidís idir dhá ghuta. Sa Ghoideilg, leanúnaigh a rinneadh díobh: *ph (f), th, ch, β, δ, γ*. Sa Bhriotóinis, glóraigh a rinneadh de na trí cinn tosaigh, leanúnaigh den chuid eile: *b,d,g,β,δ,γ*.

Ón tagairt a dhéanann Gildas dó ina leabhar *De Excidio Britanniae,* is feasach dúinn go raibh Voteporix ina fhlaith ar na Demetae (a d'fhág a n-ainm ar Dyfed) i bPeambróc, is é ag dul isteach san aois tráth a cumadh an leabhar, thart faoi 540 A.D. Thángthas ar leacht an fhlatha seo ar theorainn Pheambróc agus Charmarthen roimh 1900. Tá a ainm inscríofa air ní amháin i Laidin ach fós in Ogham ar an nós Gaelach, rud a thabharfadh le tuiscint gur bhain sé le coilíneacht de bhunadh Gael a raibh Goidelg agus Briotóinis acu agus eolas ar an Laidin chomh maith. MEMORIA VOTEPOR-IGIS PROTICTORIS 'leacht an taoisigh Voteporix' atá sa Laidin, VOTECORIGAS '(leacht) Votecorix' in Ogham air. *ṷotekṷorīx* a gcomhfhoirm bhunaidh. Ach bhí *kṷo-* athraithe i *co-* faoi lár an 6ú céad, de réir dealraimh, sa chaoi gurb é an critéar *c/p* a dhealaíonn an dá chanúint, Goidelg agus Briotóinis, óna chéile anseo. Ní chuireann na leaganacha scríofa aon difríocht eile in iúl i gcorp an ainm. Ach bhí an séimhiú dulta i bhfeidhm ar na consain *p,t,c* sa dá chanúint roimhe sin mar a léiríonn foirmeacha ársa an ainm *Patricius* sa Ghoideilg, arna thabhairt isteach ag Eaglaisigh ón mBreatain Bhig:

a) I rith an 5ú céad: *Cothriche* < *(*kṷotricius)* < *Patricius,* agus

b) Arís i dtús an 6ú céad: *Pádrig* < *(*Padrigius)* < *Patricius. (Pátric* an fhoirm scríofa).

Is é sin, gur dhein (a) *kᵘothriche* i mbéal Goidel de *Patricius*, i.e. *p* > *kᵘ* agus *-t-, -c-* > *-th-, ch*, nó séimhiú. Is intuigthe as sin, leis, nach raibh séimhiú fós ann sa Bhriotóinis (nó ní *Patricius* ach **Padrigius* a thabharfaidís isteach go hÉirinn leo) agus ina theannta sin, gur tharla an séimhiú sa Ghoideilg idir *Patricius* a thabhairt isteach agus (b) **Padrigius*, foirm a léiríonn go raibh séimhiú dulta i bhfeidhm ar an mBriotóinis cheana féin.

Le staid na foghraíochta sa dá chanúint i lár an 6ú céad a nochtadh níor mhór WODEBoRÍG(ES) sa Bhriotóinis agus WÓTHE-CHoRIG(AS) sa Ghoideilg. Tá an príomhaiceann marcáilte anseo againn agus comhartha curtha leis an dá iarmhairt: lagú an ghuta cumaisc (-o- beag), agus bá an iarshiolla (faoi lúibíní).

Chun an séimhiú a fheiceáil ina cheart áfach, ní foláir é a chur ar ais sa timpeallacht as ar thógamar é, is é sin, i sruth na cainte féin. Is ansin a fheicfear gur ball de shistéam triarach é (Urú/Nasalisation agus Dúbailt chonsan/Gemination an dá fheiniméan eile) a bhaineann de phearsantacht an fhocail aonair ar mhaithe le rith na cainte, nó leis an abairt. Is túisce abairt ná focal sa Ghaeilge agus sa Bhreatnais. (Féach go bhfuil an dá bhrí le *focal* sa Ghaeilge, mar go gciallaíonn sé 'abairt' leis!) Bhí a neamhspleáchas féin ag an bhfocal aonair san Ind-Eorpais agus tá ciorrú air sin sa Cheiltis.

4. Gaeilge Oghaim[8]

Ní ar mhaithe leis an litríocht a scrúdaítear leachtanna Oghaim na ré úd ach mar gheall ar an léargas a thugann siad ar shibhialtacht na haimsire ina iomláine. Is é atá i gceist dáiríre ná stua tanaí an tsolais a leathnú ar dhromchla na doircheachta. Caitheann an Ghaeilge Oghaim léas ar chúlra na Tána agus ar an ré réamh-Chríostaí. Tréimhse inti féin i stair na teanga í, agus fós nasc a cheanglaíonn an Luath-Cheiltis de Shean-Ghaeilge na lámhscríbhinní. Is í an Ghaeilge Oghaim an fhoirm is ársa den Ghoideilg a bhfuil teacht anois uirthi. Gabhann caomhnacht is seanghnás chomh mór sin le cló na n-ainmneacha dílse inti go dtugann sí an Ghaillis chun cuimhne, más ársa fós í sin, ainmneacha mar Dagomarus, Ver-cingeto-rix, Eburo-vices. Is gaire do bhorradh ná do mheath tíonacail iad sin: tíonacal Cheiltis na Mór-roinne. Is beag

---

8. Cf. R. A. S. Macalister, *Corpus Inscriptionum Insularum Celticarum* I, (=CIIP) B.Á.C. 1945 (: á léirmheas ag K. Jackson, *Speculum* XXI 521 ff.); E. Mac Néill, PRIA 27 C (1909), 39 C (1931).

nach ndeachaigh ré inscríbhinní na Gaillise agus ré na nOgham
thar a chéile, is a rá gur sa 4ú céad A.D. a bhí scaoileadh agus tion-
scnamh acu, faoi seach.

Córas ponc agus fleiscíní eagraithe de réir na foghraíochta is ea
aibítir na nOgham, is é bunaithe ar chleacht na Laidine. Ar cholbha
na mórleachtanna cuimhneacháin atá na hOghaim breactha agus
tá a dtromlach le fáil sa Mhumhain: Ciarraí 121, Corcaigh 81, Port
Láirge 47. Baineann thart faoi 15 acu le Peambróc i nDeisceart na
Breataine Bige, áit ar lonnaigh Déisí Phort Láirge sa 3ú céad A.D.
D'fhan siad seo dátheangach ar feadh timpeall is trí chéad bliain
agus gabhann leagan Laidine, dála Voteporix thuas, lena n-inscrí-
bhinní Oghaim.

Faisnéis ghonta adhlactha is ea na hOghaim, gan orthu de ghnáth
ach ainm duine, ainm agus sloinne nó ainm agus comhshloinne, lena
chur i gcéill gur

A) Leacht X é,

B) Leacht X de shliocht Y é, nó

C) Leacht X, duine de threibh Y é.

Is gnách foirm an tuisil ghinidigh ar na hainmneacha dílse seo go
léir, dá réir sin.

Aicme A) Léiríonn CIIC 196 ERCAVICCAS an cineál seo.
ERCA-VICCAS ='(Leacht) gaiscígh (na bandé) Erca.' ERCA =
Sean-Ghaeilge *Erc.* Tá ERCA-VICCAS ar aon dul le 250 (MAQI)
RITTAVVECAS '(mic) gaiscígh (na bandé) Ritha.' Seasann
-VICCAS, -VECAS do -VICOS, tuiseal ginideach an fhocail
*VIX 'gaiscíoch'; tá an focal le fáil san ainm Gallach *Veco-rix* =
Sean-Ghaeilge *Fiachrai. Fiachrach* a thuiseal ginideach seo = 227
VECREC, 118 VEQREQ. Mura bhfuil bréagársaíocht sa scéal,
foirm níos déanaí ná RITTAVVECAS sea 140 LUGUVVECCA
'(Leacht) gaiscígh Lug', mar go bhfuil an -S báite ann; ach foirm
níos luaithe ná VECREC í mar go bhfuil -AS tite uaithi seo. Tugann
sin an tsraith a leanas in ord ársaíochta dúinn: Gaillis *Vecorigos*
(Ginideach de *Veco-rix*), ERCAVICCAS, RITTAVVECAS,
LUGUVVECCA, VECREC, VEQREQ, Sean-Ghaeilge *Fiachrach.*
Ainm an dé Cheiltigh Lug, Breatnais Lleu, a bhfuil Lyon na Fraince
baiste air, atá i LUGU-VVECCA.

VIII. OGHAM

Cloch Inscríofa ó Chúl Má Gort, Co. Chiarraí.

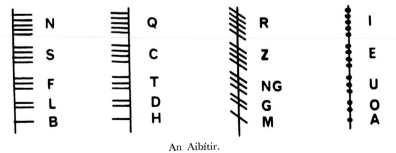

An Aibítir.

Sampla eile de na comhfhocail seo 261 NETACUNAS '(Leacht) árchú an ghaiscígh.' Dhá ainm choitianta sna hOghaim iad NETA-, -NETAS 'laoch, gaiscíoch': Sean-Ghaeilge *nia*, agus CUNO-, -CUNAS, ginideach de *cú* 'cú catha': Sean-Ghaeilge *cú*, ginideach *con*. Rí diamhair as coineascar an 5ú céad é *Nath Í*; *Dathí* a tugadh sa Mheán-Ghaeilge air. Dá mba mhian linn leacht Oghaim a ardú os a chionn, is í an fhoirm *IVANETAS a d'oirfeadh mar inscríbhinn air, i.e. '(leacht) Nath Í'. NETAS=Sean-Ghaeilge *niad* faoin aiceann, ach *nath* gan aiceann; IVA-=Sean-Ghaeilge *éo* 'crann iúir', tuiseal ginideach *í*. Is ionann Nath Í agus *IVANETAS go díreach ach go bhfuil scaradh agus aisiompú ar na comhábhair nó na focail ann.

Aicme B) Na téarmaí gaoil *mac, úa, nia* (=mac deirféar) agus *céile* 'compánach ⁊rl' is mó atá i gceist anseo. Samplaí le MAQ(I)=Sean-Ghaeilge *maic* 'of the son of': 146 LUGUQRIT MAQI QRITTI '(leacht) Luccretha maic Cretha' nó '(stone) of Luccreth son of Creth'; 103 CARTTACC MMAQI MOCCAGGI '(leacht) Carthaig maic M.': ní léir go bhfuil brí ar leith foghraíochta i ndúbláil na gconsan sna hOghaim. Ar na hinscríbhinní fánacha Críostaí tá 145 QRIMITIR RONANN MAQ COMOGANN '(leacht an t-)sagairt Rónáin maic C.' Dála na beirte eile is Ogham déanach é seo: *QRIMITERI RONAGNI MAQI COMOGAGNI an leagan nár mhór ar Ogham fíorársa. Tá an foirceann tite de LUGUQRITT agus CARTTACC sa dá shampla eile. Ní hin é le rá nach bhfuil siad ársa i gcomparáid leis an tSean-Ghaeilge, féach Ogham QRIMITIR=Sean-Ghaeilge *cruimthir*.

Sampla le AVI=Sean-Ghaeilge *áui*, tuiseal ginideach de *áue* 'ua': – An *cenél*, fo-rann na *tuaithe* a bhí i gceist le AVI, féach na hainmneacha le *Ui (Ui Néill, Ui Bairrche* etc.) sa Ghaeilge níos déanaí: gaol i bhfad amach atá i gceist le AVI dá bhrí sin, agus ainm sinsir a leanann é: 40 MAQI CAIRATINI AVI INEQAGLAS '(leacht) Maic Cáerthainn de chenél Enechglais', i.e. duine de na Ui Enechglais, cenél Laighneach. Ní gaol fola ach gaol creidimh a léiríonn MAQI anseo: 'son (=devotee) of the rowan-tree' is ea *MAQQAS CAIRATINI, ciall atá coitianta go maith le *macc* sa tSean-Ghaeilge, cf. *macc lére, macc foglama, macc léginn* etc. Tá trácht thíos ar shloinnte den sórt seo i dtaca le crannadhradh.

Tá an fhoirm tháite NIOTT- agus an fhoirm ghinideach NIOTTA ar dhá Ogham agus an chiall 'mac deirféar' leo. Is léir ó fhoinsí Ceilteacha mar an *Táin* agus *Culhwch ac Olwen* go raibh tábhacht ar leith ag baint leis an ngaol seo, sa chaoi go bhfuil bunús maith leis an gcomhchlaonadh a chuaigh ar an dá fhoirm Oghaim NETAS (=*neitos: ainmneach *neit-s 'gaiscíoch') agus NIOTAS (=*nepotos: Ainmneach *nepōt-s 'mac deirféar'), gur dhein niath na Sean-Ghaeilge díobh araon.

Ocht gcinn d'Oghaim a bhfuil CELI, tuiseal ginideach de céle, orthu 'companion, client, vassal': 215 ALATTO CELI BATTIGNI '(leacht) Alto, céle Baíthín' nó '(stone) of Allaid, client of Baíthín.' Céilsine eaglasta atá i gceist leis na téarmaí Céle Críst, Céle Dé . . . níos déanaí.

Aicme C) Treibh an duine mhairbh a chuireann an fhoirm ghinideach MUCOI=Sean-Ghaeilge *moccu* in iúl: 283 GOSOCTAS MUCOI MACORBO '(Leacht) Guasachtae de threibh MacCorb', nó '(stone) of Guasacht of the tribe of MacCorb'. 273 CALUN-OVICA MAQI MUCOI LITOS '(leacht) Calunovix maic de threibh Litho', nó '(stone) of Calunovix, (son) of the tribesman of Litus.'

Comhfhocail chinntitheacha iad Aicme (A) thuas, cineál aithnid-iúil Ind-Eorpach a bhfuil an dara ainm á shainiú ag an gcéad ainm iontu, mar atá in *Edin-burgh*. Ach bhain an múnla *Dún Éadain* tosach áite de seo sa Ghaeilge leis an aimsir: scaradh agus aisiompú na bhfocal anseo agus an príomhaiceann ar an mír chinntitheach *Éadain*; (– de cheal aicinn a dhéanann *Nath Í* de *Niath Í* thuas). Cineál Ind-Eorpach sea na comhfhocail Donaldson, Olson, Wain-wright, CALUNO-VIX (C2 thuas). Is é a chiall seo 'gaiscíoch an ghabha dhiaga Calunos'. Déanann *Culann* sa tSean-Ghaeilge de *CALUNOS agus *Cú Chulainn* de *CALUNO-VIX: an múnla Ceilteach, Ind-Eorpach á easáitiú ag múnla na Réamh-Cheilteach. Ní hin é a tháinig as an iomaíocht idir *Corbmac* (?*korbo-makkuos) > *Cormac* agus Sean-Ghaeilge MacCorb (Ogham MACORBO, C1 thuas): san ainm *Cormac* a bhí an teacht aniar sa chás seo. Dís inspéise eile is ea *Conmac/Mac Con* 'Wolf-son', ainmneacha sinsir Érann, an cine Réamh-Ghaelach ba mhó le rá, a raibh a mbunáite faoi chónaí sa Mhumhain. B'fhéidir gur leo seo ar dtús an t-árchú diaga agus gur uathu a leath an t-ainm *Cú* ina dhiaidh sin in Éirinn. Tá iarracht den mhalairt atá faoi chaibidil againn i gcnuasainm-neacha ciníocha ar nós *Músc-raige/Dál Músca, Eoganacht/Dál nEoghain, Cianacht/Dál Céin* fiú nuair is fréamhaí mar *-acht, -ne* atá iontu. Ní dheachaigh buanchruth orthu seo go dtí an 8ú céad A.D.

5. *Crannadhradh, Fios agus Litríocht*

Is iomaí rian den chrannadhradh atá le feiceáil ar fud saoithiúlachta iomadúla an domhain sa lá atá inniu ann féin. Dís nach cóir baint dóibh, de réir seanfhocail de chuid Bhéarla na hÉireann, an seansagart is an tseansceach. Meastar gur cur isteach ar na síóga é i gcás na sceiche, is é sin, go bhfuil cumhachtaí osnádúrtha nó spridí ag lonnú inti no fúithi. *Anamachas* a thugtar ar an dearcadh seo agus gan dabht is é bun agus barr an 'chreidimh' seo gach uile áit é.

Léiríonn an fhréamh **nem-* agus a shliocht sa Laidin agus sa Cheiltis tábhacht na gcrann is na gcoillte san dá shaoithiúlacht seo sa tráth a raibh coillte ag síneadh leo go deo deo ar fud na hEorpa: 'coill' is ea νέμος na Gréigise, ach 'fáschoill bheannaithe' *nemus* na Laidine ina theannta. Níl aon duine nár chuala trácht ar Nemi, fáschoill Diana Nemorensis ar chnoic Alban na hIodáile: samhail an ríshagairt ag fionraí claíomhnocht i ndiamhair choille. 'Fáschoill bheannaithe' leis is ea νέμητον na Gaillise. *Nemed* riocht an fhocail seo sa tSean-Ghaeilge; i dtreo an tsuibíochtachais a ghabh sé ar thaobh amháin, féach 'áit bheannaithe, tearmann'→'pribhléid, céim'→'duine a bhfuil cearta is pribhléidí aige os comhair an dlí'. *Fidnemed* a thugtar ar an bhfáschoill bheannaithe. *Ni bie fidnemed* 'ní bhainfidh tú an crann beannaithe' a deirtear i ndán as an 7ú céad (lch 144 thuas) áit a leagtar síos an fhíneáil as scoitheadh nó milleadh na gcrann éagsúil. 'Lucht riartha na coille' a thugtar ar an gcuid díobh a thugann meas uathu (ibid.).

Cuireann na naoimh na dlíthe céanna i bhfeidhm níos déanaí (Féach thíos). I dteannta Mac Cáerthainn 'son=devotee of the rowan-tree' (Aicme B thuas, §4) tá na hainmneacha Sean-Ghaeilge seo a leanas ann i gcomhartha crannadhartha: Mac Cuill, Mac Cuilinn, Mac Í/Mac Ibair (>Iúir), Mac Dara, Mac Dregin (> Draighin). Ar an gcrann iúir atá na slua-ainmneacha *Eburovices* na Gaillise agus *Eogan-acht* na Gaeilge bunaithe: Eo-gan = Yew-born. Féach §4, Aicme A thuas.

Ba mhór ar fad an draíocht a bhí sa chrann caorthainn. Is air a théití *ar na cliathaibh fis*: nuair a théadh an cúram go cnámh na huillinne ar na draoithe is é a dhéanaidís chun treorach ná cruinnchliatha caorthainn a réiteach agus seithí na dtarbh íobartha a leathadh orthu taobh na feola in uachtar (*Keat.* II 350). Tá *naoimh* darbh ainm Mac Carthainn agus Der (=Iníon) Carthainn luaite i *Mart. Don.* agus tá mórán crann luaite le *naoimh* i mBeathaisnéisí na Naomh, crainn bheannaithe a raibh bua áirithe ag baint leo. Traidisiúin Réamh-Chríostaí iad seo. Tá tromphionós sa ré Chríostaí leis ar an té a bhainfeadh nó a mhillfeadh crainn: 'Gheall Caoimhín saol gearr agus Ifreann ina dhiaidh do gach aon duine a loiscfeadh úrach nó críonach na coille sin go brách'. (Féach V. SS. Hib. I cliii).

Fid atá ar chrann, agus ar litir den aibítir Oghaim, agus is iad ainmneacha na gcrann atá ar litreacha éagsúla na haibítre sin.

Thurneysen a thug do bhuíon iomadúil a dheisceabal an teagasc gurbh ionann *druí* (**dru-wid-*) agus 'an té atá sár-eolach': fionnachtain dá chuid féin ba ea *dru-* =sár- (KZ 32: 563–4). Ina dhiaidh sin ghlac amhras é; thréig sé a ghin is a dheisceabail is d'fhill ar thuairim Phlinius gurbh iad na 'dair-eolaigh' iad na draoithe: *dru-* =dair- (ZCP 16: 277). Meabhraíonn an seanmhíniú seo dúinn (cibé acu ceart mícheart é: féach leis Pedersen I 61) cultas réadóireachta na nGearmánach as ar fáisceadh brí na bhfocal *read, write, book* an Bhéarla. Mar a leanas tuairisc Thacitus air:

Tá barr measa ag na Gearmánaigh ar thuar is ar chrannchur. Mar a leanas a chaitheann siad crannchur: scoitheann siad craobh de chrann toraidh agus gearrann siad ina sliseoga í; cuireann siad litir áirithe den aibítir mar chomhartha le gach sliseog, agus caitheann siad trí chéile ar éadach bán iad. Más ócáid phoiblí é, guíonn an sagart oifigiúil chun na ndéithe, stánann go géar ar na flaithis, tógann trí shliseog ceann ar cheann agus léann orthu ó na litreacha atá scríofa orthu. Athair na clainne a dhéanann é nuair is ócáid phríobháideach atá i gceist. Más droch-chrann ag toirmeasc birt é, tá deireadh le tuaradh an lae sin. Sa chás go gceadaíonn an crann beart, ní foláir crann fáistine á dhearbhú . . . (*Germania* X).

Comharsana ba ea na Gearmánaigh is na Ceiltigh a raibh mórán traidisiún i bpáirt acu mar is léir ón gcomhfhoclóir atá acu. Tá trácht sa sliocht thuas, mar shampla, ar an aibítir Ghearmánach a ceapadh chun scríobh ar chrua-ábhair mar chloch, adhmad ⁊rl ar nós Ogham na nGael. *Rune* a thugtar ar litir de litreacha na haibítre sin sa Bhéarla is sa Ghearmáinis. Ní léir bunbhrí an fhocail *rune* áfach go dtí go leagtar an focal Gaeilge *rún* (nó *rúna* na Gotaise) 'mistéir, sicréid' lena ais: Is ansin a thagann an t-anam san fhocal. Ní léir bunbhrí an fhocail Bhéarla *write* go gcuirtear a leathcheann Gearmánach *reissen* taobh leis: 'scoilteadh; to rip' a bhrí seo anois; ar tús áfach 'litreacha a inscríobh; to inscribe runes' ba ea é. Ná níl léamh ceart ar an bhfocal *read* in éagmais a pháirtí Ghearmánaigh *raten* 'tuaradh, fáistine a dhéanamh, tomhas; to riddle, divine, guess'. Chuige sin níor mhór na sliseoga adhmaid a bhailiú is a eagrú, agus seo é an chuid den chúram is bun leis an bhfocal Gearmánach *Lesen*. Tá an bhunbhrí seo fanta san fhocal *auflesen* 'bailiú, to gather', ach 'léamh' gnáthbhrí an fhocail *lesen* anois.

Na sliseoga ar ar inscríobhadh na 'rúin', tugadh *Buchstaben* sa Ghearmáinis orthu; is é sin 'beech-staves; sliseoga beithe', mar is í an bheith is mó a bhíodh in úsáid chuige. Tá an t-ainm *Buchstaben* fanta sa Ghearmáinis ar litreacha na haibítre trí gach claochlú ó shin. Nuair a bhíodh na sliseoga beithe (*Buchstaben*) bailithe le chéile chun brí a bhaint astu, dhéanaidis *Buch*, Béarla *book*. Ó ainm na beithe *book* dá bhrí sin. Na téarmaí Laidine *scribere, legere, liber* (Gaeilge *scríb- lég-, lebor*) a neadaigh sa Ghaeilge; sa Ghearmáinis bhrúigh an iasacht *scriban > schreiben* an focal dúchasach *writan* 'to write' ar gcúl; agus is é an téarma Laidine *littera* 'litir' a chuaigh i bhfód ar iarthar na hEorpa i dteannta script na Laidine féin.

Tugann an tOgham VELITAS LUGUTTI '(leacht) an fhile L.' chun cuimhne dúinn an bhanfháidh Ghearmánach *Veleda* a thuill ómós as a seasamh in aghaidh na Rómhánach. Ón mbunstoc *uelēt-* an tréidhe *Veleda*, Sean-Ghaeilge *fili* agus Breatnais *gweled* 'feiceáil'. Léiríonn ciall an fhocail Bhreatnaise buntréith an *fhile*. – Eisean an duine a fhaigheann léargas ar rudaí; *seer* is ea é.

Foghar na nAinmneacha Dílse*

Ní féidir brath ar litriú na Sean-Ghaeilge mar threoir d'fhuaimniú na bhfocal de bhrí nach bhfuil sé sách rialta ná seasmhach. Le fuaimniú na n-ainmneacha dílse a léiriú níor mhiste breathnú ar dtús ar an gcóras foghraíochta agus ar na foshistéim dá bhfuil sé comhdhéanta, go háirithe iad seo a leanas:

1a) Na gutaí gearra tosaigh *e, i*; na gutaí gearra cúil *a, o, u*.

1b) Na gutaí fada tosaigh *é,í*; na gutaí fada cúil *á,ó,ú*.

1c) Na défhoghair *au, eu, iu, ou; aí (aé), oí (oé), uí,áu, éu, íu, óu, ía, úa*.

> NÓTA 1 : Téann *aí/aé*, agus *oí/oé* trína chéile. Scríobhtar *ía, úa* etc. leis na défhoghair a idirdhealú ó na cnuasaigh dhéshiollacha *ia, ua*. . . . Scríobhtar *aí, oí, uí* leis na défhoghair seo a idirdhealú ó *á, ó, ú*+an sleamhnán[i] : e.g. an t-ainm *Aí* [ai] leis an défhoghar v. an t-ainm *Gráinne* [·gra:^{i}N'e] le *á^i*. Fágaimidne an sleamhnán sin ar lár sna leaganacha foghraíochta thíos.

2a) Na consain leathana (roimh *a, o, u*)

2b) Na consain chaola (roimh *e, i*)

2c) Na consain shéimhithe (e.g. idir gutaí)

p	b	t	d	k	g	m	N	η	R	L	s	f
p'	b'	t'	d'	k'	g'	m'	N'	η'	R'	L'	s'	f'
f	β	θ	δ	χ	γ	μ	n		r	l	h	—

> NÓTA 1 : Ní áirímid anseo an 4ú sraith [2d] na consain faoi urú].
> NÓTA 2: *Fortes* nó consain láidre a chuireann na ceannlitreacha *R,N,L* in iúl. Consain dhéadach-ailbheolacha iad *t,d*. Le *s* no *ś* a scríobhtar an fhuaim [h]; – níl aon fhuaim ag an litir *h*. Is déanaí foirmeacha le *nn* ná foirmeacha le *nd*, e.g. *Flann* v. *Findabair*.
> NÓTA 3: Béim an ghutha: Ar chéad siolla an ainm a bhíonn sí. Le ponc roimh an siolla sin a chuirimid in iúl í, e.g. *Conchobor* [·kon-χo-βor]. Léiríonn an sampla seo an chaoi a ndeighltear na siollaí óna chéile sa tSean-Ghaeilge: téann an consan singil leis an siolla a leanann é – faoi mar a théann i Nua-Bhreatnais an Tuaiscirt, cf. Breatnais [·ʃu-gur] v. Béarla [·ʃug-ə] 'sugar'.

---

* I dtaca le *foirm* na n-ainmneacha dílse dhe, féachadh le deilbh na Sean-Ghaeilge a fhágáil orthu, e.g. *Medb* (Nua-Gh. *Meadhbh*). B'éigin géilleadh do ghnás na Nua-Ghaeilge le focail séimhithe áfach, agus Mh-, Bh-, Dh-, Bh- a scríobh e.g. *do Mhacha . . . do Mheidb* (lch 31, líne 35).

236

Sna liostaí thíos tá foghar curtha leis na hainmneacha dílse is coitianta a bhfuil deacracht ag roinnt leo. Is iad na cineálacha atá orthu:

A) Ainmneacha Pearsanta, B) Treabhchais, C) Logainmneacha.

A) Na hAinmneacha Pearsanta. Ina measc seo tá riar ainmneacha ársa le *Cú* agus *Mes* (=Dalta) etc. mar *Cú Roí, Mes Gegra*. Ar na haicmí is flúirsí tá *Ainm+Leasainm*, e.g. *Eochu Echbél* (=Béal capaill); *Ainm+mac X/ua* (=mac mic) *X*, e.g. *Sencha mac Ailella;* agus *Ainm+ Logainm*, e.g. *Finnian Magbile*.

m.=*mac* [mak]; cuireann an comhartha [:] fad an fhoghair roimhe in iúl, e.g. [·aːnʹe] 'Áine'.

Adamnán [·aðaµnaːn]
Aed [aeð]
Aedán [·aeða:n]
  m. Gabráin [m. ·gaβraːnʹ]
Aí [ai]
  m. Ollaman [m. ·oLaµan]
Ailbe [·alʹβʹe]
Ailill [·alʹiLʹ]
  m. Rossa Ruaid [m. ·Rossa ruaðʹ]
Áine [·aːnʹe]
Amargein Glúngel [·aµarɣʹenʹ ·gluːnɣʹel]
Athirne Amnas [·aθʹiRʹNʹe ·aµnas]
  Áilgesach [·aːlʹɣʹesaχ]
  Díbech [·dʹiːβʹeχ]
Baetán [·baedaːn]
Boann [·bo-aN]
Breothigern [·bʹrʹeoθʹiɣʹeRN]
Bricriu [·bʹrʹikʹrʹu]
Brigit [·bʹrʹiɣʹidʹ]
Bruidge [·bruðʹɣʹe]
Cacher [·kaχʹer]
Caí Caínbrethach [·kai ·kainʹβʹrʹeθaχ]
Caier [·kaier]
Cairbre Cinn Chait [·karʹbʹrʹe kʹiNʹ ·χatʹ]
Cathaír [·kaθair]
Cathal [·kaθal]

Cathbad [·kaθβað]
Cenn Faelad [kʹeN ·faelað]
Cet m. Mágach [·kʹet m. ·maːɣaχ]
Ciannacht [·kʹiaNaχt]
Cimbaeth [·kʹimbaeθ]
Cobthach Coíl [·kofθaχ ·koil]
Colmán [·kolmaːn]
  m. Lénéni [m.·lʹeːnʹeːnʹi]
  Rímid [·Rʹiːµʹiðʹ]
Colum Cille [·kolum ·kʹiLʹe]
Conaire [·konarʹe]
Conall Cernach [·konaL ·kʹeRNaχ]
Conchobor [·konχoβor]
Congell [·konɣʹeL]
Conn Cétchathach [·koN ·kʹeːdχaθaχ]
Connla [·koNLa]
  Caínbrethach [·kainʹβʹrʹeθaχ]
Cormac [·kormak]
  m. Airt [m. ·aRʹtʹ]
  ua Cuinn [ua ·kuNʹ]
Cothr(a)iche [·koθriχʹe]
Crimthann [·kʹrʹiµθaN]
Crunnchú [·kruNχuː]
Cú Chulainn [kuː ·χulaNʹ]
Cú Roí [kuː ·Roi]
Cumall [·kuµaL]
Da Derga [da ·dʹerga]
Dagda [·daɣða]
Dáire Derg [·daːrʹe ·dʹerg]

Dallán Forgaill [·daLa:n ·forgiL′]
Dathó [da · θo:]
Deáith [·d′ea:θ′]
Delbaeth [·d′elβaeθ]
Dian Cécht [·d′ian ·k′e:χt]
Domanchenn [·doμanχ′eN]
Domnall [·doμnaL]
Dubthach [·dufθaχ]
Ecet [·eg′ed]
Eithne [·eθ′n′e]
Emer [·eμ′er]
Eochu [·eoχu]
Éogan Mór [·eoγan ·mo:r]
  Taídlech [·taiδ′l′eχ]
Éremón [·e:r′eμo:n]
Étaín [·e:dai:n]
Etarscél [·edar′s′k′e:l]
Fachtna [·faχtna]
Fedelm Foltchaín [·f′eδ′elm ·foLTχain′]
Fedlimmid [·f′eδ′l′im′m′iδ′]
  Rechtaid [·R′eχtiδ′]
Feradach [·f′eraδaχ]
Ferchertne [·f′erχ′eR′t′n′e]
Fergus [·f′erγus]
  m. Léti [m. ·L′e:d′i]
  Fairrge [faR′g′e]
Fiachna [·f′iaχna]
Findabair [·f′iNdaβir′]
Fíngin Fáthliaig [·f′i:n′γ′in′ ·fa:θl′iaγ′]
Finnchaem [·f′iNχaeμ]
Finnian Magbile [·f′iN′ian ·maγβ′il′e]
Fíthal [·f′i:θal]
Flann Fina [·flaN ·f′i:na]
Forgoll [·forgoL]
Fothaid Airgdech [·foθiδ′ ·ar g′δ′eχ/·ar′g′ θ′eχ′?]
Ingcél [·iη′g′e:l]
Labraid [·Laβriδ′]
  Laídech [·Laiδ′eχ]

Loingsech [·Loη′s′eχ]
Loeg [Loeγ]
Loegaire [·Loeγar′e]
Lomna Drúith [·Lomna ·dru:θ′]
Luaine [·Luan′e]
Luccreth [·Luk′r′eθ]
Lug [Luγ]
Lugaid Lonn [·Luγiδ′ ·LoN]
Macha [·maχa]
Mael Dúin [·mael ·du:n′]
Maine [·man′e]
Manannán m. Lir [·manaNa:n m. ·L′ir′]
Medb [m′eδβ]
Mes Gegra [m′es ·g′eγra]
Midir [·m′iδ′ir′]
  Brí Léith [b′r′i: ·l′e:θ′]
Moen [moen]
Mongán [·moηga:n]
Morann m. Main [·moraN m. ·main] Cf. Moen.
Mugain [·muγan′]
Muirchertach m. Erca [·mir′χ′ertaχ m. ·erka]
Nath Í [Na · θ′i:]
Nechtan [N′eχtan]
Néde m. Adnai [·N′e:δ′e m. ·aδni]
Nemed [·N′eμ′eδ]
Niall [N′iaL]
  Noíghiallach [·Noiγ′iaLaχ]
Niníne [·N′in′i:n′e]
Nuadu Necht [·Nuaδu ·N′eχt]
Oengus [·oenγus]
Pátraic [·pa:drig′]
Sen m. Áigi [s′en m. ·a:γ′i]
Senchán Torpéist [·s′enχa:n ·torp′e:s′t′]
Sétanta [·s′e:daNda]
Sinann [·s′inaN]
Sualtaim [·suaLtaμ′]
Suibne Geilt [·suβ′n′e ·g′el′t′]

B) Na Treabhchais. Cuireann *Dál* agus *Cenél* an fo-threabhchas, *Síl Clann* agus *Uí* an sliocht in iúl:

Builg [bul'g'] Cf. *Fir Bolg.*
Cenél nEogain [k'en'e:l ·n'eoɣan']
Cianacht [·k'ianaχt]
Clann Míled [klaN ·μ'i:l'eδ]
Cruthin [·kruθ'in']
Dál Céin [da:l ·g'e:n']
Dál Músca [da:l ·mu:ska]
Dál nAiride [da:l ·nar'iδ'e]
Dál nEogain [da:l ·n'eoɣan']
Dál Riata [da:l ·r'iada]
Domnainn [·doμnaN']
Eoganacht [·eoɣanaχt]
Érainn [·e:raN']
Féni [·f'e:n'i]
Fir Bolg [f'ir' ·βolg] Cf. *Builg.*

Fothairt [·foθaR't']
Gălioin [·ga:l'ion', ·gal'ion'] Cf.
    EIHM 22 n., 460.
Goídil [·goiδ'il']
Laigin [·Laɣin']
Loíges [·Loiɣ'es]
Luaigni [·Luaɣ'n'i]
Múscraige [·mu:skriɣ'e]
Síl nÍr [s'i:l ·n'i:r']
Tuatha Dé Danann [·tuaθa d'e:
    ·danaN]
Ui Bairrche [ui ·βaR'χ'e]
Ui Néill [ui ·n'e:L']
Ulaid [·ulaδ']

C) Na Logainmneacha. Is minic ainm an chine ar an tír atá ina sheilbh, e.g. *Ulaid, Connachta, Laigin* etc.

Ard Macha [aRd ·maχa]
Bendchor [·b'eNdχor]
Benn Athirni [b'eN ·aθ'iR'N'i]
Boinn [bo-iN'] Cf. *Boann.*
Bruiden Da Derga [·bruδ'en Da
    ·δ'erga]
Bruig na Boinne [·bruɣ' na
    ·bo-iN'e]
Cóiced Ól nÉcmacht [·co:g'eδ
    o:l ·n'e:gμaχt]

Druim Cett [Drum' ·k'et:]
Emain Macha [·eμan' ·μaχa]
Étar [·e:dar]
Mag Line [maɣ ·l'in'e]
Mag Macha [maɣ ·maχa]
Mag Rath [maɣ ·raθ]
Síd-ar-Femen [·s'i:δar ·eμ'en]
Temair [·t'eμar']
Tír nÉle [t'i:r' ·n'e:l'e]
Tuaim nDrecain [tuam' ·n'r'egan']

TREOIR

240

Wt.—P.18273. 2000. 6/78. Cahill. (1740). G. 16.

ERRATA

lch xv	líne 16	CIIP	léigh	CIIC
,, 3	,, 22	Gaeltacha	,,	Gaeltachta
,, 4	,, 2	lánléanta	,,	lánléannta
,, 4	,, 25	mhaith	,,	maith
,, 6	,, 28	sága	,,	saga
,, 52	,, 36	an thugadh	,,	a thugadh
,, 52	,, 39	acu.	,,	acu,
,, 60	,, 24	Chonchobor	,,	Conchobor
,, 113	,, 25	fo·gellat	,,	for·gellat
,, 126	,, 10	formiúil	,,	foirmiúil
,, 127	,, 5	sága	,,	saga
,, 127	,, 17	shága	,,	shaga
,, 145	,, 43	Éo	,,	Ēo
,, 162	,, 10	chlú	,,	mhainistir
,, 162	,, 11	ghaoil	,,	ionad
,, 165	,, 18	sampla amháin	,,	péire sampla
,, 167	,, 41	82	,,	81
,, 197	,, 28	soiscéala	,,	soiscéalaí
,, 211	,, 22	etc.)	,,	etc.)'
,, 214	,, 18	traidisiún	,,	thraidisiún
,, 229	fonóta	CIIP	,,	CIIC
,, 233	líne 16	$\nu\acute{\epsilon}\mu\eta\tau o\nu$	,,	$\nu\epsilon\mu\eta\tau o\nu$
,, 238	col. 1	Flann Fina	,,	Flann Fína
,, 238	col. 2	Morann m. Main	léigh	Morann m. Maín
,, 243	col. 1	Senbriathra Fithail	léigh	Senbriathra Fíthail